10
18

12, AVENUE D'ITALIE. PARIS XIIIe

Sur l'auteur

Né dans le Michigan en 1937, Jim Harrison est aujourd'hui considéré comme le chantre de la littérature américaine. Scénariste, critique gastronomique et littéraire, journaliste sportif et automobile, il est l'auteur d'une œuvre considérable, parmi laquelle on compte de grands succès comme *Légendes d'automne*, *Dalva*, *Un bon jour pour mourir*. Il a publié une autobiographie, *En marge*, et de nombreux romans et recueils de nouvelles, dont *De Marquette à Veracruz* et *L'été où il faillit mourir*. *Grand Maître*, son dernier roman, a paru aux éditions Flammarion en 2012, en même temps qu'une anthologie de ses meilleurs poèmes écrits entre 1965 et 2010, *Une heure de jour en moins*. Jim Harrison partage aujourd'hui son temps entre le Michigan et le Montana.

JIM HARRISON

EN ROUTE
VERS L'OUEST

Traduit de l'anglais (États-Unis)
par Brice Matthieussent

CHRISTIAN BOURGOIS ÉDITEUR

Ouvrage précédemment paru
dans la collection « Domaine Etranger »
créée par Jean-Claude Zylberstein

Titres originaux :
Westward Ho
The Beast God Forgot to Invent
I Forgot to Go to Spain

© Jim Harrison, 1999.
© Christian Bourgois Éditeur, 2000,
pour la traduction française.
ISBN 978-2-264-03174-7

EN ROUTE VERS L'OUEST

Titre original :
Westward Ho

À Westwood, Chien Brun reconnut un nuage qu'il avait vu maintes années auparavant, à plus de trois mille kilomètres vers l'est, près de Fayette, sur la Big Bay De Noc. De toute évidence, ce nuage était le même, on ne pouvait s'y tromper. Le seul problème, c'était de savoir quel itinéraire il avait suivi jusqu'à la Californie et, plus précisément, jusqu'à Westwood. Ce nuage n'avait rien d'extraordinaire en soi. Au cours de son existence passée dans les bois, Chien Brun avait vu trois oiseaux différents – un corbeau, un faucon à queue rouge et une humble grive – tomber raides morts de leurs perchoirs respectifs et une autre fois, alors qu'il pillait illégalement une épave dans le lac Supérieur à une profondeur d'une centaine de pieds, une très grosse truite de lac choisit ce moment pour se laisser choir lentement, toute tremblante et sans vie, vers le fond du lac. L'espace d'un instant, il fut tenté d'aller l'y ramasser et de la glisser dans son sac de plongée avec quelques accessoires en cuivre prélevés sur le bateau coulé, mais il pensa aussitôt que ce poisson venait de mourir en paix et que ce ne serait pas bien de le faire griller, de l'arroser de sauce piquante pour finir par le transformer en étron. Lorsque C.B.

enfant était déprimé ou renfermé, son grand-père lui disait volontiers :

« Garde la tête bien droite, petit. Nous finirons tous en étrons de vers. »

Le nuage s'en alla, remplacé par le ciel bleu. C.B. s'étira dans son nid sous les feuilles immenses du buisson Taro (*colocasia esculenta*) dans le Jardin Botanique de l'université d'UCLA, un buisson, décida-t-il, qui était l'une des inventions les plus remarquables de Dieu, tellement différent de la flore autochtone de sa Péninsule Nord du Michigan qu'il semblait tombé d'une autre planète. Mais malgré la beauté de ce vaste dôme de feuilles vertes, ce massif n'aidait guère Chien Brun à se repérer, une habitude à laquelle il sacrifiait à chaque réveil et qui lui permettait aussi de rompre le sortilège de son intense activité onirique, un charme qui se dissipait aisément quand on disait :

« Me voici au chalet où il fait environ trois degrés Celsius. Le vent souffle du nord-ouest à trente nœuds. C'est le premier novembre et, si je n'avais pas eu droit à une dose supplémentaire de whisky, je me serais levé au milieu de la nuit pour remettre du bois dans le poêle et il ferait sept degrés au lieu de trois, en cette aube où on se pèle le jonc. »

Ce genre de commentaire. Mais comment entamer une journée sans savoir où l'on est ?

Ou bien, question peut-être encore plus importante, pourquoi l'entamer, cette journée ? La réponse risque d'être longue, imprécise, embrouillée par cette pensée implacable que l'endroit où l'on se trouve est forcément le bon au cours de ce voyage bref et brutal. Sept jours plus tôt, il se trouvait dans la Péninsule Nord et le voici maintenant sous un buisson de Taro, à Westwood, dans ce qu'on appelle par euphémisme « le Grand Los Angeles » (une pensée pour le Petit Los Angeles tout palpitant, prêt à exploser, fréquemment incontrôlable).

À vrai dire, Chien Brun était en cavale : il fuyait son repaire du Michigan avec Lone Marten, un ancien activiste indien aux agissements plus que troubles, après une série de manigances illicites et de délits relativement anodins. Son premier crime était d'avoir pillé plusieurs épaves du lac Supérieur, d'avoir même récupéré le corps d'un Amérindien dans l'une d'entre elles, un cadavre dont il avait finalement décidé qu'il s'agissait peut-être de celui de son père, même si aucun élément concret n'étayait cette hypothèse. Comme dans la célèbre théorie des dominos, ce premier délit parut en justifier d'autres, même si C.B. considérait ses motivations comme parfaitement altruistes, car les problèmes qu'il rencontrait avec la loi venaient de ses efforts pour protéger un cimetière indien secret, dont il avait hélas trahi l'existence lors d'un brûlant épisode sexuel avec une jeune et adorable anthropologue.

En plus de ces problèmes légaux, Lone Marten l'avait abandonné à Cucamonga deux jours plus tôt. Chien Brun était allé pisser aux toilettes et à son retour Lone Marten avait filé ; quand Chien Brun interrogea le serveur à propos de Lone Marten, parce que sa précieuse peau d'ours était dans le coffre de la voiture, le gars lui répondit : « Casse-toi ou j'appelle les flics », une entrée en matière guère amicale. Il insista et demanda la direction de Westwood ; alors le serveur se contenta de tendre le bras vers l'Ouest. Chien Brun semblait obnubilé par les gros anneaux qui décoraient les oreilles du serveur, des accessoires sans doute handicapants lors d'une éventuelle bagarre. En effet, il suffisait à votre adversaire de s'emparer de ces boucles d'oreille et vous étiez fichu. Telles étaient du moins les pensées de Chien Brun lorsqu'il partit vers l'Ouest, le cœur passablement lourd, mais en s'engageant sur une route au nom réconfortant, *Arrow Highway*, la Route de la Flèche.

Il y a quatre-vingt-sept kilomètres de marche entre Cucamonga et Westwood, une ballade pas trop longue pour un homme qu'on surnommait souvent dans sa région « le crétin ambulant ». Sans forcer le pas, Chien Brun mit trente-six heures pour couvrir cette distance, agrémentant sa marche de brefs repas spartiates et de copieuses siestes où il prouva ses talents d'authentique homme des bois à dormir les yeux ouverts. Cette région, lui semblait-il, n'était pas de celles où l'on pouvait fermer les yeux en toute sécurité. Lorsqu'il avait demandé à Lone Marten combien de gens habitaient Los Angeles et que Lone lui avait répondu « des millions et des millions », cette quantité s'était révélée mentalement indigeste. Il n'avait jamais vu autant de gens aller et venir depuis l'époque des émeutes de Chicago, quand Chien Brun était un élève très ordinaire du Moody Bible Institute. De toute évidence il se passait beaucoup de choses, mais il ne savait pas quoi au juste.

Quelques années plus tôt, il avait vu une autre foule impressionnante lors de la Convention des Joueurs de Bugle et des Pompiers d'Ishpeming et les objectifs de cette foule avaient été assez clairs. Debout sur le parking du garage en attendant qu'on remplace le joint de culasse de son pick-up, Chien Brun avait assisté aux prestations appliquées de plusieurs centaines de joueurs de bugle. Et il avait eu plus que sa dose de bugle pour une vie entière.

Pendant une marche de quatre-vingt-sept kilomètres on a tout le temps de refaire le monde, mais c'est la marche et non la gamberge qui apaise l'esprit. Chien Brun ne ressentait pas cette mélancolie taraudante qui s'empare souvent des gens bien élevés lorsqu'ils visitent Los Angeles pour la première fois. Ses pensées étaient beaucoup plus terre à terre, car son seul but consistait à récupérer sa peau d'ours avant de rentrer au pays, où que se trouvât ce pays, et même s'il envisageait de plier bagages pour le Canada afin d'échapper au bras de la loi, certes pas dans le but de rejoindre le merveilleux club de strip-tease de la partie canadienne de Soo où les filles finissaient leur numéro en tenue d'Ève, mais bien plutôt la rivière Nipigon sur la rive nord du lac Supérieur. Car ce cours d'eau abritait, semblait-il, grande abondance de truites énormes et Chien Brun pourrait toujours reprendre cette activité détestable qui consistait à couper du bois.

C.B. avait effectué une marche aussi longue quelques années plus tôt, quand deux filles de Grand Marais qu'il avait emmenées en voiture jusqu'à Munising l'avaient planté là, parce qu'il s'était enivré au *Corktown Bar* avant de descendre le tertre herbeux menant au port pour y piquer un roupillon. Il se croyait profondément amoureux d'une de ces filles, innocemment prénommée Mary et originaire de Detroit ; mais ce fut elle qui, fidèle à son passé obscur, vola le pick-up de C.B. et partit passer le week-end dans Iron Mountain. Si profondes furent la douleur et la colère de C.B. après cette ignoble trahison, qu'il rentra à pied jusqu'à Grand Marais, marchant pendant deux jours d'un pas triste et paisible pour parcourir plus de quatre-vingts kilomètres, à peu près la même distance, pensait-il maintenant, que celle qui séparait Cucamonga et Westwood. Mais la marche entre Munising et Grand Marais lui avait fait traverser la campagne et, hormis un arrêt dans une petite boutique de Melstrand pour acheter quelques conserves de porc aux haricots, il n'avait pas rencontré âme qui vive. C'était la mi-mai, il faisait chaud, une grosse lune brillait dans le ciel et, lorsqu'il fit son premier feu de camp, il avait quasiment oublié Mary. Frank,

son seul ami authentique et le propriétaire de la taverne
locale, l'avait pourtant prévenu que Mary était « une
rapide » ; C.B. en eut la preuve le matin où il s'immergea
dans la baignoire de Frank, après avoir versé dans l'eau
une puissante Marie-Rose contre les morpions. Il n'y avait
pas de puces aussi loin dans le nord et Chien Brun n'avait
d'abord pas compris l'origine de cette démangeaison
subite qui l'obligeait à se gratter partout, même sur les
sourcils. Frank, qui avait travaillé sur des chantiers de
construction jusqu'en Floride, procéda à une analyse précise fondée sur l'expérience.

Quelques heures après son départ de Cucamonga, il se
rappela soudain où il avait déjà entendu ce nom. Tous les
dimanches soirs, son grand-père écoutait l'émission de
Jack Benny sur leur poste de radio Zenith à piles et Jack
Benny lui-même avait souvent traversé Cucamonga en
train pour se rendre à Hollywood. Rochester, le copain de
Jack Benny, criait parfois « Cucamonga ! » sans raison
valable et, un soir d'été où un tout petit ourson farfouillait
dans le trou à ordures situé au fond du jardin, l'animal
avait soudain levé la tête en entendant le cri de Rochester.
Chien Brun et son ami, David Quatre-Pieds, plus tard
décédé à la prison de Jackson, adoraient et enviaient cette
voix de Rochester, mais ils étaient incapables de l'imiter ;
dès qu'ils essayaient, Grand-père leur hurlait :

« Fermez vos gueules ! »

Le souvenir de Jack Benny lui redonna courage et la
vision de C.B. s'élargit à partir du ciment sous ses pieds et
de l'étroit tunnel situé devant lui, où ses émotions
l'avaient confiné jusque-là. Avant Jack Benny, il avait
tenté de se rappeler l'histoire biblique de Ruth parmi le
« blé étranger ». Durant le bref passage de Chien Brun au
Moody Bible Institute de Chicago, le pasteur de son église
locale lui avait envoyé une lettre évoquant Ruth parmi le

blé étranger, afin de consoler l'éventuel mal du pays dont souffrait peut-être son ouaille. Malheureusement, l'église transmit par erreur à C.B. l'intégralité de sa bourse d'études plutôt que de l'adresser à l'Institut, et le vaurien dépensa tout cet argent avec une serveuse noire. L'expression « s'envoyer par-dessus les moulins » l'avait toujours intrigué ; en effet, si l'amour était parfois éprouvant physiquement, il ne semblait jamais aussi acrobatique.

Tandis que sa vision s'élargissait, sa curiosité naturelle, sans doute le bien le plus précieux qu'on puisse posséder ici-bas, reprit le dessus et il se mit à observer plus attentivement cette terre étrangère nommée Los Angeles : les choses gagnèrent en clarté. Par exemple, on vendait paraît-il des millions de voitures neuves chaque année, mais on en voyait peu dans la Péninsule Nord, sauf sur les Routes 2 et 28 pendant la saison touristique, quand elles s'agglutinaient le soir devant les motels les plus rupins. Ici, à Los Angeles, il y avait des milliers et des milliers de voitures neuves, ce qui signifiait sans doute que les autochtones gagnaient des sommes incroyables. Mais, debout sur une passerelle qui enjambait l'autoroute de la San Gabriel River, il baissait les yeux vers les six voies embouteillées de voitures immobilisées pare-chocs contre pare-chocs dans les deux sens et il se demanda pourquoi les conducteurs ne changeaient pas de boulot pour éviter ce cauchemar. Et puis, C.B. lut deux fois le panneau sans pouvoir trouver la moindre trace de la San Gabriel River et il n'y avait aucun piéton à qui il aurait pu demander où diable se trouvait cette rivière.

Quelques heures plus tôt, durant une halte dans un petit parc, il s'était beaucoup étonné de la flore, dont il ne parvenait à identifier aucun specimen, bien qu'il connût les noms de centaines d'arbres et de buissons dans la

Péninsule Nord. Les oiseaux constituaient un autre mystère et il s'interrogea distraitement sur le manque d'ordre d'un Dieu qui avait inventé tant d'espèces différentes, avant de décider que c'était précisément ce désordre qui accordait à la nature toute sa beauté.

Il tenta de repousser la traque de la police vers une région plus apaisée de son esprit pour éviter la sensation de devoir regarder par-dessus son épaule, même si la scène de son délit se trouvait à trois mille kilomètres vers l'est. Il avait brûlé la tente de deux jeunes anthropologues diaboliques afin de préserver son cimetière indien, et aussi avec Lone Marten il avait balancé quelques gros pétards et des fusées M-80 sur un site archéologique protégé, le cimetière, pour essayer d'en chasser les intrus. Ce n'était pas vraiment un délit gravissime, mais sa mise en liberté surveillée stipulait qu'il ne pouvait pas pénétrer dans le comté d'Alger, même si l'attaque manigancée par Lone Marten l'avait contraint à quitter de quelques centaines de mètres seulement le comté de Luce pour empiéter sur celui d'Alger. Dans l'esprit de Chien Brun, si seulement la loi imitait certains aspects magnifiquement désordonnés de la nature, le juge pourrait dire « que le passé repose en paix », ou une formule similaire. Ensuite, donc, lui-même pourrait rentrer au pays, à condition d'avoir retrouvé sa peau d'ours. Delmore avait déclaré qu'une peau d'ours ne devait jamais s'éloigner de la région où l'animal avait été tué, car cette peau abritait parfois encore l'esprit de la bête ; mais C.B. soupçonnait Delmore d'inventer souvent au pied levé des légendes indiennes pour apporter de l'eau à son moulin.

D'ailleurs, le plus gros problème pendant cette longue marche avait été l'eau. Ils étaient loin de la distribuer gratuitement dans cette région. On lui avait soutiré cinquante cents dans un fast-food pour un gobelet plastique contenant une eau qu'il n'avait même pas pu boire, car elle semblait mêlée d'étranges substances chimiques. La serveuse sympathique derrière le comptoir avait remarqué le regard perplexe de C.B. qui venait de goûter son eau et elle lui montra une glacière contenant de petites bouteilles du même breuvage, vendues plus d'un dollar pièce. Il faisait chaud, il n'avait pas le choix. Il n'était pas vraiment préparé à ce genre d'expérience, mais il se rappela une querelle à la taverne de Frank concernant les bouteilles d'eau qui venaient de faire leur apparition dans la Péninsule Nord. À ce moment-là, il se battait pour écouter sa musique préférée sur le juke-box, Patsy Cline et Janis Joplin, quand Ed Mikula, le chef des Finlandais locaux, se mit à brailler qu'on vendait désormais la précieuse eau de Dieu dans des bouteilles et plus cher que la bière ou l'essence. À qui profitait donc ce crime? Lorsqu'on lui demanda son avis, C.B. répondit que l'eau, la bière et l'essence étaient des liquides également vitaux, mais guère interchangeables, ajoutant qu'il était prêt à rejoindre à pied n'importe laquelle des sources de sa connaissance pour obtenir de l'eau de première qualité, même au cœur de l'hiver, une idée splendide même si les sources restaient introuvables à Los Angeles, moyennant quoi il paya le prix fort pour une petite bouteille d'eau dont l'étiquette affirmait qu'elle venait de France – une information parfaitement déroutante. Il imagina aussitôt une énorme source secrète et bouillonnante dans la France lointaine et il voulut interroger la serveuse, qui était occupée. Il en conclut sans plus attendre qu'une fois de retour au pays il lui suffirait de remplir vingt petites bouteilles d'eau puisée à l'une de ses sources préférées pour en faire son gagne-pain. Dans l'une d'elles, il avait enfoncé un bâton long de cinq mètres, lequel avait bientôt jailli en l'air sous la pression de l'eau. Et puis, en cas de gueule-de-bois, il suffisait de s'allonger sur la mousse verte et douce et de boire cette eau fraîche à volonté ; restez un moment immobile et les truites de rivière se remettront à nager autour de vous.

Au bout de ses premières vingt-quatre heures de marche, la carte qu'il avait achetée encore un dollar dans une station-service devint toute molle entre ses mains moites. Il dépassa cet endroit troublant où l'avenue Cesar E. Chavez devient Sunset Boulevard, puis il acheta une gamelle noire et un uniforme vert de portier dans un magasin d'objets d'occasion, la gamelle pour transporter son eau et les éventuels restes de ses casse-croûte. Il lui restait quarante-neuf dollars en poche, mais ce nombre de quarante-neuf signalait aussi son âge et cette coïncidence lui parut fortuite, du moins pour l'instant.

Son principal problème, c'était qu'il commençait de puer et qu'il avait urgemment besoin de trouver un endroit où se laver avant d'endosser ses vêtements propres. La chemise de portier arborait le nom de « Ted » sur une poche, mais il jugea très improbable de trouver une chemise portant son propre nom. Il marcha jusqu'au réservoir de Silver Lake, enjamba la clôture et s'offrit une brève baignade. Quelques joggers et d'autres badauds promenant leur chien lui crièrent qu'il était interdit de se baigner dans le réservoir d'eau destinée à la ville, mais il fit la sourde oreille. Ces coléreux battirent aussitôt en retraite pour la même raison que deux Mexicains inamicaux près de Monterey Park quand Chien Brun leur avait demandé son chemin : d'abord, tous le prenaient pour un cinglé ; ensuite, selon les critères contemporains, c'était une force de la nature à cause de sa vie de labeurs pénibles dans les bois. Il n'avait certes pas les pectoraux surdéveloppés des nombreux *body builders* moulés dans leur T-shirt qu'il avait croisés dans la rue, mais tout seul il pouvait décharger d'un pick-up un poêle en fonte pesant deux cents kilos, et les hommes ont tendance à remarquer ceux d'entre eux qui sont capables de tels exploits. Plus important encore, il n'y avait pas en C.B. la moindre once d'hostilité. Même à l'époque lointaine de son adolescence, quand il était champion de boxe à mains nues dans l'ouest de la Péninsule Nord, il cédait rarement à la colère, sauf quand un adversaire lui flanquait un doigt dans l'œil. Et même sa colère devant la profanation imminente du cimetière indien (anishinabe) était surtout dirigée contre lui-même parce qu'il en avait trahi l'emplacement. Par ailleurs, il avait ce qu'on appelait « un sourire irrésistible », mais ce n'était plus vraiment le cas tandis qu'il approchait du Pacifique et de régions plus prospères, car deux dents lui manquaient cruellement.

Sous sa feuille de poi ou de Taro dans le Jardin Botanique se trouvaient un certain nombre de choses à savourer. Il avait eu suffisamment de jugeote pour ne pas jeter le sac poubelle soigneusement plié dans sa poche arrière.

« Au moment précis où tu crois que ce sac est superflu, voilà que tu en as besoin », disait souvent le vieux Claude.

Claude se glissait dans son sac poubelle quand, au plus profond de l'arrière-pays, il commençait à pleuvoir ; et si le vent était froid, il s'installait dedans, il s'y pelotonnait, tirait la ficelle et s'offrait un bon roupillon. Claude répétait volontiers que le sac poubelle était l'une des inventions mirifiques de l'homme moderne, au même titre que le papier toilette et les seaux galvanisés. Chien Brun était à cent pour cent d'accord, surtout quand il en avait besoin d'un. La nuit de Westwood était d'une tiédeur tolérable pour un homme du Nord, mais le sac poubelle étendu faisait un bon tapis de sol pour le protéger contre l'humidité. Son plaisir ne fut pas entamé par le fait que Westwood ne semblait pas inclure de nombreuses forêts et, juste avant la tombée de la nuit, il remarqua que le petit étang alimenté par un ruisseau abritait seulement une douzaine de carpes orange et léthargiques. Il eût été agréable d'en cuire une sur un lit de braises, mais un feu aurait attiré l'attention et le Jardin Botanique était officiellement fermé pour la nuit.

L'essentiel de son plaisir sous sa couverture feuillue venait de la conviction de son grand-père, selon laquelle il fallait tirer le meilleur parti de chaque situation ; et pendant toute cette longue marche à partir de Cucamonga il avait été agréablement stupéfié par toutes les couleurs des gens qu'il avait croisés et qui devaient venir de nombreux pays. Autrefois, à l'école, l'idée de l'Amérique en tant que « bouilloire » ne l'avait pas vraiment convaincu, en partie parce que son grand-père se servait de cet ustensile pour ébouillanter les cochons tués afin d'en ôter les soies. Malgré les coups durs, toutes ses découvertes lui plaisaient, surtout le spectacle animé de Sunset Strip en fin d'après-midi tandis qu'il poursuivait sa marche vers l'Ouest.

Il avait croisé littéralement des centaines de jolies femmes, même si à ses yeux elles semblaient d'une minceur uniforme. Delmore disait souvent qu'il faut éviter les femmes qui n'aiment pas manger, car cette timidité envers la nourriture implique de graves problèmes, mais même le vieux Delmore aurait eu le tournis face à pareille abondance. Certes, aucune de ces beautés ne lui accorda le moindre regard, mais leur dédain, soupçonna-t-il, s'expliquait sans doute par sa tenue verte de portier et par la gamelle noire qui présentait l'avantage notable de le rendre invisible aux yeux des nombreux policiers.

En fait, il était devenu invisible pour tout le monde, sauf aux yeux de quelques autres ouvriers modestes qui le saluaient d'un signe de tête. Lorsqu'il sortit du Strip Club pour pénétrer dans le quartier résidentiel très chic de Beverly Hills, il dut agiter la main sous le nez d'une vendeuse de cartes postales de stars, lesquelles, il le comprit très vite, n'avaient rien à voir avec les constellations du ciel. Il lui redemanda trois fois le chemin de Westwood avant qu'elle ne daigne remarquer sa présence. Les yeux de la fille regardaient au-delà du visage de Chien Brun tandis qu'elle lui disait de parcourir encore quelques kilomètres avant de prendre à gauche dans Hilgard. Il eut soudain l'impression de l'avoir déjà vue, puis il se rappela que, l'hiver précédent, quand l'arbre qu'il coupait avait rebondi pour le blesser au genou, pendant sa convalescence, Delmore lui avait prêté une cassette vidéo appelée *Une kyrielle de culs*, et cette fille ressemblait comme deux gouttes d'eau à l'un des « culs » du film. Il ne put s'empêcher de lui poser la question et elle lui répondit :

« P't-êt ben que oui, p't-êt ben que non. »

Pourtant, une légère rougeur monta aux joues de la fille. Il aurait bien aimé poursuivre cette conversation, mais une voiture pleine de touristes plus âgés se gara devant le stand et ils voulurent savoir où vivait Fred McMurry, si bien que Chien Brun s'esquiva. Difficile de prétendre qu'*Une kyrielle de culs* méritait le statut de film-culte, mais il était certes étonnant d'arriver en ville et de tomber aussitôt sur une actrice qu'on reconnaissait. À dire vrai, Chien Brun n'avait pas vu beaucoup de films. Dans une direction le cinéma le plus proche était à Newberry, à plus de quatre-vingts kilomètres ; et dans l'autre, les cinémas de Marquette se trouvaient à plus de cent soixante kilomètres vers l'Ouest. Delmore regardait des cassettes de vieux westerns parce qu'on les louait pour presque rien et qu'il les détestait : ses colères sans nom comblaient alors le vide de sa vie émotionnelle. Chien Brun souffrait d'un handicap supplémentaire : il vivait en dessous du seuil de pauvreté et une place de cinéma coûtait le même prix que cinq bières à la taverne de Frank. Un jour, au début de l'adolescence, David Quatre-Pieds et lui-même avaient

« emprunté » une Plymouth pour se rendre dans un cinéma en plein air et voir ce que la publicité présentait comme un film de cul très osé. Une partie de ce film montrait un bataillon de spermatozoïdes fonçant à travers une matrice et David avait crié par la fenêtre de la voiture :

« C'est moi en tête ! »

De grands éclats de rire et plusieurs coups de klaxon s'ensuivirent. Le film s'acheva sur le gros plan terrifiant d'une femme très maigre en train d'accoucher et l'on ne faisait pas bien la différence avec n'importe quel animal de la ferme qu'ils avaient déjà vu mettre bas. Tous deux furent d'accord pour dire que leurs deux pièces de cinquante cents auraient été mieux employées à reluquer l'intimité d'une camarade de classe, Debbie Schwartz, qui exigeait cette somme, un dollar le coup d'œil.

Après avoir trouvé son nid du Jardin Botanique, Chien Brun déambula parmi la verdure dans les dernières lueurs du jour. La légère brise qui soufflait de l'ouest nettoyait le ciel qui toute la journée avait semblé voilé d'une pellicule de morve jaune, tandis que la température de l'air qui avoisinait celle du corps renforçait cette impression de sécrétion. C.B. trouva un massif de bambous et gratta une allumette pour mieux l'observer, remarquant avec plaisir que ce bambou était une version géante des cannes à pêche qu'enfant il avait utilisées pour écumer les lacs sauvages. Ce bambou faisait plus de quinze centimètres de diamètre et C.B. conclut qu'avec lui on aurait pu ramener sur la berge un poisson gros comme un cheval Clydesdale de la pub Budweiser. La brise forcit, les bambous s'agitèrent. Il pensa que cette brise venait certainement de l'océan Pacifique et un léger frémissement de plaisir parcourut son échine à l'idée de contempler prochainement cette étendue liquide. Il avait passé assez de temps avec les cartes, son manuel scolaire préféré étant l'atlas mondial de la bibliothèque, et il se rappelait clairement à quoi ressemblait cet océan sur le papier.

Tandis qu'il disposait par terre son sac poubelle, ses pensées quittèrent le Pacifique pour dériver vers l'image d'une fille descendant d'une Mercedes décapotable sur Sunset Boulevard et, par un coup de chance incroyable, il avait reçu la bénédiction d'une vision parfaite des cuisses de la fille jusqu'à sa petite culotte bleu pâle et quelques poils frisés à peine entrevus. Elle avait trottiné jusqu'à un magasin et la grâce de ses mouvements avait stupéfiait Chien Brun, sans parler de la fluidité du produit lubrifiant qui remplit un tel corps et lui permet de bouger aussi bien. Il murmura une très vieille chanson, « J'aimerais t'emmener sur un bateau en partance vers la Chine », quelque chose de cet ordre, avant de s'endormir, sans penser davantage dans son insouciance qu'il traversait vraiment une sale passe et que certains individus fréquentant la célèbre université si proche, sans parler du monde du cinéma, auraient jugé cette banalité bien extraordinaire.

Qui dort souvent à la belle étoile sait que ce sommeil est sans commune mesure avec le coma d'animal en hibernation que tant d'humains semblent exiger de la nuit. Pendant un certain temps vous vous réveillerez une bonne centaine de fois en permettant à vos sens d'entendre, de sentir ou de voir dans la pénombre, bref d'appréhender votre environnement. Mais ces coups de sonde restent suffisamment inconscients pour ne pas vous arracher vraiment au sommeil. Chien Brun reçut la brève visite d'un chat solitaire et curieux, ainsi que des étoiles qui firent enfin leur apparition quand la lumière ambiante de la ville diminua. Les rares fois où il reprit suffisamment conscience, ce fut pour élaborer des pensées toutes simples ; ainsi, il ne pourrait pas continuer à dépenser sept dollars par jour pour acheter de l'eau. L'air était très doux dans le jardin, merveilleux contraste avec les odeurs de moisi des chambres de motel où il était descendu en compagnie de Lone Marten, lequel était équipé d'une douzaine de cartes de crédit bidon. Chien Brun avait suggéré que deux sacs de couchage bon marché reviendraient moins cher qu'une nuit dans un motel, mais Lone Marten le traita d'imbécile et de « cul à couverture », une expression dépréciative qualifiant les premiers habitants du continent nord-américain. Lone Marten insista : il avait besoin d'un bureau le soir pour travailler sur le « colloque » qu'il allait organiser à l'université de UCLA. Lone Marten le traitait si souvent de crétin qu'à Laramie C.B. dut le coincer contre le mur et le hisser là par la ceinture, tout ramolli, pendant que C.B. lui demandait de ne plus jamais le traiter de crétin, ajoutant que selon la Bible il était terrible d'appeler son frère un crétin. Naturellement, vu sa position inconfortable, Lone Marten opinait tant et plus en se disant que, s'il n'était pas le frère de David Quatre-Pieds, il serait sans doute en danger à cause de ce crétin taré qui n'avait pas suffisamment de jugeote pour tirer partie de la moindre situation.

Une heure environ avant l'aube une sirène se mit à hurler sur Hilgard Avenue et, à travers le feuillage, C.B. aperçut les gyrophares ambrés d'une ambulance. Ce hurlement était le plus affreux de tous les sons produits par l'homme et il décroissait à peine lorsqu'un hélicoptère sanitaire fit une apparition vrombissante dans le ciel avant de se poser sur le toit du centre médical qui jouxtait le Jardin Botanique. Plutôt que de s'irriter de toute cette agitation, C.B. eut le sentiment que ces gens savaient s'y prendre pour s'occuper très vite de leurs malades ou de leurs blessés. Quelques hivers plus tôt, un ami bûcheron avait eu le cul littéralement gelé en se retrouvant coincé sous une bille de bois pendant huit heures avant l'arrivée des secours. Bien sûr, se rappela C.B., il avait rencontré un grand nombre de miséreux lors de sa marche d'un jour et demi, de pauvres hères à qui l'on aurait pu conseiller de se jeter sous les roues d'une voiture pour améliorer leur ordinaire... Juste au-dessus de lui il y avait une chouette au cri étrange et, quelques instants plus tard, la première agitation des oiseaux de l'aube qui apportait toujours une bonne heure de sommeil très profond à celui qui dort sous la voûte céleste, peut-être une rémanence génétique de cette époque lointaine où l'ennemi prédateur était toujours nocturne et les premières lueurs du jour signifiaient le doux rêve de la sécurité.

Ayant enfin retrouvé ses repères, Chien Brun s'agenouilla pour épousseter et plier avec soin son sac poubelle, quand l'approchèrent deux employés du jardin, un homme et une femme jeunes, qui lui annoncèrent qu'il n'avait pas le droit de dormir là.

« Pourtant, je viens d'y dormir », dit-il, ajoutant que l'endroit était vraiment merveilleux.

C'étaient deux étudiants en licence de botanique et la fille assez ronde tenta de lui donner un dollar, qu'il refusa en déclarant qu'il en possédait déjà quarante-neuf. Il leur posa quelques questions sur la flore locale, qu'ils qualifièrent de « Bordure Pacifique », un terme nouveau pour C.B., même s'il revoyait mentalement le trait d'encre noire qui sur l'atlas marquait le contour de l'océan.

Il leur demanda aussi s'ils connaissaient des bois agréables dans le voisinage où il pourrait camper et ils lui répondirent par la négative, même si le jeune homme ajouta qu'il pourrait visiter le Parc d'État Will Rogers, très loin sur Sunset. Un lion de montagne y vivait, paraît-il, en plein Los Angeles, ainsi que des hordes de coyotes, sans parler des serpents à sonnette et des oiseaux. Cette information poussa C.B. à penser que, finalement, ce n'était pas un endroit si désagréable.

Ensuite, il s'enquit de l'adresse du « bureau indien » à l'université, en espérant y trouver un point de départ pour mettre la main sur Lone Marten. Ils lui répondirent seulement qu'il en existait peut-être un, mais qu'ils ignoraient son adresse. Puis ils lui dirent au revoir et, quand ils s'éloignèrent avec leurs sécateurs, la grosse fille commençait à lui plaire. C.B. se voyait très bien assis avec elle, nus tous les deux, dans le bassin des carpes, près du bosquet de bambous, et il aurait alors eu l'impression de jouer dans un vieux film, avec une île déserte pour décor principal.

Tandis qu'il se dirigeait vers la sortie du jardin, il leva les yeux vers la cime d'un très grand palmier, qui lui rappela l'un des films préférés de Delmore, *Les Sables d'Iwo Jima*, que C.B. n'appréciait guère à cause des interminables scènes de carnage. Les Japonais silencieux se cachaient parmi les frondaisons des cocotiers parce que, selon Delmore, leurs têtes ressemblaient à des noix de coco. Quant à la tête de Delmore, elle évoquait irrésistiblement une boule de bowling beige, taille neuf, posée au sommet d'une frêle charpente noueuse.

Quand C.B. sortit du jardin, son cœur bondit dans sa poitrine et il accéléra le pas. Quelle chance ! Juste de l'autre côté de Hilgard, garé en stationnement illégal, se trouvait le vieux break Taurus marron, crasseux et vieux de cinq ans, la voiture de Lone Marten. Un homme massif et hirsute ouvrait la portière. Chien Brun évita non sans mal la circulation de ce début de matinée et, lorsqu'il regarda de nouveau la Taurus, une voiture de flics se garait derrière elle dans un crissement de pneus et l'homme massif s'appuyait contre la portière, l'air désespéré. Chien Brun bondit pour éviter une Ferrari jaune et, entraîné par son élan, il se retrouva en moins de deux entre l'homme corpulent et le flic. Plus tard, C.B. s'étonnera souvent de ces coïncidences fomentées par le destin. Ne trouvant pas mieux à faire, il ouvrit sa gamelle métallique et but toute l'eau qui y restait, remarquant trop tard qu'en réalité il ne s'agissait pas de la Taurus marron de Lone Marten. Merde, pensa-t-il en souriant piteusement à l'homme corpulent et au flic.

À cet instant précis, une demi-douzaine d'étudiantes de l'UCLA, sans aucun doute les membres d'un club féminin, déboulèrent sur le trottoir en chantant une mélodie allègre, deux fois plus de jambes superbement bronzées et autant de culs rebondis. Pendant que le flic reluquait les filles, l'homme corpulent adressait des coups d'œil appuyés à C.B. tout en lui montrant un épais rouleau de billets qu'il sortit de sa poche. Le flic irrité reporta son regard sur le gros type, puis sur Chien Brun.

« Je croyais que t'allais conduire. Je pourrais t'embarquer, dit le flic.

— Je prenais un manuscrit dans la voiture en attendant mon chauffeur, Ted. Tu ne peux tout de même pas m'arrêter à cause d'une intention supposée. Par ailleurs, Ted me conduit partout.

— Monte dans la caisse et mets le moteur en route », ordonna le flic à Chien Brun.

Le gros donna les clefs à notre héros qui fit démarrer le moteur. Décidément, cette voiture n'avait rien à voir avec celle de Lone Marten : le désordre qui y régnait était encore plus spectaculaire. Mais on n'y respirait pas l'odeur tenace du carburant préféré de Lone Marten, le cannabis.

Le téléphone de la voiture, le premier que C.B. voyait de sa vie, se mit à sonner; le gros bondit sur le siège du passager et dit :

« C'est la côte.

— Nous sommes déjà sur la côte, tête de nœud », rigola le flic avant de réclamer le permis de conduire de C.B. « T'es le chauffeur. Montre-moi ton permis.

— Tout de suite, monsieur l'agent », acquiesça C.B. qui savait très bien que les flics adoraient les manifestations de politesse.

Il n'était pas peu fier de tenir à jour son permis de conduire, même si le formulaire de renouvellement constituait le seul courrier qu'il recevait, car il n'appartenait à aucune organisation et ne possédait même pas de numéro de sécurité sociale.

Le flic fit mine de retourner vers sa voiture pour vérifier le permis de C.B., mais il changea brusquement d'avis en déclarant qu'il était originaire de Livonia, tout près de Detroit, et qu'il avait chassé le chevreuil aux alentours de Curtis, une localité guère éloignée de Grand Marais. Ce flic avait aussi pêché la perche à Les Cheneaux et le brochet près de Rapid River, deux espèces qui cassaient les pieds à C.B., ce qu'il évita soigneusement de révéler. C.B. lui demanda pourquoi il s'était installé à Los Angeles et le flic répondit qu'il avait toujours rêvé de devenir acteur. Ils se serrèrent la main, puis le flic se pencha pour regarder le gros type qui disait précisément ceci au téléphone :

« Si vous croyez que je vais vous pondre une nouvelle mouture du scénar pour cent mille billets, allez donc sucer la bite d'un Républicain. »

— Bob, ferme-la et écoute-moi, dit le flic. Ne va surtout pas t'imaginer, même dans tes rêves les plus fous, que tu conduiras de nouveau une bagnole dans cette ville. T'es définitivement cuit, Bob. Tu feras au minimum un an de taule, même avec un avocat hors pair. Suffirait que tu touches seulement un volant pour te retrouver à bouffer et à chier avec des graisseux et des négros pendant trois cent soixante-cinq jours.

— Tu ne devrais pas me parler sur ce ton, espèce de flicaillon de mes deux. J'ai fait partie du corps des Marines des États-Unis, môssieu, dit Bob en raccrochant le téléphone.

— T'as jamais été Marine, Bob. On connaît ton dossier par cœur. T'es qu'un écrivain. »

Le flic s'éloigna comme s'il venait de remporter une grande victoire et C.B. se tourna vers Bob en se demandant comment ce dernier osait traiter un policier de « flicaillon de mes deux ». Il lui posa donc la question.

« La constitution américaine, répondit Bob. Et puis, il veut décrocher un rôle dans un film. Il a essayé de me faire sauter mon dernier P.-V. pour conduite en état d'ivresse, mais un flic du bas de l'échelle comme lui n'a pas le bras assez long pour ça. Cette fois-là, j'ai dirigé ma voiture sur le trottoir de San Vincente simplement parce qu'il faisait très chaud et que je voulais me reposer à l'ombre d'un arbre.

— Vous avez soufflé dans le ballon ? Combien de grammes ? » s'enquit Chien Brun.

Un P.-V. pour conduite en état d'ivresse n'était pas une mince affaire dans la Péninsule Nord, surtout autour de Marquette et d'Escanaba.

« J'ai cartonné dans les trois grammes sept. Pas mal, non... ? » Il fit signe à C.B. de démarrer et ils remontèrent Hilgard vers le nord et Sunset. « Je m'appelle Bob Duluth. Où veux-tu aller ?

— Vers l'océan », répondit Chien Brun.

Mais cette question le laissait perplexe, car il avait cru que Bob aurait des rendez-vous. L'agaçait aussi cette constatation qu'il n'avait jamais décroché un boulot d'une manière aussi bizarre, et puis il se demandait si la vie devait réellement changer aussi vite. Il expliqua à Bob sa théorie selon laquelle il ne fallait jamais rouler à plus de quarante-neuf miles à l'heure et Bob lui rétorqua qu'à ce compte-là on risquait sur l'autoroute de se faire ramoner le cul avec son propre pot d'échappement.

Le langage de Bob sonnait étrangement aux oreilles de C.B. : il alliait pour moitié la grasse vulgarité des bûcherons et des ouvriers du bâtiment et, pour l'autre, ce style châtié que C.B. associait aux « Yuppies des Bois », comme on les appelait, ces richards qui s'installaient souvent dans des régions isolées du nord afin de vivre en contact avec la nature. La plupart étaient parfaitement fréquentables, mais leurs conversations fourmillaient de complexités surprenantes. D'ailleurs, C.B. avait jadis coupé du bois de chauffe pour un couple de moins de quarante ans, qui avait fait venir du lointain Minnesota toute une équipe d'ouvriers extrêmement qualifiés pour leur construire une maison en rondins au plan très sophistiqué. Ils le payèrent rubis sur l'ongle pour le bois de chauffe et, en guise de remerciement, il essaya de leur donner un quartier de gibier (tué illégalement, hors saison de chasse), mais c'étaient de stricts végétariens. Cette réaction parut très bizarre à C.B., dont l'une des ambitions consistait à dévorer une côte de bœuf tous les jours pendant une semaine dès qu'il en aurait les moyens. Ce couple l'avait même invité à prendre un sauna avec eux et la femme, nue comme la main, avait stupéfiait notre coupeur de bois. Il craignit d'avoir une érection, mais il souffrait d'une gueule de bois carabinée et ils augmentèrent la température jusqu'à une chaleur insupportable pour « purifier leur corps ». Ils lui offrirent un repas végétarien avec quelques légumes et des graines agglomérées comme de la viande, un plat somme toute assez bon, même si plus tard dans la soirée il s'offrit chez Frank un hamburger spécial d'une demi-livre. Néanmoins, leurs relations se refroidirent quand il rencontra la femme devant le supermarché IGA et qu'elle lui annonça :

« Je me sens bien avec moi-même.

— Pourquoi ? » s'étonna simplement C.B.

Elle prit aussitôt un air scandalisé et se mit à pousser des cris de paon en le traitant de « pauvre bâtard » en pleine rue, moyennant quoi les habitants du quartier crurent qu'il avait eu une liaison avec elle. Malheureusement, ce n'était pas le cas.

Un jour qu'il leur livrait du bois, l'homme et la femme faisaient leurs exercices de yoga sur le solarium et la femme, en bikini, avait les talons coincés derrière la nuque quand elle lui adressa un signe de la main. Il déchargea et empila deux bons stères de bouleau tandis qu'ils se contorsionnaient sur leur terrasse et que C.B. restait comme deux ronds de flan devant leurs acrobaties.

Bob s'endormit dans la voiture après avoir employé des mots comme *étiolé, suce-bite, rétif, connard*. Chien Brun quitta Sunset pour bifurquer vers le Parc d'État Will Rogers, histoire d'y jeter un coup d'œil, car il avait l'intuition que son présent emploi ne durerait pas et qu'il aurait bientôt besoin de planter le camp. Ce parc lui mit l'eau à la bouche, car il y avait peu de gens dans les parages et les collines semblaient infinies. La simple idée qu'un lion de montagne rôdait dans ce paysage réduisait toutes ces villas valant plusieurs millions de dollars à l'échelle dérisoire de jouets grotesques. Le couple qui pratiquait le yoga n'invitait jamais personne dans leur « retraite », comme ils l'appelaient, et les habitants de la région se demandaient pourquoi diable ils avaient fait aménager cinq salles de bains.

Avant que Bob ne sombre entre les bras de morphée, C.B. avait écouté quelques bribes de son passé qui semblaient passablement embrouillées et peut-être mensongères. Bob déclara qu'il avait d'abord désiré devenir spécialiste de l'ancienne littérature anglaise, il avait enseigné à Ashland dans le nord du Wisconsin, puis à l'Université de Madison, une ville qu'il considérait comme son foyer. Sa femme, ainsi que son fils et sa fille qui étudiaient en fac, souffraient tous d'une maladie mortelle. C.B. eut soudain la gorge serrée de tristesse ; mais seulement quelques secondes plus tard, Bob lui annonça que son fils était un champion de gymnastique et sa fille une surdouée de la course de fond qui avait terminé dans les dix premières lors du dernier marathon de Chicago, ajoutant que son épouse dirigeait sa propre affaire d'architecture paysagère. C.B. tenta de les imaginer tous trois frappés d'une maladie mortelle et se bagarrant néanmoins dans leurs disciplines respectives. Et ils avaient beau s'en tirer très bien, Bob croyait qu'il lui incombait de gagner de l'argent pour leur assurer un confort certain dans un avenir lugubre. En quelques étés, Bob Duluth avait écrit trois romans policiers qui se vendaient comme des petits pains et mettaient en scène un professeur du Middle West, lequel, seul parmi les hommes, percevait le mal sournois qui envahissait le monde. Au cours de ces quelques dernières années, Bob avait fréquenté Hollywood en pointillé pour gagner des sommes d'argent astronomiques, indispensables aux traitements médicaux de son gymnaste de fils, de sa marathonienne de fille et de son architecte de femme. Lorsqu'il défia C.B. de demander combien, C.B. lui demanda :

« Combien ?

— Plus de mille dollars par jour. »

Une somme inconcevable pour C.B. Ce fut à cet instant précis et dans la présente activité de « scénariste » exercée par Bob que C.B. sentit anguille sous roche. Au lycée, il avait eu un professeur fraîchement émoulu de l'Université du Michigan, qui tranchait sur les autres enseignants appointés par l'État et que ses collègues détestaient sous prétexte qu'il était trop malin. Ce jeune professeur n'ignorait rien du fonctionnement du monde et, qui plus est, il était capable de l'expliquer à ses élèves. Un jour, il prit une bonne longueur de pellicule cinématographique, la plaça sur une enrouleuse et fit tourner cette dernière en montrant comment un film fonctionnait. Des années plus tard, ce cours restait gravé dans la mémoire de C.B., qui se rappelait parfaitement que ce professeur n'avait jamais évoqué quiconque « écrivait » le film. Bob Duluth eut beau lui expliquer qu'il se contentait d'inventer l'histoire du film, C.B. subodorait toujours une arnaque. Malheureusement, ce professeur bien-aimé fut un jour surpris en train de tripoter Debbie Schwartz pendant un voyage d'études, cette même fille qui arrondissait ses fins de mois en montrant sa petite culotte. Debbie, qui avait quinze ans à l'époque, était néanmoins beaucoup plus délurée que son professeur. Ensuite, les élèves protestèrent violemment contre le renvoi de leur idole, mais le conseil de discipline de l'école ne voulut rien savoir. Chien Brun et David Quatre-Pieds jouèrent un rôle crucial en jetant de la merde de chien et du fromage Limburger dans le système de chauffage à air pulsé de l'établissement. C.B. apprit que, des années plus tard, Debbie et leur prof adoré étaient mariés et qu'ils vivaient dans une maison près de San Francisco, car le maître avait inventé de nouvelles fonctions pour les ordinateurs.

Tandis qu'ils roulaient vers Malibu, Bob Duluth dormait toujours, il ronflait même, une hideuse bulle de salive accrochée aux lèvres. C.B. se dit que le cher homme devait travailler vraiment dur, car il avait des poches sous les yeux et il s'agitait dans son sommeil, comme Grand-père quand il faisait deux quarts d'affilée, seize heures de boulot, à la scierie.

C.B. n'était guère préparé à vivre une des expériences les plus bouleversantes de son existence. Il suivait une Chrysler verte poussive, conduite par une dame aux cheveux bleus, quand il franchit le faîte d'une petite colline et découvrit l'océan Pacifique. Il se gara aussitôt sur l'étroit bas-côté, descendit de voiture et s'appuya contre le toit du véhicule, d'abord en se cachant les yeux derrière les mains pour regarder entre ses doigts, car cette vision était trop spectaculaire pour qu'il la contemple tout entière. Il eut l'impression de s'étrangler sur un morceau de charbon coincé derrière son sternum et son corps bourdonnait comme souvent avant un rapport sexuel. S'il avait connu *L'Hymne à la joie* de Beethoven, il l'aurait entendu en cet instant crucial et l'immense plan d'eau fripé, bleu-vert, absorba son âme, lui faisant oublier tout le reste, lui insufflant le langage de l'eau. Comme il mourait d'envie de la toucher de ses mains, il bondit au volant de la Taurus et démarra sur les chapeaux de roue en compagnie d'un Bob Duluth qui ouvrait un œil insouciant et encore inconscient. Qui donc me conduit ? Et qui s'en soucie ? Je suis resté debout toute la nuit à dévorer ce qui me reste de cœur, à cause d'une actrice par-dessus le marché. Et maintenant, un Chien Brun conduit une voiture brune.

À Malibu, C.B. se gara dans le parking presque désert d'un restaurant, verrouilla les portières de la voiture et descendit vers la plage. Il s'agenouilla et toucha l'eau, plus froide qu'il ne s'y attendait, la même température que le lac Michigan au mois de mai. Une vague qui submergea ses chaussures lui procura une sensation délicieuse ; car ses pieds, tellement peu habitués au ciment, souffraient encore de cette longue marche à partir de Cucamonga.

Un grand voilier approcha, qui gîtait tant que sa lisse s'enfonçait presque dans l'eau. C.B. agita la main et deux équipiers en ciré jaune lui rendirent son salut, un geste qui le réconforta dans son amour du genre humain. Il resta une heure assis sur la plage, parfaitement indifférent à son nouvel emploi, perdu dans l'observation des oiseaux de mer qui ressemblaient au rare pluvier chanteur, mais en un peu plus gros, sans doute des cousins. Son esprit, sinon parfaitement vide, envisageait seulement qu'une fois la peau d'ours récupérée et avant de retourner dans le Michigan pour affronter son destin, ou, mieux, le nord de l'Ontario qui ressemblait de manière frappante à la Péninsule Nord, il passerait deux nuits sur cette plage, emmitouflé dans sa peau d'ours, puis deux autres nuits parmi les collines du Parc d'État Will Rogers qu'il venait de découvrir. Certes, de nombreuses pancartes indiquaient « Camping Interdit », mais le monde s'était rempli de pancartes similaires interdisant ceci ou cela ; pour éviter l'étouffement, mieux valait les ignorer. Dans la Péninsule Nord, ce genre de pancarte était en général criblé de balles par ceux qui refusaient de se plier à leurs injonctions ou qui les prenaient pour cible afin de s'entraîner au tir.

Au plus fort de la saison des insectes, vers la fin mai et pendant tout le mois de juin, quand les moustiques et les taons vous harcelaient sans trêve, C.B. aimait passer les nuits venteuses allongé sur une plage déserte du lac Supérieur, une grève d'environ vingt-cinq kilomètres de long, choisissant un endroit différent à chaque fois, même s'il avait par ailleurs des habitudes bien ancrées. D'abord, il se procurait une miche de pain maison chez une vieille dame pour qui il coupait du bois, il pêchait quelques poissons, il achetait un pack de bière, il ramassait du bois flotté pour allumer un feu, il faisait cuire ses poissons avec du gras de bacon dans un vieux poêlon en fer et il les mangeait avec du pain, du sel et sans oublier la bouteille de tabasco qu'il gardait toujours sur lui dans son vieux blouson, enveloppée de chatterton pour qu'elle ne heurte pas son couteau de poche. Il finissait son pack de bière à la tombée de la nuit qui, sous ces latitudes septentrionales et près du solstice d'été, chassait le jour vers onze heures du soir, il nettoyait le poêlon avec du sable, puis il se déshabillait pour se laver dans les vagues froides. Une femme s'approcherait peut-être de lui, bien qu'il n'ait jamais connu pareille aubaine, et il se devait d'être propre.

Quand il revint vers la voiture et déverrouilla les portières, Bob Duluth dormait toujours et il transpirait abondamment, car il faisait très chaud dans la Taurus exposée au soleil du milieu de matinée. Lorsque C.B. fit démarrer le moteur, l'air conditionné émit un bruit bizarre avant de rendre l'âme, si bien que C.B. ouvrit toutes les fenêtres. En proie à un mauvais rêve, Bob se mit à geindre, ses mains battirent l'air et se plaquèrent contre son visage. C.B. ne sut d'abord comment réagir autrement que par la fuite, mais il préféra allumer la radio et monter le volume. Heureusement, le poste réglé sur une station mexicaine diffusa aussitôt une voix de femme pleine de passion et de sanglots déchirants, avant de moduler vers de splendides notes aiguës. Cette musique s'alliait parfaitement à l'immensité sans mot, sans verbe, de l'océan, pensa C.B., mais pas en ces termes précis.

« Je ne suis plus l'homme que j'étais autrefois, dit Bob en ouvrant les yeux et en s'essuyant le visage avec un mouchoir, le regard tourné vers l'océan. Le jour de ma mort, je disparaîtrai en mer. Dans une mer chaude.

— En bateau ? s'enquit C.B., légèrement remué par ses souvenirs d'un lac Supérieur haché d'un gros clapotis.

— Je ne suis pas encore en mesure de le dire. Si on buvait une bière ? Cette putain de bagnole est un vrai bain de vapeur. Dans un garage d'Ensenada un sale con a volé des pièces du conditionneur d'air.

— C'est fermé jusqu'à onze heures », dit C.B. en revenant de la porte du restaurant après sa rêverie de bière sur la plage.

C.B. suivit Bob jusqu'à l'entrée de service, où Bob tambourina sur la porte, puis donna vingt dollars à un gamin en tenue de cuistot blanc sale pour deux Tecates. C.B. fut ravi de boire sa première bière étrangère en contemplant l'océan.

« Ambroisie féminine. Un zeste d'algue marine. Senteur de mamelon. Un vague parfum de pneu, diagnostiqua Bob en goûtant le vin.

— Oh, Bob, espèce de sale cochon ! » s'écria la serveuse en lui assenant un coup de stylo-bille sur le crâne.

La première bière parut leur donner un certain allant. C.B. crut que d'autres gens allaient se joindre à eux lorsque Bob commanda cinq menus complets, ainsi que des bouteilles de vin rouge et blanc. C.B. resta fidèle à la bière mexicaine, sa carrière de buveur de vin s'étant achevée de bonne heure quand David Quatre-Pieds et lui-même avaient volé une caisse de Mogen David qui les rendit affreusement malades, bien qu'ils aient décidé de boire toutes les bouteilles afin de ne pas faire de gâchis.

Ce très long déjeuner requit sept bières, un chiffre qui incarnait pour C.B. l'image même de la perfection. Bob aussi aimait le chiffre sept, il remarqua en passant qu'il avait commandé cinq menus complets et non quatre, parce que les chiffres impairs valaient mieux que les pairs. Il s'était juré, ou du moins l'affirma-t-il, pendant sa jeunesse marquée par la pauvreté de ne jamais se laisser piéger par un déjeuner merdique qui vous laissait déprimé pour le restant de la journée. Et puis, en commandant cinq menus, on augmentait considérablement les chances de manger quelque chose de correct. C.B. souleva le problème financier de cette coutume et Bob lui répondit que son agent avait négocié mille dollars de dépenses quotidiennes, une vraie bagatelle en comparaison de ce qu'exigeaient certains acteurs et actrices.

« Nous irons faire un tour sur le plateau ce soir. Il y a un tournage de nuit. Cette petite actrice sexy a une caravane longue de trente mètres avec un jacuzzi grand modèle. Elle ajoute du caviar à ses huîtres, deux mets à déguster séparément. La viande de ses hamburgers doit être hachée sous ses yeux à partir de bœuf premier choix, sinon elle refuse de les manger. Son thon doit être préparé sur place. Elle change de petite culotte douze fois par jour, et tout ça aux frais du studio. Je me suis laissé dire que le meilleur barbier de Beverly Hills lui extorque cinq cents dollars pour lui raser la chatte, parce qu'il est gay et qu'il n'aime pas ce boulot. Mais, surtout, ne répète pas cette histoire en disant qu'elle vient de moi : elle n'est peut-être pas vraie. »

Ce n'était pas tout à fait le genre d'information que C.B. risquait de répéter, même si à la maison Frank aurait sans doute aimé l'entendre. Son esprit restait obnubilé par l'idée que ce toqué de Bob avait mille dollars d'argent de poche quotidien et qu'avant de commander le déjeuner il avait consulté son « carnet de bouffe », déclarant à C.B. qu'il préférait éviter de manger deux fois le même plat dans la même année, ajoutant que le premier de l'an l'ardoise retrouvait sa virginité.

« Et les œufs ? s'enquit C.B.

— Il existe mille manières de préparer les œufs », répondit Bob avant d'égrener une succession haletante de recettes d'œufs, dont de nombreuses en français, une langue que C.B. reconnut aussitôt car il avait déjà rencontré des Canadiens français à Sault-Sainte-Marie. D'ailleurs, il aimait bien leur manière de s'exprimer, tout comme il adorait écouter le dialecte ancien, traditionnel, des Ojibways (Anishinabes), par exemple quand Delmore parlait à un ami au téléphone. Delmore lui avait expliqué que le langage reposait tout entier sur des sons conventionnels. Et voilà maintenant qu'il écoutait cet écrivain de merde évoquer son incapacité à manger deux fois le même plat dans la même année. Il se demanda à part soi ce que Shelley, sa copine anthropologue, aurait pensé de tout ça. Elle rendait des visites régulières à son médecin de l'esprit pour un ultime réglage et, lorsque Chien Brun contempla l'immense diversité des plats posés devant eux, la tête lui tourna, mais toute cette folie ne lui coupa point l'appétit. Ils mangèrent des crabes de Dungeness, des clams, des huîtres, trois sortes de poissons, dont une perche de mer et un thon frais.

« Peux-tu me présenter une lettre de recommandation pour ce boulot ? demanda Bob en posant sa fourchette pendant une fraction de seconde afin d'engloutir une énorme gorgée de vin.

— Non. Je suis ici en mission secrète. Je n'ai pas emporté mes dossiers personnels », rétorqua C.B., ravi de ce pieux mensonge.

On ne pouvait exiger de personne de transporter avec soi tous ses dossiers et sa paperasse personnels, même si C.B. n'avait pas le moindre papier personnel, hormis le permis de conduire sus-mentionné et une carte du service militaire obligatoire remontant à vingt-neuf années.

« J'en conclus donc que tu es en cavale et que tu essaies de te cacher dans une grande ville, dit Bob. N'oublie pas que j'écris des romans policiers et que je fais l'objet de l'admiration unanime des criminologues professionnels.

— Va raconter ça ailleurs ; moi, j'en ai rien à branler »,
rétorqua C.B. en observant la carapace compliquée d'un
crabe de Dungeness avant de conclure que cette créature
transportait sa maison exactement comme le vieux Claude
se baladait avec son sac poubelle et lui disait d'en faire
autant. « J'envisage de remonter vers l'Oregon pour couper du bois, ou peut-être à Chapleau dans l'Ontario. Si tu
as envie de me faire un sermon, autant que tu conduises
toi-même ta bagnole et que tu te retrouves à te polir le
chinois en taule.

— Du calme. Je pourrais facilement sauter sur l'ordinateur et accéder à ton dossier.

— À condition de connaître mon nom. »

C.B. sortit de sa poche les clefs de voiture de Bob et les
fit glisser sur la table au-delà des *spaghetti alla vongole* au
riche bouquet aillé. À une table voisine, deux femmes
déjeunaient en gardant leurs lunettes de soleil, ce qui
parut très étrange à C.B.

« Relax, Max, dit Bob en repoussant les clefs vers C.B.
avant d'enrouler des spaghetti autour de sa fourchette,
avec laquelle il harponna ensuite un clam dans le plat des
vongole. Mes propres origines sont inconnues, même de
moi.

— Les miennes aussi », fit C.B. en enfonçant sa cuil-
lére au fond du plat des *vongole* pour la remplir d'ail et
d'huile.

Peu de touristes comprenaient qu'un régime incluant
beaucoup d'ail était très efficace pour repousser les
insectes, même si à cet instant précis C.B. fut submergé
d'une soudaine nostalgie pour son pays natal infesté de
moustiques, pour les lacs et les marécages, pour l'interminable pluie glacée, les poches de neige dans les marais
qui duraient jusqu'à la fin mai, les plaques de glace
enfouies parmi le sable et les rochers des plages du lac
Supérieur et qui s'incrustaient souvent jusqu'à juin. Il suf-

fisait de creuser et d'y entreposer votre bière pour qu'elle reste magnifiquement froide.

« Je fais souvent semblant d'être un prince orphelin et déchu, expliqua Bob, mais la vérité c'est que ma mère couchait à droite et à gauche. On a du mal à accepter que sa propre mère offrait son corps au premier venu. »

Bob resta triste pendant une fraction de seconde, avant d'engloutir plusieurs huîtres d'affilée.

« Paraît que la mienne faisait pareil, mais je crois qu'elle avait ses raisons. Grand-père disait toujours que nous autres les hommes avons un corps solide et que nous pouvons toujours gagner de quoi manger et nous loger, mais parfois les femmes doivent faire quelques compromis pour s'en sortir. À l'époque où il s'occupait de moi, il essayait peut-être de me ménager par avance en se disant que, plus tard, j'en entendrais des vertes et des pas mûres. Tu sais, la rumeur locale. »

C.B. découvrit alors que les huîtres étaient plus intéressantes que le passé.

« Nous avons quitté mon père et mon frère aîné, qui ne me ressemblait guère, à la ferme proche de Cochrane, au nord de La Crosse. On a vécu à Eau Claire, Fond du Lac, Oshkosh et j'ai fini par faire mon lycée à Rice Lake, un bled où, soit dit en passant, on trouve la meilleure pizza du monde, dans un boui-boui appelé *Drag's*. Depuis lors, je n'ai plus jamais été un grand amateur de pizzas. C'est difficile de se contenter de moins. C'est comme de retourner vers les serveuses quand on a couché avec de belles actrices et des mannequins sublimes.

— Moi, j'ai toujours eu un faible pour les serveuses », avoua C.B.

Il remarqua que les arêtes et la chair des poissons d'eau de mer avaient une densité suggérant qu'ils bossaient plus dur pour gagner leur croûte que leurs confrères d'eau douce.

« Bien sûr, reprit-il, je ne suis pas spécialiste des mannequins de magazine et encore moins des actrices de cinéma, mais j'en ai croisé une hier, la vedette d'*Une kyrielle de culs*.

— J'ai vu ce film. Intrigant, mais le scénar reste bien flou. Presque tous nos films porno souffrent de notre fétichisme collectif du nichon. Si seulement l'argent gaspillé à cause de cette obsession du nichon allait aux cinq millions d'enfants américains qui tous les soirs se couchent le ventre vide... Bref, j'ai grandi en orphelin, trimballé de-ci de-là, d'un appartement crasseux à un meublé sordide, d'un bled paumé du Wisconsin au suivant. Mais j'étais brillant et j'ai travaillé d'arrache-pied pour réussir.

— Qu'est devenue ta mère ? » demanda C.B.

Il observa attentivement Bob qui se triturait les méninges à la recherche d'une réponse adéquate et il se rappela une autre émission de radio que Grand-père écoutait après Jack Benny. Elle s'appelait « Brat McGee et Molloy ». Brat baratinait tant et plus.

« Je lui paie une retraite royale dans un établissement cinq étoiles de Milwaukee. Mon frère aîné et mon père m'ont tous deux écrit pour m'annoncer que mes romans policiers les laissaient de glace. Ça m'a blessé. »

Bob semblait ravi de ces détails croustillants qui devaient, pensait-il, accroître sa crédibilité.

C.B. s'écarta de la table, plein jusqu'aux ouïes, en se demandant pourquoi Bob ne remarquait jamais l'océan qui s'étalait pourtant devant eux, au-delà de la baie vitrée.

« Ton baratin me semble bien ampoulé, monsieur Bob. Peut-être que ça vient de ce coin, tellement différent du reste du pays. »

À cet instant particulièrement tendu du déjeuner, la serveuse réapparut tout à trac pour leur demander s'ils désiraient autre chose. Bob feignit alors une soudaine bouffée de lubricité :

« Toi seule, ma chérie, pourrais satisfaire un désir plus profond et tellement plus fondamental que celui de la vulgaire nourriture. Toute cette bouffe que nous avons ingurgitée est morte. Tu es la plus belle des nourritures vivantes.

— Cause toujours, mon lapin. Bouffe-moi et tu ne grossiras pas, tu ne t'enivreras pas et tu ne passeras pas une heure par jour aux gogues. »

Elle fit claquer l'addition sur la table, puis tourna les talons.

Dehors, ils somnolèrent pendant une heure dans la voiture aux vitres baissées, la douce brise marine les caressait et écartait de leurs ronflements la plupart des mouches. Ils se réveillèrent de concert, vaguement pâteux et nauséeux. Bob ouvrit la boîte à gants et insista pour qu'ils prennent tous deux des mégavitamines, des gélules aussi grosses que des médicaments pour chevaux, puis il demanda à C.B. de le conduire vers le sud et Santa Monica où il avait rendez-vous pour un déjeuner tardif.

« Tu veux dire que tu vas remanger ? s'enquit C.B. à qui la seule évocation d'une bouchée supplémentaire donnait des hauts-le-cœur.

— Le fait de manger, dans sa plus noble acception, n'a rien à voir avec l'appétit. » Bob sortit de sa poche un petit dictaphone et dit : Pas « *appelez-moi un taxi* », mais « *trouve-moi un tacot* » avec l'air de celui qui vient de réaliser un projet essentiel. Bob jeta alors son premier coup d'œil à l'océan et ajouta : « Roule, sombre et profond océan bleu, roule. »

À Santa Monica, ils s'arrêtèrent au parking privé d'*Ivy By The Shore*. Bob montra la jetée située de l'autre côté d'Ocean Avenue, puis il demanda à Chien Brun d'être là dans une heure, en regardant d'un air perplexe sa montre inexistante.

C.B. fut ravi d'être hors de portée de Bob et d'avoir ainsi l'occasion de faire une bonne marche digestive pour évacuer ce déjeuner qui justifiait à lui seul une balade de huit heures. Il était en proie à un sentiment inhabituel de fragilité, une impression floue qui l'empêchait de trouver réellement ses marques, lesquelles, comme cette notion populaire d'« éthique situationnelle », n'étaient certes pas gravées dans la pierre. Le vagabond est vulnérable et C.B. avait beau ne pas être entré dans une église depuis vingt ans, sinon pour nettoyer un sous-sol inondé, une inspiration presque religieuse s'empara de son esprit, dont la première bouffée fut suscitée par la musique de manège tonitruante qui sortait d'une grande cabane située au pied de la jetée. Des voitures rutilantes étaient garées devant, un groupe de chauffeurs sémillants restaient assis à l'ombre. Il y avait une espèce de fête pour des garçonnets et des fillettes riches, accompagnés de leurs adorables mères.

C.B. se figea sur place, fasciné par cette musique qui était sa préférée; il se rappela ses nombreux voyages jusqu'à la foire d'État de la Péninsule Nord, à Escanaba, et à travers la vitre décorée de la cabane il découvrit le manège le plus splendide de l'univers tout entier. Une fois encore, il remarqua qu'à cause de sa tenue verte de portier il n'existait tout bonnement pas aux yeux d'autrui sur cette jetée pourtant pleine de monde. Trois nurses séduisantes fumaient une cigarette dans un coin tranquille et leurs regards traversèrent l'invisible C.B. Il était flatté d'avoir trouvé le meilleur des déguisements, mais s'il désirait rencontrer la moindre affection dans cette ville, il ferait bien de se dégoter d'autres fringues.

Cette musique de manège créait une boule de nostalgie au fond de sa gorge, sans doute un sentiment religieux fort primitif qui exprime le caractère sacré du sol natal ; ainsi, lorsqu'on est à l'étranger, on se rappelle les collines, les ravins, les rivières, jusqu'aux arbres pris un à un, qui ont composé la mélodie de votre existence. C.B. lutta contre cette crise soudaine de mal du pays en regardant vers le nord le long du rivage de l'océan Pacifique, Malibu et les vertes collines qui descendaient doucement vers le grand bleu et la beauté presque impardonnable du paysage marin. Cet endroit ne ressemblait guère à la prison qui l'attendait au pays ni à la geôle du comté d'Alger où l'on ne pouvait pas commander d'œufs brouillés sous la menace du fusil et où le shérif trichait aux cartes.

Non loin de lui, par un coup de chance inouï, une fille superbe ôta sa jupe, même s'il y avait un maillot de bains en dessous. Ce maillot avait légèrement remonté dans la raie des fesses et deux pouces agiles ajustèrent prestement les ourlets bleus. Le cœur de C.B. bondit dans sa poitrine quand les paumes de cette beauté se mirent à frotter autant de cuisses galbées ; il s'assit sur un banc derrière elle de manière à pouvoir admirer l'océan bleu entre les cuisses de la donzelle. Elle tendit une main joueuse vers une mouette, qui s'envola aussitôt hors de portée.

Incapable de supporter davantage cette vision bouleversante, C.B. se mit à déambuler sur la jetée où des vieillards pêchaient ; néanmoins, il se retourna plusieurs fois pour regarder la fille dont la taille diminuait au loin, sans se soucier de l'avis de Nietzsche pour qui, lorsqu'on regarde trop longtemps l'abîme, celui-ci « vous rend votre regard ». Il ressentait pourtant la présence physique de cette mise en garde dans le sombre frémissement qui agitait l'entrejambe de son pantalon. L'inaccessibilité accroît le désir et le transmue en morne incompréhension, et l'on se sent parfois si déprimé qu'on n'a plus qu'à s'asseoir, lâcher un sanglot et bouffer ses chaussures.

Malgré tout, il était encore capable de compassion envers les autres et envers lui-même. Il pivota abruptement sur les talons et, en toute hâte, regagna le banc situé juste derrière la fille. Puis il ramassa un journal qui traînait près de lui et fit un petit trou à la pliure des pages. Il pouvait ainsi tenir ce journal devant lui et regarder par le trou sans se faire remarquer. C'était une technique de contre-espionnage qu'il avait découverte dans une pile de vieilles revues *Argosy* entreposées dans la cabane à bois de Delmore.

La fille bavardait maintenant avec une amie, une version plus enrobée de sa propre anatomie, et toutes deux buvaient des sodas avec une paille dans des gobelets en plastique, en faisant un bruit qui rappela à C.B. une blague très grivoise sur une femme de sa région qu'on disait capable d'aspirer une balle de golf à travers un tuyau d'arrosage. Il chassa cette paillardise hors de son esprit, la jugeant indigne de la vision qui s'offrait à lui à travers le trou du journal, une vision qui engendrait déjà un état modifié de la conscience et l'arrachait à la trivialité de ses problèmes. Un grand artiste aurait pu peindre l'océan entre les cuisses bronzées de la fille et la tête lointaine d'un nageur qui montait et descendait au centre de ce triangle liquide. La concentration de C.B. était absolue, même s'il pensait toujours à la vengeance qu'il comptait faire subir à Lone Marten.

Ce n'était que sa seconde journée en ville et, malgré ses sentiments actuels vaguement religieux et sa conviction d'avoir une chance incroyable, il se souvenait que sa seule autre expérience citadine, à Chicago tant d'années plus

tôt, n'avait pas été exactement admirable. Une mouche se
posa sur la divine croupe et la fille contracta son fessier
comme un cheval les muscles de son flanc. Un homo fringant s'assit sur le banc à un mètre de notre héros, mais
l'ensemble vert de portier coupa net son éventuel intérêt.
C.B. dut ajuster le cadre quand la fille se tourna légèrement sur le côté, une main posée sur sa hanche élégante.

Pendant leur longue fuite en voiture entre le Michigan
et Los Angeles, ils avaient fait halte pour piquer un roupillon près de la Wind River, au sud de Thermopolis, dans le
Wyoming. C.B. s'était allongé sur sa peau d'ours, mais
sans trouver le sommeil, les yeux fixés sur la rivière,
presque en transe devant la surface vernissée d'un tourbillon où plusieurs accrocs signalaient des truites qui montaient. Maintenant, la fille lui faisait face, son mont de
Vénus légèrement saillant parfaitement encadré dans le
trou du journal.

Soudain, deux pleines tasses de glace dégringolèrent sur
sa tête et le fringant homo dit :

« T'es démasqué, mon coco. »

C.B. lâcha son journal et tenta de sourire. Les filles
éclatèrent de rire et lui firent un bras d'honneur. Au
moins, elles avaient le sens de l'humour. Il se leva et
s'inclina profondément, puis il s'éloigna vers l'extrémité
de la jetée où, sur une sorte de ponton réservé aux
pêcheurs, il se racheta.

En effet, un vieux au visage particulièrement marqué
avait coincé sa ligne de pêche au fond de l'eau et il pestait
à voix haute, répétant qu'il s'agissait de sa dernière ligne.
C.B. se déshabilla aussitôt, gardant seulement son slip ; il
descendit le long d'une échelle en fer, puis sauta dans
l'eau non sans avoir demandé au vieux pêcheur de surveiller son pantalon et son portefeuille. C.B. suivit aisément
le fil à pêche tendu sur une dizaine de mètres et jusqu'au

fond. La visibilité était mauvaise et l'eau étonnamment froide, mais il démêla rapidement la ligne entortillée dans une armature métallique qui saillait d'un des piliers de la jetée. Lorsqu'il revint victorieux de son baptême charitable, une modeste foule l'applaudit, mais il remarqua aussitôt sur la jetée un Bob Duluth légèrement furax.

« C.B., espèce de sale corniaud, je t'attends depuis une heure. Tu aurais pu te noyer.

— Désolé, monsieur, j'essayais seulement d'aider un pauvre gars. » Il regarda sa montre inexistante comme Bob un peu plus tôt. « Je suis un plongeur expérimenté.

— Ta gueule, connard », dit le vieux à Bob.

Alors qu'ils roulaient vers l'est sur San Vincente, une rue à la beauté admirable selon C.B., Bob lui demanda de se garer afin de lui montrer l'endroit où il avait écopé de son P.V. pour conduite en état d'ivresse. Cet endroit n'avait rien de remarquable, hormis le contraste qui existait entre les deux hommes. Leurs positions dans la vie n'auraient pu être plus différentes, mais Bob venait du nord du Wisconsin et C.B. de la Péninsule Nord du Michigan, moyennant quoi ce lieu leur évoquait la même étrangeté irrationnelle, comme s'ils venaient d'être jetés ensemble sur les rivages les plus inhospitaliers de Bornéo.

« Dis-moi tout, fils, intima Bob en simulant au moins un air grave et soucieux.

— Tu veux que je te dise quoi ? »

C.B. se sentit pris de court quand Bob employa ce terme autoritaire de « fils », alors que le gros ne pouvait avoir dix ans de plus que lui.

« Dis-moi ce que tu fuis. Je suis sûr de pouvoir t'aider. Parfois, j'aime soulager les souffrances de mon prochain, ôter mes œillères vénales et faire ma B.A. »

Cela suffit à ouvrir le cœur de C.B. Les deux hommes descendirent de voiture, traversèrent la chaussée jusqu'à la large plate-bande centrale et ils s'installèrent précisément sous l'arbre où Bob avait été sauvagement menotté, puis embarqué.

Avec toute la cruauté impitoyable des inspecteurs de ses romans policiers, Bob fit subir un interrogatoire exhaustif à C.B., lequel évoqua ses trois séjours à l'ombre, le premier quand C.B., alors pilleur d'épaves, trouva l'Indien mort en tenue d'apparat, assis sous cinquante pieds d'eau depuis cinquante ans, parfaitement conservé au fond du lac Supérieur glacé, avant de voler un camion frigorifique pour essayer de transporter le Grand Chef à Chicago et de l'y fourguer, après quoi il avait attaqué la tente de l'anthropologue et son matériel de camping, tout ça pour protéger son propre cimetière indien contre d'inévitables fouilles, le seul site Hopwell de tout le nord du Middle West. Shelley, la copine anthropologue de C.B., fondit sur lui comme Ève au jardin d'Éden, prête à troquer l'emplacement secret du fameux cimetière contre son corps et celui de sa copine Tarah, dont la charpente était légèrement moins massive, un détail que Bob arracha à C.B. pour avoir une juste vision des choses, sans oublier la couleur des sous-vêtements de Tarah. La troisième infraction passible de prison était la récente attaque sur le site des fouilles où un groupe d'archéologues et d'anthropologues de l'Université du Michigan procédaient à des travaux préliminaires. C.B. et Lone Marten s'étaient contentés de leur balancer quelques pièces de feux d'artifice à une distance relativement inoffensive, laissant Rose et un groupe de guerriers anishinabes s'occuper des basses œuvres. Le principal problème, c'était que C.B. était interdit de séjour pendant un an dans le comté d'Alger, afin de laisser les universitaires y travailler en paix.

C.B. tenta de poursuivre avec sa fuite vers l'Ouest après avoir échangé la Lincoln trop voyante pour une Taurus de l'autre côté de la frontière canadienne, tous ces micmacs étant goupillés par l'esprit diabolique mais éminemment astucieux de Lone Marten. Bob leva la main et se précipita vers la voiture pour passer un coup de fil.

Tous deux assoiffés, ils se rendirent à Brentwood dans un restaurant chinois extrêmement chic, où Bob était très connu. Bob descendit rapidement une bouteille de Puligny-Montrachet à cent dollars pendant que C.B. s'enfilait trois bouteilles de bière Kirin. La liste des bières étrangères disponibles dans la région était-elle sans fin?

Il fit néanmoins remarquer à Bob que Los Angeles ne possédait apparemment pas ces merveilleux bars de Chicago, une ville où chaque rue avait sa taverne, ou dans le Wisconsin où chaque habitant transformait volontiers son logement en bar temporaire. Un jour, près d'Alvin, alors qu'il pêchait sur la Brule River, il s'était retrouvé à boire des bières dans une maison particulière, surveillant une flopée de gamins pendant que la grand-mère servait les gens et préparait des hamburgers; mieux, il avait dévoré quatre de ces hamburgers, à lui offerts pour le remercier de ses services : entre autres choses, il avait transporté sur son dos le poivrot de la ville jusqu'à une cabane, comme un sac d'avoine de cent kilos.

Bob n'écoutait plus. Il griffonnait tant et plus. C.B. se dit que Bob descendait une bouteille de vin aussi vite que n'importe quel mortel ordinaire boit sa bière. Quand Bob fila dehors chercher son ordinateur portable IBM, C.B. jeta un coup d'œil aux notes que Bob venait de prendre, mais elles étaient rédigées selon un code secret. La serveuse chinoise lui apporta une autre bière et s'inclina devant lui; aussitôt, il se leva et s'inclina à son tour, ce qu'elle trouva très drôle.

« Bienvenue dans notre pays », dit C.B. avec, espérait-il, un sourire aguicheur.

Cette jeune Chinoise était une vraie pêche, aussi exotique que la flore du Jardin Botanique.

« Ma famille est installée ici depuis les années 1870, répondit-elle. Nous sommes venus pour vous aider à construire votre chemin de fer et à creuser vos mines », dit-elle avec un clin d'œil.

La fente de sa jupe remontait jusqu'à mi-cuisse. Elle paraissait ne pas remarquer le costume de portier, mais C.B. conclut que cette beauté orientale fermait les yeux à cause du train de vie fastueux de Bob. Grâce à son fric, Bob voyait sans doute davantage de culs qu'un siège de W.-C., même s'il n'en tirait apparemment aucun avantage visible.

« Et voilà ! » rugit Bob qui entra ventre à terre dans le restaurant avant de tapoter quelques touches devant C.B. Sur l'écran s'afficha le dossier préparé par l'inspecteur Schultz, de la Police d'État du Michigan, sur Lone Marten, *alias* Marten Smith, ancien membre de l'*American Indian Movement* (exclu pour détournement de fonds), spécialiste du financement de films marginaux imaginaires par des Bourses nationales, également connu pour diverses escroqueries à la carte de crédit, faux et usages de faux, une accusation sans suite pour fabrication illicite de cristaux de méthamphétamines, collecte de fonds pour un faux groupe d'autochtones gauchistes baptisé les Windigos et dont il était le seul membre avéré, son principal complice étant un crétin local connu sous le nom improbable de Chien Brun, d'ordinaire sans arme mais néanmoins dangereux à cause de sa carrière passée de champion de boxe à mains nues.

Des larmes se formèrent à la vue du mot « crétin ». C.B. fit remarquer que l'inspecteur Schultz avait été éloigné de l'enquête pour espionnage illégal à des fins politiques, une activité que la Police d'État ne pouvait pratiquer. Bob répliqua par l'existence gênante de photos au contenu sexuel explicite de Schultz avec Rose, l'ancienne petite amie de C.B. Un piège ourdi par Lone Marten.

C.B. constata avec surprise et écœurement que Bob accédait facilement à toutes ces informations. Jusqu'à deux ans plus tôt et sa rencontre avec Shelley, il avait mené une existence absolument isolée, surtout, se disait-il maintenant, parce que personne ne s'intéressait à lui. Il ressentait un profond désespoir ainsi que le désir de trouver un chalet vraiment coupé du monde et d'échanger le loyer hors saison contre des travaux d'entretien. Il avait déjà refait le toit de nombreux chalets, il aimait l'odeur de la toile goudronnée et des bardeaux, ainsi que la vue à vol d'oiseau qu'on avait du haut d'un toit. Maintenant, des larmes de frustration se formaient dans ses yeux, des larmes qui inquiétèrent Bob dans cette ville où les manifestations sincères d'émotion sont chose rarissime.

« T'en fais pas, vieux », dit Bob en adressant un signe à la serveuse pour lui demander une autre bouteille de vin, « on va le scotcher au mur, ce salopard.

— Je veux juste récupérer ma peau d'ours.

— Bien sûr que tu vas la récupérer. Tu n'as pas considéré ce Lone Marten comme un type dangereux parce que c'était le frère de ton copain d'enfance, David Quatre-Pieds. Peu de gens sont prêts à reconnaître que certains de leurs amis sont des sales types, voire tous leurs amis, y compris leurs parents, ainsi ma mère bien-aimée malgré son goût prononcé pour la promiscuité, sans oublier tous nos ancêtres jusqu'au chapitre inaugural de l'histoire humaine. Tu connais la Bible, pas vrai ? J'ai lu la Bible de Gédéon dans mille piaules d'hôtel parce que la télévision me tombe des yeux, sauf disons les télés mexicaine et française parce que je ne pige que dalle à ce qu'ils racontent, putain. Dans ce cas-là, ça va. Tu t'en prends volontiers à Shelley, ton ancienne chérie anthropologue, qui t'aurait fait quitter le droit chemin, mais elle n'y est pour rien, c'est ton zizi qui t'a fait quitter le droit chemin. Zizis et vagins sont au cœur du grand mystère de la vie. Ils constituent notre gloire et notre malédiction. Certains éminents théologiens ont suggéré qu'Adam et Ève n'avaient pas de parties génitales quand ils sont arrivés au jardin d'Éden, mais nous devons écarter ces hypothèses faribolesques dues à de vieux barbons peu couillus comme ceux que nous entreposons au Congrès. Je soutiens, pour ma part, que la vie en tant que telle est peut-être bien inférieure à la somme de ses parties et que son contenu le plus flagrant est le mal. En ce moment même, nous sommes assis ici en train de picoler dans ce qu'on peut considérer comme le cœur de l'Empire du Mal. Ici, nous étirons les rêves des gens et nous ne leur laissons que les marques de ces élongations. Bien sûr, nous gagnons notre croûte comme tout le monde, sauf que dans notre cas cette croûte est un peu plus juteuse... »

Fait compréhensible, l'attention de C.B. faiblissait, mais il feignait toujours une grande concentration. L'adorable jeune Chinoise installait les tables dans la salle vide du restaurant. Il se posa la question suivante : pourquoi les gens de tous les continents, Amérique incluse, paraissent-ils si différents ? Frank lui avait dit que c'était le climat, citant pour exemple le soleil brûlant de l'Afrique, mais C.B. doutait de cette explication. Aucun des Orientaux qu'il avait croisés à Chicago des années plus tôt n'arborait une peau jaune, et pas davantage cette fille. Et aucun des centaines d'autochtones américains qu'il connaissait n'avait la peau rouge. Un vétérinaire de Charlevoix lui avait déclaré, à la taverne de Frank, que, si l'on laissait tous les chiens du monde s'accoupler à leur guise, leurs descendants finiraient tous de taille moyenne et bruns.

Bob Duluth agitait les mains sous le nez d'un C.B. rêveur et faisait glisser l'ordinateur portable vers lui pour qu'il en regarde l'écran. Un ami de Bob, membre de la Police de Los Angeles, avait procédé à une brève enquête sur Lone Marten et son casier incluait la vente en gros de bijoux navajos fabriqués à Formose, commercialisés en tant que pièces authentiques. Les vrais Navajos en avaient chié des ronds de chapeau. En tant que dissident gauchiste, Lone Marten était aussi l'objet d'une « surveillance légère » à Los Angeles, où ce genre de trafic était tout aussi illégal qu'ailleurs. Au fait, ces gens n'avaient-ils pas occupé la prison vide d'Alcatraz ? Suivaient un certain nombre d'adresses et de numéros de téléphone où il descendait lorsqu'il se trouvait dans les environs de Westwood, d'habitude chez d'autres dissidents indiens liés à l'équipe de basket de UCLA. Bob proposa qu'un ami italien à lui, nommé Vinnie, récupère la peau d'ours, mais C.B. refusa catégoriquement. Il comptait s'en occuper seul. Tout allait beaucoup trop vite à son goût. Lone Marten lui rendrait cette peau s'il ne l'avait pas déjà vendue.

La serveuse leur apporta un plat de travers de porc en guise d'amuse-gueule. Bob fondit sur ce plat comme la pauvreté sur le monde, mais C.B. réussit seulement à en manger quelques-uns, qu'il trouva néanmoins délicieux. À Malibu, pendant le déjeuner, Bob revendiqua le concept d'entrées multiples, sans doute parce qu'il venait du Middle West où l'on considère souvent la goinfrerie comme un acte d'héroïsme. La serveuse se retourna et demanda timidement à Bob si C.B. était célèbre. Elle s'appelait Willa et Bob lui répondit :

« Absolument pas. »

Lors des présentations d'usage, C.B. mit genou en terre et lui embrassa la main, car il avait vu un héros de film en faire autant.

Ils trouvèrent une chambre correcte pour C.B., entre Westwood et Culver City, dans un motel appelé *The Siam*, dont le décor modestement oriental donna à C.B. l'idée d'y inviter Willa. Alors que C.B. et Bob quittaient le restaurant, elle avait mystérieusement refusé de lui confier son nom chinois, sans parler de son numéro de téléphone. Bob lui expliqua que c'était parce qu'il n'était pas célèbre. Ils s'arrêtèrent dans un supermarché et Bob acheta deux packs d'Évian pour sacrifier à ce que Bob appela le « fétichisme aqueux » de C.B. Lorsqu'il ramena Bob en voiture au *Westwood Marquis*, Bob lui dit d'aller se payer des fringues et il lui donna cinq cents dollars en avance sur son salaire, une somme qui, malgré son importance, ne soulagea pas les inquiétudes de Chien Brun.

Avant de retourner au *Siam*, il fit une brève promenade dans le Jardin Botanique. Bob lui avait confié qu'un des principaux secrets de son succès était la sieste d'un minimum de quatre heures qu'il faisait chaque après-midi. Au plus profond des feuillages tout proches du bosquet de bambous, il se demanda si sa propre existence recelait le moindre secret ou si on lisait en lui à livre ouvert comme dans un vieux bouquin de poche tout fripé. Ce doute lui passa rapidement lorsqu'il remarqua que les carpes orange nageaient invariablement dans le sens inverse des aiguilles d'une montre au milieu de leur bassin miniature et ombragé. Sans conteste, ces carpes étaient plus intéressantes à observer que les divagations nombriliques d'un type en proie au doute métaphysique. Comme nous tous, C.B. ignorait les tenants et les aboutissants de l'existence. Soudain, la carpe de tête exécuta un demi-tour fort gracieux et se mit à entraîner son banc dans le sens des aiguilles d'une montre. Là se trouvait sans doute l'une des réponses aux millions de questions que la vie ne posait pas.

Avant de retourner à sa chambre de motel, C.B. fit l'acquisition de deux splendides ensembles dans un magasin de fripes de seconde main, des chemises hawaiiennes très colorées et des pantalons sport, plus un vieux chapeau en feutre, séduisant mais poussiéreux, qui lui rappela celui que son grand-père portait pour se rendre à la foire et aux enterrements.

Comme Bob lui avait appris à utiliser le téléphone de la voiture, il appela Delmore au pays et regretta aussitôt sa décision. En effet, cette brave Doris était à l'hôpital d'Escanaba suite à une crise cardiaque et Rose croupissait en prison après avoir sectionné le doigt d'un flic entre ses dents pendant la panique créée par C.B. et le « diabolique » Lone Marten sur le site archéologique du cimetière. Delmore s'occupait des deux enfants de Rose, Red et Baie, cette dernière, malgré toute la tendresse que C.B. éprouvait pour elle, étant une enfant handicapée, la victime incontrôlable du syndrome de l'alcoolisme prénatal. Delmore avait embauché une baby-sitter à plein temps pour les deux gosses et il décrivit cette jeune femme comme « une vraie pêche », une Blanche qui voulait consacrer sa vie à aider les autochtones. Elle essayait même de convaincre Delmore de manger du yaourt. En conclusion, lui dit Delmore, C.B. devait revenir immédiatement à la maison pour jouer le rôle de père auprès des enfants de Rose. D'autant que leur pauvre mère allait écoper de deux ans minimum à cause du doigt amputé, même si elle prétendait que le flic lui avait caressé les seins.

« Mais, comment pourrais-je rentrer ? » demanda C.B., tandis qu'un frisson désagréable lui remontait le long de l'échine.

Delmore payait un avocat pour déterminer si, oui ou non, C.B. avait réellement franchi la frontière du comté de Luce pour pénétrer dans celui d'Alger, au moment de lancer ses feux d'artifice. L'emploi récent du rayon laser par les géomètres remettait en question beaucoup de limites de comtés, surtout à cet endroit précis, situé à une vingtaine de kilomètres de toute habitation. C.B. déclara qu'un éventuel séjour en prison lui briserait le cœur, chose, lui avait dit Delmore, qui était arrivée à des Apaches incarcérés. Delmore déclara que C.B. pouvait au moins voyager jusqu'à la frontière du Wisconsin et passer un coup de fil pour venir aux nouvelles. Leur conversation présentait tous les désavantages du téléphone, où l'on n'a jamais le temps de digérer les informations présentes avant la fournée suivante.

Au motel, l'employé de la réception, un homme minuscule originaire du Laos, s'excusa en disant que la télévision de la chambre de C.B. était en panne. Lorsque son client lui rétorqua que c'était parfait, car il détestait la télévision, le petit Laotien éclata d'un long rire hystérique. Alors C.B. se trouva tout guilleret d'avoir sorti une bonne blague, même si personne ne savait en quoi au juste consistait cette blague.

Une fois dans sa chambre, il vida une bouteille d'Évian pour essayer de faire passer les derniers reliefs de ce déjeuner pantagruélique. À maints égards ce fut son heure la plus sombre et il avait seulement pour le consoler les vingt-trois bouteilles d'eau restantes. Il voulut essayer le secret du succès de Bob et faire une longue sieste, mais une bonne douche s'imposait d'abord. Il verrouilla la porte et s'approcha de la fenêtre pour jeter un coup d'œil au parking qui rissolait sous la chaleur. Il entendit un grattement étouffé contre le mur de son lit et le bruit d'une femme qui chantait doucement. On aurait dit le français des strip-teaseuses du Soo canadien, toutes originaires de Montréal. Comme c'est charmant, pensa-t-il avant de retourner vers la douche. Cinq minutes plus tard, il entendit la porte voisine claquer, jeta encore un coup d'œil par la fenêtre et aperçut une beauté en tailleur deux-pièces couleur crème monter dans une Mercedes décapotable.

Ce spectacle ne l'aida guère à trouver le sommeil. Il ne supportait plus l'absence de toute affection. Peut-être que ses nouveaux vêtements, sans parler de son feutre très chic, allaient remédier à cette carence. Sa tenue de portier était soigneusement pliée sur la commode, au cas où il aurait de nouveau eu besoin de disparaître afin de traquer Lone Marten. Le fond du problème, c'était qu'il se trouvait entièrement déraciné, souffrant ainsi d'une terrible maladie moderne. Il repérait le seul élément familier de son environnement immédiat lorsqu'il levait les mains au-dessus du lit, les regardait et disait :

« Mains. »

Son malaise pesait de manière tangible sur sa poitrine et son front. Grand-père disait souvent que la vie n'était pas un bol de cerises, une définition d'autant plus parfaite que C.B. n'aimait pas les cerises. Bob lui avait demandé de but en blanc s'il ne souffrait pas de « *dementia pugilistica* », avant d'expliquer ce terme en lui demandant si tous les coups reçus lors de sa précédente carrière de boxeur ne lui avaient pas bousillé les méninges.

« Non », répondit C.B.

Il avait rarement été frappé au visage, voilà pourquoi il gagnait toujours. Un bon coup de poing au visage anéantit tous les boxeurs, sauf les plus expérimentés. Il passa ensuite en revue la brève liste de ses problèmes. L'argent. Nanti de ses quatre cent soixante-dix dollars répartis dans plusieurs poches et une chaussette par mesure de sécurité, jamais ou presque il n'avait été aussi riche. Il espérait acheter un jour un pick-up jaune d'occasion, un simple Ford 1500 ferait l'affaire. Il aimerait avoir une gentille petite amie, mais il se dit aussitôt que c'était le cas de presque tout le monde. L'essentiel de ses soucis se concentrait donc sur la fameuse peau d'ours, son seul bien de valeur. De bonne heure dans son existence, Delmore avait renoncé à sa magie d'ours pour s'intéresser aux tortues, offrant ainsi la peau à C.B. avec solennité.

Il se tourna et se retourna sur son lit, déchirant du même coup le mince drap du dessous. Il allait sans doute devoir sacrifier un bras et une jambe pour rembourser ce drap. Le moment était mal choisi, mais, histoire de se requinquer, il fut tenté de contempler la photo de Shelley nue qu'il gardait dans son portefeuille. Los Angeles requérait un type de force particulier et cette ville n'avait que faire d'un zizi tout raide pointé sur le léopard grimaçant de la lampe posée sur la table de nuit. Vraiment, quel pouvoir le vagabond solitaire pouvait-il bien convoquer afin de s'adapter à cette vaste cité tourmentée qui s'étendait autour de lui, avec ses dix mille couches superposées de sophistication et de richesse, sa vénalité et sa haine, son plein million de femmes séduisantes dont il ignorait le sabir si spécial ? Ce qu'il savait parfaitement, en revanche, et même s'il n'y avait jamais réfléchi bien à fond, une introspection que Shelley avait exigée de lui sur d'autres sujets, c'était qu'en dessous du quarantième parallèle il n'était plus dans son élément. Depuis longtemps, il croyait mordicus que la vie dans les bois vous prépare seulement à la vie dans les bois. Ses compétences de chasseur et de pêcheur le rendaient seulement apte à manger du poisson, du gibier, des grouses et des bécasses. Pour C.B., le scénario s'achevait toujours par un ventre plein et les souvenirs d'une journée magnifique.

En un sens vous ne pénétrez pas dans les bois, ce sont les bois qui pénètrent en vous ; mais leur présence ne vous rend pas plus apte à effectuer votre boulot quotidien. Jusqu'à une date relativement récente, des biologistes spécialisés dans les animaux sauvages venaient le voir pour qu'il leur indique les tannières de l'ours et du loup en échange d'un pack de bières ou de toute une caisse de bière dans le cas des loups. Il avait renoncé à rendre ces services lorsque Frank l'eut averti que tout ce que ces biologistes allaient faire, c'était de mettre des colliers télémétriques à ces animaux afin de pouvoir en garder la trace sans effort, comme des flics. Autrement dit, et bien que Frank ne présentât pas les choses ainsi, C.B. trahissait peut-être ces créatures sans le savoir. Il était bien sûr difficile de refuser un pack ou une caisse de bière, mais son remords fut assez vif pour qu'il accueille désormais les biologistes d'un « foutez-moi le camp d'ici » suivi d'un vigoureux claquement de porte. Ensuite, il avait poussé l'infamie jusqu'à livrer ses connaissances des cimetières indiens contre une partie de jambes en l'air. Le moment était sans aucun doute venu d'agir noblement, mais il manquait de pratique en ce domaine, et puis la noblesse du cœur ne l'aiderait peut-être pas à récupérer sa peau d'ours.

Nom de Dieu, pensa-t-il en écoutant les coups de Klaxon et le rugissement de la circulation à l'heure de pointe. Comment peuvent-ils supporter pareil vacarme ? Il quitta son lit pour allumer la radio encastrée dans le poste de télévision en panne et il se sentit tout excité quand cette radio se mit à diffuser des sons. Il trouva de la musique mexicaine et augmenta le volume pour couvrir le raffut de la circulation. Le couple amateur de yoga avec qui il s'était fâché en demandant à la femme pourquoi elle se sentait si bien, possédait des centaines de disques qu'ils jouaient jour et nuit, noyant de la sorte le chant des oiseaux et le jappement des coyotes ainsi que le hurlement d'un hypothétique loup. Elle était un peu trop mince à son goût mais, de retour sur son lit, C.B. se rappela le corps fuselé de cette femme quand, sur leur demande, il les avait emmenés faire une longue promenade. Ils s'étaient un peu perdus parmi une succession de crêtes dominant un marais aux environs de la source de la Two-Hearted River, et le mari, qui toute la journée s'était agacé du non-fonctionnement du téléphone portable fixé à sa ceinture en un lieu aussi isolé, perdit totalement contenance. C.B. affirma qu'ils n'étaient pas perdus ; simplement, ils ne pouvaient pas regagner leur véhicule et il avait gaiement battu la campagne pendant deux jours avant de retrouver son chemin. Il connaissait bien cette région en mai, quand les arbres portaient toutes leurs feuilles, ainsi qu'en octobre lorsqu'ils les avaient perdues ; mais lors de cette balade, l'épaisseur des feuillages et le plafond nuageux que le soleil ne parvenait pas à percer rendaient difficile de se repérer.

Sur le lit, C.B. comprit pourquoi cet épisode de sa vie lui était revenu en mémoire : le cul émouvant de cette femme en pantalon vert pâle n'y était pour rien. En réalité, il craignait maintenant de perdre les pédales à Los Angeles, de se décomposer comme cet homme ce jour-là qui, vautré dans l'herbe, dévora tous les sandwiches qu'ils avaient eu l'intention de partager et engloutit leurs dernières réserves d'eau, si bien que la recherche d'une rivière ou d'une source devint aussitôt plus cruciale que celle de leur voiture. Les chaussures de marche à cinq cents dollars que portait le mari lui mettaient les pieds en bouillie et, en fin d'après-midi, il fondit en sanglots paranoïaques, prétendant que C.B. et son épouse essayaient de le tuer afin de devenir amants et de lui piquer tout son fric. Tout ça à cause d'une petite promenade de santé d'une dizaine d'heures, pensa C.B. avec perplexité mais étonné par la curiosité toujours vivace de la femme pour la flore et la faune ; d'ailleurs, dès le milieu de matinée, elle fit comme si son mari n'existait plus…

Ils erraient à deux bonnes heures de marche de la voiture quand C.B. retrouva ses repères, mais il ne pipa mot, car il tenait à ce que l'insupportable mari en bave encore un peu à cause de son comportement inadmissible.

Alors qu'ils sortaient presque des bois, le goujat avait lancé son téléphone portable au milieu d'un étang plein d'algues, à la surface couverte des fleurs blanches et jaunes des nénuphars.

« Que c'est laid de ta part de jeter ton téléphone dans ce bel étang, chéri », protesta la femme.

Une centaine de mètres à peine après l'orée de la forêt, l'homme se prit la tête entre les mains en criant :

« J'entends un rugissement ! »

C'était seulement un camion de bois sur la route située devant eux.

Ensuite, ce type affecta un air outré plutôt que gêné, expliquant ses écarts de conduite par une purge organique qu'il avait ingérée la veille afin de nettoyer ses organes internes. Sa femme et C.B. ouvraient alors de grands yeux en le voyant engloutir presque toute l'eau qui restait dans la voiture et s'envoyer deux barres de chocolat, trouvées dans la boîte à gants, sans même leur en proposer une seule bouchée. Pour C.B. ce fut une leçon lumineuse sur ce qu'il ne fallait surtout pas faire pendant notre bref séjour sur Terre. La femme déposa C.B. devant sa cabane de chasseur aux murs de toile goudronnée et elle lui glissa dans la main un billet de cinquante dollars trempé de sueur, tandis que son mari ronflait et gémissait sur la banquette arrière.

« Merci pour cette merveilleuse journée », lui dit-elle en regardant droit devant elle comme si les deux essuie-glace de la voiture étaient la chose la plus intéressante du monde.

C.B. mangea un kilo et demi d'épaule de porc en boîte pour dîner ; puis, au crépuscule, il partit vers la ville, distante d'une petite dizaine de kilomètres. Le carburateur de son pick-up était en rade et il se sentait légèrement fatigué, mais qui aurait résisté au charme de la taverne de Frank avec cinquante dollars en poche ?

Ce souvenir eut sur C.B. des répercussions presque bibliques, de l'ordre d'un « ceins donc tes reins », cesse de gémir et agis comme si tu savais ce que tu faisais. Tout le monde pouvait devenir un couillon pleurnicheur, même un type capable de pratiquer le yoga et d'être propriétaire d'un chalet à salles de bains multiples valant cent mille dollars. Il improvisait sa vie depuis sept jours, il venait de traverser les deux tiers du pays, il était temps pour lui de remettre un peu d'ordre dans sa vie. Il ignorait, bien sûr, que, lorsque le désespoir du déracinement vous heurte de plein fouet, survient aussi le désir violent d'améliorer son sort.

Peu à peu, le plafond moucheté de mauve au-dessus de lui s'embruma et s'éloigna ; C.B. entra au royaume du sommeil, dans cette arène trop ignorée du temps du rêve où le modeste étang des carpes du Jardin Botanique de UCLA se métamorphosa lentement en un fleuve puissant qu'il descendait sur une bille de bois. Des hommes mauvais, en uniforme noir, le poursuivaient en bateau et lui tiraient dessus, l'obligeant à se diriger vers une énorme cascade. Au dernier moment, avant d'être précipité dans le flot tumultueux de la chute d'eau, son corps s'envola et il entendit les claquements et les battements sonores de ses ailes, tandis que son cou s'allongeait vers la nue. Il se sentait extrêmement lourd, mais il maintenait néanmoins son altitude et son vol l'emmena très haut par-dessus les torrents furieux. Puis ses ailes se fatiguèrent, s'alourdirent et il descendit rapidement avant de se poser enfin à toute vitesse et de réussir néanmoins à saisir un grand pin blanc qui poussait au bord du fleuve. Médusé par cette envolée, il baissait les yeux vers son corps et s'apercevait qu'il était mi-ours mi-oiseau.

Lorsque le téléphone sonna, ce fut une grosse patte qui souleva maladroitement le combiné posé sur la table de nuit.

« Allô, fit C.B. en un grondement guttural.

— Qu'est-ce que c'est que cette voix, bordel ? C'est Bob. Je te rappelle que tu dois venir me chercher à huit heures, soit dans une heure. T'as pigé ?

— Bien sûr. Je viens de finir mon yoga et je me donne un coup de peigne, dit C.B. en chassant de sa voix les derniers vestiges de grondements.

— Quelles embrouilles me racontes-tu encore... ? Tu fais vraiment du yoga ?

— Le yoga quotidien et quatre litres de yaourt tiennent le médecin au loin », proféra C.B. en se rappelant la vie saine que menaient Shelley et son amie Tarah, même si elles avaient un faible pour la cocaïne et le champagne.

« Arrête tes conneries. Sois à l'heure. Faut qu'on aille sur le plateau. Y a un tournage de nuit.

— Quel plateau ? » s'enquit C.B. en regardant son érection et en se demandant si la force de l'ours y était pour quelque chose.

Car les ours étaient célèbres pour leurs baisades interminables.

« Contente-toi d'être là, espèce de crétin du Michigan. »

Bob semblait vraiment pressé.

« Traite-moi encore une fois de *crétin*, menaça C.B., et je refile ta Taurus à un pauvre Noir.

— Excuse-moi. Désolé. J'ai découvert que Lone Marten doit prononcer un discours quelque part demain soir. J'espère qu'on va réussir à savoir où il crèche. Autant que l'épreuve de force ne se déroule pas en public.

— Merci, Bob. Faut que je mette mon smoking.

— Nom de dieu, ne mets surtout pas de smoking.

— D'accord. »

C.B. raccrocha, toujours pénétré de la puissance et de l'insouciance de son rêve. Mais qui va accepter de baiser avec toi si tu es à moitié ours et à moitié oiseau ?

À la réception du *Westwood Marquis*, tant les clients que les employés de l'hôtel le saluèrent très bas en lui souriant, sans doute convaincus qu'il s'agissait d'un musicien rock célèbre, car bon nombre de ces derniers descendaient dans cet établissement, alors que C.B. attribuait ces marques de respect à sa chemise hawaiienne et à son feutre. Quand il trouva Bob au salon en train de boire un martini dans une chope à bière, Bob considéra le chapeau et dit :

« Classieux. »

Ce couvre-chef présentait l'avantage supplémentaire de dissimuler les cheveux raides et hirsutes de C.B. Quand, enfant, il rendait visite au coiffeur pour la coupe unique à vingt-cinq cents, ledit coiffeur gémissait qu'il allait dépenser au moins cette somme en gomina ou en brillantine afin d'aplatir les cheveux de ce gavroche.

Le plus difficile pour un homme de la campagne débarquant dans une vaste métropole est de comprendre le rapport entre le métier des citadins et l'endroit où ils habitent. Chez soi, on peut passer dans la rue en voiture et dire boucher, boulanger, droguiste, en longeant chaque maison. À Los Angeles, bien sûr, on s'abandonne aussitôt à la grâce agaçante de l'incompréhension, exactement comme à New York, avec ses couches oblongues de vie qu'on désire peler comme un oignon, ses mille-feuilles poisseux de réalités indépendantes dont la cohésion est seulement assurée par la plomberie et la peau fragile des pierres. À New York, on peut au moins imaginer qu'on se trouve dans une cabane d'enfant construite parmi les frondaisons d'un arbre et que ceux qui bougent tout en bas ne sont pas des fourmis campagnardes, mais des glaires chlorotiques engendrant une myriade de cafards. Soudain, une jolie fille arrive avec neuf chiens rigolos tenus au bout d'autant de laisses et l'on a tout à coup l'impression que ces gens savent ce qu'ils font. À Los Angeles, il est hors de question de s'y retrouver pour le non-initié, même si au bout d'un certain nombre de visites quelques bâtiments, restaurants ou rues acquièrent le statut de repères rassurants. C'est également vrai des autochtones, dont la plupart deviennent tout à fait aveugles à leur environnement, comme, disons, les citoyens de Casper, dans le Wyoming. Les plus sophistiqués, les étudiants des villes, comprennent bientôt que le Grand Los Angeles ressemble à l'histoire de la politique américaine, ou à la structure de la société américaine elle-même. Le lien entre Brentwood et Boyles Heights est aussi précaire que celui qui n'existe quasiment pas entre le Congrès et les citoyens américains, même si le maquillage émotionnel de ces deux entités ressemble à la passion et à la puissance qui anime le pire show télévisé.

Ce fut donc à mi-chemin entre le *Westwood Marquis* et les Studios Sony de Culver City que Chien Brun put aboyer avec enthousiasme, en passant devant le *Siam Motel*, « c'est ici que j'habite ! » à un Bob Duluth qui avait le nez plongé dans son ordinateur portable à l'écran luminescent.

« Ah oui, le merveilleux *Siam*. Attention à la Française bidon qui crèche là-bas. Ça veut dire qu'elle n'est pas vraiment française. Elle vient de Redondo Beach. Les vraies Françaises se trouvent dans l'impossibilité d'obtenir la *green card*, tu sais, le permis de travail. J'ai été profondément amoureux de Sandrine pendant trois jours. Je l'ai présentée à un couple d'amis de Paris et ils sont tombés sur le cul. Ils ont trouvé Sandrine encore plus française que les Françaises pur jus, car elle s'exprime avec un impeccable accent auvergnat. Dès qu'un cinéaste a un petit rôle pour une Française, il téléphone à Sandrine. Son cinéma à elle consiste à supplier les huiles de lui trouver une *green card*. Bien sûr, j'ai essayé. Un baveux m'a pompé mille billets pour examiner l'affaire pendant dix minutes. Les employés de l'immigration lui ont alors appris que j'étais la trente-septième personne qui essayait d'aider Sandrine à travailler aux États-Unis. Gaffe à ton portefeuille si tu la croises.

— Rien à craindre quand on garde son fric dans sa chaussette, rétorqua C.B.

— Le coup de la chaussette, c'est trop évident, comme planque. Demande à n'importe quelle greluche de Las Vegas. Le premier endroit où elle va fouiller, c'est les chaussettes.

— Moi je parle des chaussettes que je porte. On a tendance à boiter un peu pour ne pas trop écraser les biftons.

— Et si tu as besoin de t'acheter un hot dog ou une boisson ? » demanda Bob en refermant son ordinateur portable. La folie à petites doses ravissait son esprit bizarre.

« Tu gardes un peu de pognon dans tes poches de pantalon. Comme elles se trouvent tout près de ton zizi, personne ne peut aller y fourrer la main. C'est une zone très sensible. Ma vieille copine Shelley m'a dit que c'était mon équivalent de la religion, mais elle se gourait complètement. Ma vraie religion est un secret.

— Ce n'est pas une mauvaise idée, je veux dire, le secret dans cette ville. Avec les actrices, je te conseille d'évoquer la religion comme passe-temps sexuel. Demande-leur simplement quel était au juste le but de Dieu lorsqu'il créa l'industrie cinématographique, et je te dis ça sans le moindre cynisme. Reste sincère, ne parle pas de sexualité. Sonde leurs peurs et leurs espoirs les plus profonds, puis fonds le tout en un alliage subtil, quel qu'il puisse être...

— Ma voisine Sandrine a-t-elle l'esprit religieux? s'enquit C.B. qui avait envie de redescendre sur Terre.

— Elle prétend être une huguenote française. C'est de là que viennent les Acadiens et les Cajuns. Plus concrètement, elle ne permet à personne d'entrer chez elle, ce qui m'a d'abord fait penser qu'il s'agissait d'un travesti. Un examen plus approfondi m'a convaincu du contraire. Elle a apparemment un faible prononcé pour le soixante-neuf, mais je crois qu'elle installe alors dans sa bouche un film plastique ultra-mince. Une fois qu'elle était dans sa salle de bains, j'en ai trouvé tout un paquet dans son sac à mains.

— Sans blague... »

C.B. fut un peu démonté par cette information. Ça sentait les remakes de *Twilight Zone* que Delmore regardait parfois à l'heure du dîner.

« Tu veux dire que tu as été fouiller dans le sac de cette pauvre fille? fit-il.

— Je voulais m'assurer qu'il ne contenait ni flingue ni cran d'arrêt. J'ai du mal à accomplir l'acte sexuel si je me sens menacé d'une quelconque manière. Nous grandissons hantés par des récits de coucheries faciles qui ne se concrétisent jamais. Par exemple, à Eau Claire on t'assure qu'il suffit de saluer toutes les filles d'Oshkosh pour qu'elles baisent avec toi, si bien que tu emmènes ta Plymouth à Oshkosh où on t'assure que c'est à Milwaukee que ça se passe ; à Milwaukee on te garantit qu'il suffit de siffler pour que les filles de Madison te sautent au cou, mais à Madison on te jure qu'Eau Claire est bourrée jusqu'aux ouïes de secrétaires idiotes prêtes à baiser comme des malades contre un menu Best Of de chez McDonald.

— Et te voilà revenu à ton point de départ », dit C.B. qui avait un faible pour les cartes routières.

Un propriétaire de chalet lui avait offert un vieil atlas Rand McNally et C.B. avait consacré maintes soirées à l'étudier.

« C'est exactement ce que je veux dire, reprit Bob. Maintenant, j'offre aux filles de modestes bourses d'études qui situent notre relation à un niveau plus élevé. Avant que j'oublie, ne dis à personne que tu es mon chauffeur. À cause des relations de travail. Les gars du syndicat risqueraient de me crever les pneus.

— Alors je dis que je fais quoi ? »

C.B. se gara devant le portail de sécurité de Sony, qui protégeait les studios Tri-Star et Columbia contre le Grand Los Angeles.

« El don Bob, dit un Mexicain, responsable de la sécurité, en passant la tête par la fenêtre.

— *Que pasa*, baby ? rétorqua Bob. Donne à mon aide de camp ici présent un badge pour le plateau. »

C.B. fixa son badge de V.I.P., sans se rappeler très bien le sens de ce sigle. Par ailleurs, « aide de camp » faisait nettement plus chic que « chauffeur », un métier qu'il avait également exercé pour Lone Marten dans la Lincoln Town vraiment trop voyante qu'ils échangèrent plus tard dans leur fuite contre la Taurus marron.

Sur le plateau, où se dressait la façade d'un petit hôtel en trompe-l'œil, Bob fut accueilli par le metteur en scène et le producteur, à qui il tendit un papier avec la nouvelle réplique. C.B. se tenait assez près d'eux pour entendre le metteur en scène donner ses directives à l'acteur vedette au bronzage épatant, mais qui ressemblait néanmoins à une cacahuète boursouflée.

Maintenant, au lieu de dire au portier « appelez-moi un taxi », il lui disait « trouve-moi un tacot ». La raison de ce changement, expliquait Bob, tenait au fait que le héros, amant impulsif et désespéré, n'était pas d'humeur à être poli envers un portier d'hôtel. C.B. ne sembla pas particulièrement intéressé par cette modification. Mais tant le metteur en scène que le producteur adorèrent ça et Bob rayonna. L'acteur ne savait pas sur quel pied danser, mais après un froncement de sourcils il se prépara émotionnellement en vue de la prise suivante.

C.B. fut stupéfié par la centaine de personnes qui travaillaient sur le plateau, machinos et chefs d'équipe, maquilleuses et scripts, premiers assistants, costumières, sans oublier plusieurs huiles du studio qui passaient là quelques minutes avant de reprendre le volant de leur voiture pour rentrer chez eux. Tout le monde semblait saluer Bob comme un personnage important et souriait à C.B. qui se dirigeait lentement vers le buffet garni livré par le traiteur comme si son badge de V.I.P. signifiait vraiment quelque chose. Bob, toujours rayonnant, lui assena une claque sur l'épaule.

« Faut continuer à bosser, dit-il en s'emparant du bras de C.B. tendu vers un hot-dog et un soda. Garde ton appétit pour le dîner, y a du pain sur la planche. »

Encore un emmerdeur qui m'empêche de bouffer, pensa C.B. tandis que Bob l'entraînait vers l'entrée du faux hôtel. Shelley s'était comportée exactement ainsi, l'obligeant à manger un grand bol de semoule tibétaine bouillie qu'il fallait mâcher longtemps comme une vache qui rumine. Mange pas de hot-dog, petit, ça va te bousiller l'estomac.

La prise suivante allait avoir lieu dans une fausse chambre d'hôtel, lui expliqua Bob en enjambant des paquets de câbles et de fils qui paraissaient dangereux à C.B., lequel avait toujours redouté ne serait-ce que de brancher la prise d'une lampe. Ces appréhensions rétrogrades étaient sans doute dues aux jérémiades de son grand-père vilipendant les pouvoirs destructeurs de l'électricité et de l'automobile. C.B. fut néanmoins ravi quand un chef d'équipe lui lança :

« Super, le chapeau ! »

Puis un maquilleur hurla :

« *J'adoooore* ce galure, *dârling* ! »

Mais il fut un peu déçu en découvrant que l'actrice qu'ils devaient rencontrer n'était pas celle qui exigeait qu'on préparât devant elle la viande de ses hamburgers, celle qui se faisait raser tous les poils de son intimité. Celle-ci s'appelait *Shoe* (Chaussure), ce qui semblait bizarre, mais il était jadis sorti avec une barmaid à Neguanee qui s'appelait *Foot* (Pied) et qui était de première bourre, bien qu'un peu grassouillette.

Et la voici assise en soutien-gorge et petit jupon sur un lit froissé, une bouteille de whisky et un verre rempli du précieux liquide ambré posés près d'elle sur la table de nuit. Pendant qu'elle parlait avec le metteur en scène, une maquilleuse ébouriffait un peu plus ses mèches blondes. Elle se leva, déposa un baiser sur la joue de Bob, adressa un signe de tête à C.B. et dit :

« Quel chapeau adorable. »

Il rougit jusqu'à la racine des cheveux et s'inclina, puis il recula vers la porte, loin derrière l'énorme caméra à un million de dollars, du moins selon les estimations de Bob. Shoe, le metteur en scène et Bob discutèrent de la scène suivante, puis ils passèrent au peigne fin les changements de rythme. Elle se campa à la fenêtre, bouleversée de chagrin, tandis que son amant s'éloignait dans un taxi, elle revint vers le lit, descendit le verre de whisky, hurla « Va te faire foutre, Richard! », puis elle se jeta en sanglotant sur le lit.

C.B. prit bonne note que les films étaient constitués de fragments à la brièveté décourageante et pensa aussitôt : quel genre de connard peut quitter ainsi cette femme? Ses yeux s'écarquillèrent d'inquiétude quand elle s'envoya le verre plein de whisky, puis l'assistant caméraman lui chuchota que c'était du thé. Ce fut vraiment magnifique quand elle se jeta sur le lit, ses sanglots étaient tellement convaincants qu'on avait envie de se ruer vers elle pour la consoler. Le jupon remonta légèrement sur ses cuisses et l'on voyait presque ses fesses; une boule se forma aussitôt dans la gorge de C.B. lorsqu'il comprit que pareille beauté n'était pas destinée à ses pairs.

Au bout de cinq des neuf prises que requit cette scène, C.B. sortit discrètement, car la chaleur des projecteurs faisait couler la transpiration le long de son dos, sur ses jambes et sous son feutre magique. La centaine d'employés s'activaient toujours au-dehors et, lorsqu'il émergea de l'hôtel, plusieurs lui demandèrent comment se passait le tournage.

« Super », répondit-il en regardant la foule rassemblée, du haut des marches de l'hôtel, lesquelles, remarqua-t-il, n'étaient pas en vrai ciment même si elles en avaient l'air.

Ô fils et filles de l'homme, sous la vaste nuit étoilée bien que les étoiles soient invisibles, que faites-vous donc ici tandis que votre histoire s'attarde derrière vous comme les gaz d'échappement d'une voiture ? pensa-t-il, quoique en des termes légèrement différents.

Quel salaire touchaient-ils donc pour endurer pareille torpeur, même s'il n'aurait pas juré qu'ils paraissaient plus malheureux que la plupart des gens qui travaillent d'arrache-pied ? Au moins pouvaient-ils sentir toute l'aura magique du produit final, chose difficile à concevoir quand on coupait du bois par une journée froide et neigeuse, de pauvres arbres rabougris de troisième génération qui finiraient sans doute sous forme de papier journal après avoir été extrudés à la scierie. Peut-être ces travailleurs avaient-ils l'impression de bosser luxueusement à la chaîne dans une usine de pièces automobiles, et d'être éloignés du produit final qui, ils y croyaient mordicus, serait forcément une Cadillac... Envisagé sous le jour le plus avantageux, décida C.B., ce travail rappelait ses propres années consacrées au pillage illégal des épaves, quand il remontait des profondeurs un butin d'antiquaire. En effet, certaines personnes étaient prêtes à payer rubis sur l'ongle un banal habitacle provenant d'un vieux schooner reposant en paix parmi les profondeurs sous-marines depuis plus d'un siècle.

Chien Brun regarda longtemps cette foule avec l'attention non conceptuelle d'un enfant. Selon les mœurs sociales du cru, pareil calme était parfaitement prohibé et, dans la foule, plusieurs employés l'examinèrent avec perplexité. Ce putain de rigolo était-il vraiment une grosse pointure ? se demandèrent-ils. Il était de notoriété publique que ce scénariste, Bob Duluth, n'avait pas les deux pieds sur terre, ou, si vous préférez, qu'il avait une case en moins, mais ces gens-là étaient aussi assez malins pour comprendre que Bob était à l'origine de leur emploi. Selon le sabir en circulation dans l'industrie hollywoodienne, les scénaristes constituaient une regrettable nécessité, ou plutôt ils se réduisaient à de « simples écrivains » comme en parlaient les huiles.

Enfin, un très gros Noir, employé de la sécurité, s'approcha de C.B. pour lui demander s'il avait besoin de quelque chose. C.B. lui chuchota :

« Une bière, Monsieur. »

Sur le côté, mais pas très loin, deux costumières sautaient à la corde et lui souriaient tout en effectuant des gestes compliqués, hyperathlétiques. Ces deux filles sont sans doute plus accessibles qu'une actrice célèbre, pensat-il en se rappelant la beauté intimidante de cette femme quand elle avait englouti son verre de thé ou de whisky et, après la prise, agité son cul en direction de Bob et du metteur en scène.

L'homme de la sécurité revint avec une bière serrée dans son énorme pogne. C.B. regarda l'étiquette. St. Pauli Girl, en provenance de la lointaine Allemagne. Ils se demanda si on lui tendrait bientôt une Gœbbels' ou une Stroh's de Detroit. Sans doute que oui. Il remercia l'homme de la sécurité qui suivit le regard de C.B. en direction des costumières qui sautaient à la corde.

« Faites gaffe à ces deux dames. Elles sont pas jumelles, mais dans le milieu on les surnomme les Jumelles Infernales. Aucun serpent au monde n'est plus dangereux que ces deux-là, pas même le redoutable serpent *fer de lance* de mon pays natal. »

Au cours de la conversation qui s'ensuivit, il apparut que l'homme de la sécurité, Harold, venait de Belize, et son élocution heurtée s'expliquait par le fait qu'il n'avait pas été la victime de notre système d'éducation. Harold donna à C.B. sa carte de visite, au cas où il aurait besoin d'une « protection spéciale », puis il se retira avec un

74

léger salut quand Bob arriva en s'épongeant le visage avec un mouchoir. Alors qu'ils échangeaient une vigoureuse poignée de main, C.B. pensa qu'Harold était aussi massif que le policier fédéral débarqué à Grand Marais pour arrêter trois hommes qui trafiquaient des peaux de loutre en dehors de l'État. Quand ce flic, qui était également noir, descendit de sa voiture, « il continua longtemps d'en descendre », comme dit alors un vieux Finlandais. Il mesurait au moins deux mètres et pesait dans les cent cinquante kilos, il portait un chapeau de cow-boy et un .44 plaqué argent, à canon long, dans un étui de hanche. Les trappeurs ne lui avaient opposé aucune résistance.

Bob agita la main sous le nez de C.B. pour attirer son attention et, en même temps, les deux costumières, surnommées les Jumelles Infernales, s'approchèrent pour demander si les deux hommes désiraient un peu de compagnie après le travail. Bob leur rétorqua que lui-même et C.B. (lequel reçut une autre carte de visite) avaient des rendez-vous jusqu'à la saint-glinglin. Les filles lui adressèrent un bras d'honneur et filèrent.

« Bon dieu, Bob, elles sont rudement mignonnes », lâcha C.B.

Il ressentait déjà les affres de la faim et la seule présence de ces deux filles lui avait quasiment flanqué une décharge électrique dans les roustons. L'une d'elles portait un pantalon dont le mince tissu moulait étroitement les plis de son anatomie intime.

« Une souffrance trop profonde pour être traduite en mots, dit Bob. Il y a peut-être beaucoup de choses qui clochent chez moi, mais je ne fais pas partie des masofétichistes du gros orteil. »

Alors qu'ils roulaient vers le club sur Santa Monica Boulevard, Bob se mit à déblatérer tant et plus, si bien que C.B. dut lui clouer le bec ; il avait désormais l'estomac tellement vide que son esprit papillonnait parmi d'autres grandes périodes affamées de son existence, par exemple le jour où il se retrouva perdu de l'aube au crépuscule, sous un ciel nuageux, tandis qu'il chassait le chevreuil ; et lorsqu'il retrouva enfin son vieux pick-up déglingué, une précieuse conserve de corned-beef Spam l'attendait en cas d'urgence dans la boîte à outils. Il s'efforça d'ouvrir cette conserve avec ses mains glacées et la lâcha aussitôt en se coupant le doigt. Puis il tenta vainement d'ôter de la viande les aiguilles de pin, les fragments de feuille ainsi que son propre sang, avant de la fourrer dans sa bouche. La conserve lui fit trois bouchées et il ne trouva rien à boire hormis quelques centilitres de schnapps à la banane dans une bouteille poussiéreuse qu'on lui avait donnée, car ce liquide faisait également office de lotion antimoustiques. Au cours de l'indigestion qui s'ensuivit, il se dit que l'inventeur du schnapps à la banane aurait bien mérité de se faire botter le cul. Le corned-beef Spam, à lui seul, constituait la spécialité gastronomique de la racaille blanche des forêts du Nord, pour reprendre une expression qu'affectionnait Shelley.

« As-tu déjà remarqué qu'on regarde souvent sa montre quand elle indique onze heures onze ? » demanda Bob à voix haute pour attirer son attention.

De fait, C.B. n'avait jamais rien remarqué de tel, mais il calcula rapidement que cet événement se produisait seulement deux fois par jour, et il le dit.

« Ce n'est pas la réalité, mais notre perception de la réalité qui compte », lui rétorqua Bob en finissant l'une de ces petites bouteilles de gnôle qu'on distribue dans les avions. « Suffit de voyager en première classe pour quelques milliers de dollars supplémentaires pour qu'on te refile gratis ces petites mignonnettes. Peut-être que c'est parce que je me lève à onze heures onze et que je dîne à cette heure-là. »

Onze heures venaient de sonner et C.B. se demandait pourquoi diable il y avait autant de circulation. Presque partout, le jour et la nuit ne différaient pas autant du point de vue émotionnel et les humains suivaient des comportements assez prévisibles. Il y avait de longues queues de jeunes gens devant les clubs, un cinéma jouait un film approximativement intitulé *Mort aux obèses fongoïdes*. Il ne savait pas que c'était vendredi soir, car dans son existence les jours de la semaine importaient peu. Ses pensées dérivèrent de nouveau vers sa faim et la conviction de Grand-père que même les biscuits salés étaient un festin pour un affamé.

C.B. mit peu d'années à se convaincre que Grand-père disait souvent n'importe quoi, assis devant le poêle à bois, à bouffer son infect fromage Leiderkranz, accompagné de condiments et de biscuits salés, tout en évoquant les énormes quantités d'herbe qu'ils avaient tous fumées dans les camps organisés par le gouvernement pendant la Dépression, afin d'économiser leur paie dérisoire en vue de week-ends noyés de bière. Aujourd'hui, pensa C.B., cette même herbe aurait risqué de vous faire passer un sacré bout de temps en taule.

Lorsque C.B. se gara devant le club, il demanda à Bob de lui offrir un sandwich, disons à la saucisse de foie, au cheddar, avec une tranche bien épaisse d'oignon cru, plus une Budweiser si possible.

« Je suis un démocrate libéral aux racines populistes. Rentre avec moi. Je t'ai déjà concocté un dîner. J'espère simplement que tu aimes les épinards.

— Je les tolère avec le porc », répondit sèchement C.B. en tendant les clefs de la voiture miteuse au valet hésitant, qui se mit soudain à sourire quand Bob en descendit et lui refila un billet de vingt.

À l'intérieur du club la fumée matérialisait l'air, car la principale raison d'être de ces clubs privés était la tabagie. Sur le chemin de leur table, Bob expliqua rapidement, mais à voix très haute, que, depuis que les fascistes politiquement corrects de Californie avaient interdit la cigarette jusque dans les bars, certains gauchistes intelligents s'étaient associés afin de créer des clubs en l'honneur de la liberté. C.B. pensa que ce lieu rupin n'était pas exactement comparable à l'explosion contestataire de Chicago, mais lui-même n'avait pas l'esprit particulièrement critique en ce domaine. Il fumait seulement lorsqu'il était ivre, simplement parce que les cigarettes étaient trop chères pour lui. Dans tout le club, les gens pompaient avec panache sur leur cibiche. C'était le groupe le plus chic que C.B. ait jamais vu réuni en un seul endroit, tous unis par l'amitié rebelle de la cibiche.

Quand ils atteignirent leur recoin, le sang monta aux joues de C.B. La copine de Bob, Sharon, dont il avait déjà parlé au cours de la journée, se révéla être une collégienne, du moins le pensa-t-il. Sharon se prélassait sur le cuir rouge de la banquette, vêtue d'une minijupe rose, de socquettes blanches et de chaussures en cuir noir connues sous le nom de Mary Janes ; on lui donnait treize ans. Elle assena une bonne tape à Bob avec le roman de Sherman Alexie qu'elle lisait, lorsqu'il se glissa auprès d'elle et lui mit la main au panier. C.B. en eut le tournis : dire que la Californie interdisait de fumer mais autorisait ce genre de chose. Il s'assit avec hésitation en contemplant ce nouveau délit, mais au deuxième coup d'œil estima qu'elle avait peut-être dix-huit ans et que pour des raisons personnelles Sharon s'habillait très jeune. Bob pouffa de rire en remarquant l'incrédulité de son ami, puis il déclara que Sharon venait de sortir de l'Université de Radcliffe sur la Côte Est, une information qui éveilla dans l'esprit de C.B. la vision d'une bâtisse perchée sur une falaise (*cliff*) dominant l'Atlantique tempétueux.

« Vous avez beaucoup de chance de passer d'un océan à l'autre, dit C.B. en serrant une petite menotte à la peau douce qui le fit frémir.

— Je n'ai jamais vu les choses ainsi. » Sharon se demandait si ce trouduc parlait sérieusement ou s'il se payait sa tronche. « Bob m'a parlé de vous au téléphone. J'ai beaucoup de sympathie pour vous et la cause de votre peuple.

— La route est à la fois longue et brève. L'espoir habite mon cœur. »

C.B. se sentit légèrement troublé par une femme assise derrière Bob et Sharon, une Miranda dont les seins monstrueux tombaient littéralement hors de son corsage. Elle lui décocha un sourire à réveiller un mort.

« Bien dit, approuva Bob. Le combat est à la fois dans l'instant et à long terme. » Il agrippa le bras d'une serveuse qui passait là. « Vous autres, pitoyables demeurées, apportez-nous donc à boire!

— Est-ce que beaucoup d'Indiens portent ces merveilleuses coiffures? » s'enquit Sharon en feignant de ne pas remarquer l'injonction coléreuse et impatiente de Bob, car elle n'était pas alcoolique, même si elle carburait sérieusement à la Zoloft.

« Quelques-uns de mes frères, oui », répondit doctement C.B. tout en se demandant pourquoi il racontait toutes ces conneries.

C'était comme Shelley qui semblait les réclamer. S'il avait eu un crayon ou un stylo, il aurait pu le laisser tomber, vieux truc permettant de reluquer les jambes des filles; mais malgré sa beauté, elle était un peu maigrichonne. Bob, qui venait de se lever pour réclamer à boire, essayait sans doute de retrouver sa jeunesse ou quelque chose comme ça, à moins qu'il n'aidât tout bonnement Sharon à s'en sortir.

« Bob est un type extra, dit Sharon en regardant Bob qui à l'autre bout de la salle tentait d'attirer l'attention d'une serveuse. Je crains seulement qu'il ne se détruise à force d'alcool comme mon père. Sûr que c'est un bon écrivain, mais quatre-vingt-dix-neuf virgule neuf pour cent des écrivains sont oubliés dans le mois qui suit la publication de leur dernier livre.

— Pourquoi aurait-on envie de rester dans les mémoires ? demanda C.B. Nous serons tous la pâture des vers. »

Il se sentit réconforté en voyant Bob revenir, suivi d'une serveuse qui portait un plateau avec deux bouteilles de vin, un martini, et tenait de l'autre main un seau à glace et trois Buds.

Sauf pour C.B., ce fut une soirée des plus ordinaires. Sharon picora deux huîtres, deux crevettes et deux palourdes sur un lit d'algues tandis que Bob engloutissait deux assiettes de côtes de veau avec des pasta. Heureusement pour C.B., la blague de Bob sur les épinards se réduisit à l'accompagnement d'une côte de bœuf de New York qui pesait près d'un kilo. Il l'avait remarquée sur le menu, mais comme ce plat coûtait trente-huit dollars, il s'était rabattu sur des spaghetti aux boulettes de viande qui coûtaient seulement le prix astronomique de dix-huit dollars. Au pays, un restaurant d'Iron Mountain proposait le même plat pour quatre dollars seulement, mais les boulettes de viande avaient la taille d'une tête de bébé, et le demi-poulet rôti ne coûtait que deux dollars. Bob intervint et insista pour que C.B. commande la côte de bœuf, ajoutant qu'à Los Angeles il fallait manger une nourriture pleine d'énergie. La portion ridiculement congrue de Sharon l'irrita tellement qu'il en étouffa presque de fureur. C.B. se laissa convaincre par l'idée de la nourriture énergétique et décrivit le bien-être qu'il ressentait après avoir dévoré cinq cœurs de chevreuil. Sharon leur rétorqua impoliment qu'ils étaient tous les deux complètement merdeux.

« En partie seulement, ma chérie. Et toi aussi, du reste. De la naissance à la mort, le colon du primate n'est jamais entièrement vide. »

Bob avait une voix qui portait : deux couples installés à une table voisine prirent un air dégoûté.

Sharon rit doucement et, espiègle, leva une jambe pour caresser l'ample bedaine de Bob avec le cuir brillant de sa chaussure. Tout en taillant méthodiquement dans sa côte de bœuf dont il mangea d'abord le gras délicieux, C.B. remarqua que Sharon n'était certes pas née de la dernière pluie. Bob et elle se lancèrent alors dans une discussion de haut vol pour savoir si les médias, *in toto*, constituaient vraiment la principale arme de destruction de masse sur la planète, puisqu'ils faussaient de manière irréversible l'esprit des citoyens du monde. Selon Sharon, la télé, le cinéma, les journaux et presque tous les livres servaient d'anesthésiant planétaire. Bob contra en lui posant la question suivante :

« Mais alors pourquoi désires-tu entrer dans l'industrie du cinéma ?

— Pour l'améliorer, pardi, répondit-elle très naturellement.

— Ah, ces pauvres couillons de New York et leur prétentieux cinéma d'avant-garde, se lamenta Bob. Vous n'êtes que des myopes xénophobes convaincus que New York est le centre du monde. Là-bas, tout est froid et crasseux, tout le monde frissonne en blouson de cuir à l'aube. Vous voyez un pont, des immeubles et des pigeons. Et puis encore des ponts, des immeubles et des pigeons. Rajoutons un chien ou deux, un restaurant chinois et un vagabond qui se cure le nez. »

Bob s'emportait, mais pas au point d'oublier son repas.

« Et vous, les romanciers libéraux et romantiques, vous arrivez ici convaincus de faire du bon travail et qu'en sort-il au juste ? » Sharon parlait si doucement que vous cessiez de mastiquer pour que le bruit de vos mandibules ne domine pas le son de sa voix. « Vous croyez pouvoir vous tirer de toutes les situations avec votre pauvre sensibilité et à quoi arrive-t-on ? À d'ignobles tueries. Tout le monde trucide tout le monde. Vous croyez que le crime est le paradigme de la vie. Vous retombez sur vos pénis tout mous qui prennent la forme de flingues. Bang. Jouis. Bang. Jouis. » D'un geste preste, Sharon essuya ses lèvres immaculées avec sa serviette. Elle tourna une moue boudeuse vers C.B. qui, après avoir achevé sa côte de bœuf, savourait les épinards qui baignaient dans l'huile d'olive et l'ail. « Et vous, monsieur le Noble Sauvage, qu'en pensez-vous ?

— Je me disais que c'était la meilleure côte de bœuf que j'aie jamais mangée et que je veux récupérer ma peau d'ours. »

Il lorgna vers les palourdes et elle poussa le plat vers lui. Encore une aventure inédite, car il n'avait jamais mangé la moindre palourde.

« Je sais qu'à l'endroit où je vis je passe à côté de beaucoup de choses, mais je n'ai pas la télé, les cinémas sont très éloignés et je ne m'intéresse pas aux journaux, car les images sont en noir et blanc alors que le monde est en couleur. »

Il se sentit bien piteux, face à la vigueur de l'attaque de la donzelle.

« Mais, mon petit chéri, le gaz anesthésiant affaiblit la parole de tous les gens que tu connais. »

Elle glissa son pied minuscule sous la table et tapota doucement le zizi du Noble Sauvage.

À ce moment précis, le téléphone portable de Bob sonna et il le sortit majestueusement de son étui de ceinture.

« Oui. Non. Oui. Non. Super », dit-il en écrivant une adresse sur le calepin qu'il venait de tirer de la poche de son gilet.

Il coupa la communication. Il contempla longuement C.B. et lui annonça d'une voix insondable de baryton :

« J'ai l'adresse de Lone Marten. On y va. »

Il ne blaguait pas, sa bouche se tordit en un rictus menaçant, puis il saisit un os de côte de veau pour en arracher un dernier lambeau de cartilage récalcitrant.

« Il vaudrait mieux y aller à l'aube, proposa C.B. en devinant que la prudence serait préférable.

— Nous sommes demain dimanche, moyennant quoi l'aube se situe vers midi, du moins à Los Angeles. Bob règle toujours son réveil à onze heures onze précises », dit Sharon en se tournant vers Bob dont le regard vitreux fixait le bar.

Soudain, il fit signe à un couple.

« C'est Sandrine et son huile de la NBC. Il lui cire les bottes à coups de langue. J'imagine dans quel état sont ses papilles gustatives. Croyez-moi, le palais constitue un élément essentiel de l'avenir. Une fois qu'on a perdu la sensibilité du palais, le reste de l'appareil sensitif se dessèche comme bouse de vache en plein cagnard, sous la chaleur duquel seuls prospèrent larves et vers.

— Oh, pour l'amour du Ciel, Bob, la ferme ! »

Sharon lui envoya un tel coup de coude dans les côtes que seul un sens exceptionnel de l'équilibre lui permit de sauver son verre de vin.

« Sandrine de la Redondo, voici ton voisin Chien Brun au *Siam* », dit Bob en snobant le directeur de télé, son costard anglais, ses lunettes aux verres fumés et ses oreilles impeccablement propres.

« *Êtes-vous célibataire* *? demanda Sandrine en posant familièrement la main sur le cou de C.B., lequel riva son regard à la taille dénudée de la jeune femme en humant la senteur capiteuse de frais massifs de lilas par une matinée de mai.

« Elle veut savoir si tu es une célébrité, traduisit Bob.

— Elle demande si tu vis seul, rectifia Sharon.

— *Pouvez-vous venir prendre un verre chez moi ce soir ?** s'enquit Sandrine en faisant descendre son petit doigt derrière l'oreille de C.B., qui en frissonna de la tête aux pieds.

— Elle veut savoir si tu acceptes de boire un verre avec elle plus tard, dit Sharon en bâillant.

— Moui. Ça ne vous dérange pas ? »

Il se dit que, pour s'intéresser aussi vite à lui, cette femme devait avoir un grave problème. La question passionnante était de s'informer sur ce problème. Si elle voulait une *green card*, il lui en promettrait une dès l'aube. Il agita faiblement la main lorsque Sandrine et son ami mollasson s'éloignèrent.

« Elle cherche un rôle, expliqua Sharon à C.B. Tout le monde cherche à jouer un rôle. Moi comprise. Je ramènerai Bob chez lui. En chemin, nous nous arrêterons à une soirée très importante où il va me présenter à des gens susceptibles de me donner du boulot. »

Sharon se servit de ses talons pour pousser Bob au bout de la banquette, en allongeant des jambes que le tennis ou un autre sport rendait très sveltes. Bob se

---

* En français dans le texte original, comme tous les passages en italique suivis d'un astérisque. *(N.d.T.)*

contenta de signer l'addition, puis il jeta un billet de cent dollars sur les coquilles de beurre ramolli où une seule mouche s'enlisait.

Rien, dans l'immédiat, n'aurait pu être différent, pensa C.B., allongé sur son lit à deux heures du matin, dans sa chambre du *Siam*. Il tapota son ventre tendu comme une peau de tambour. Peut-être, en fin de soirée, n'aurait-il pas dû ingérer un morceau de viande pesant deux livres. Sur le chemin du motel, il avait acheté un pack de bières Grolsch pour dix dollars avec l'intention désinvolte de faire tremper toute cette bidoche en écoutant de la musique mexicaine. Il n'y avait apparemment qu'un nombre restreint de rôles et d'emplois dans l'industrie du cinéma, mais beaucoup de gens voulaient les décrocher; alors il se rappela que, le jour où United Parcel Service avait ouvert une succursale à Escanaba, plus de deux cents types avaient postulé. Il y avait plein de blé à se faire, disait tout le monde. Mais en restant à un niveau modeste, on pouvait éviter toute cette folle bousculade. Quand on avait besoin de fric, on se pointait avec sa tronçonneuse, un bidon d'essence, quelques bouteilles pleines d'huile et on pouvait toujours couper du bois. Si l'on avait besoin d'un endroit où loger, il existait des centaines de pavillons de chasse dans la Péninsule Nord et vous pouviez y habiter en échange de quelques réparations. Grâce à son ami Frank de la taverne, C.B. était toujours demandé. Il capturait vivants les porc-épics et les écureuils rouges qui endommageaient un chalet, puis il les libérait près d'un autre, disons à proximité de la baraque du couple yogique pour voir si ces menues créatures aimaient les maisons luxueuses. Le présent était déjà suffisamment difficile à négocier pour qu'on n'ait pas à se soucier de l'avenir par-dessus le marché. D'ailleurs, C.B. avait remarqué que l'avenir arrivait quotidiennement et sans le moindre effort. Un combat plus crucial dans son existence opposait l'eau et la bière. Trop de bière, maintes années d'expérience le lui avaient appris, portait sur le système. Et puis, le couple yogique lui avait déclaré qu'Elvis Presley ne serait pas mort s'il avait bu davantage d'eau. Toutes les souffrances de Presley, son abus des drogues, venaient d'une constipation aiguë provoquée par un mauvais régime alimentaire (cheeseburgers et beurre de cacahuètes grillées, plus sandwiches à la banane), mais surtout du fait qu'il n'avait pas bu suffisamment d'eau. C.B. s'était aussitôt inquiété de son propre amour pour les cheeseburgers de Frank et le couple yogique lui prescrit de boire quatre grands verres d'eau par cheeseburger mangé. Dans un chalet glacé, il fallait se lever souvent pour aller pisser, mais par bonheur il y avait une fenêtre près de son lit de camp. Tout compte fait, il ne méprisait pas ces yuppies des bois ; en effet, à cet instant précis, ils se débrouilleraient mieux que lui à Los Angeles. Il trouvait difficile de brider son impatience, même s'il était seulement dans cette ville depuis deux jours. Mais apparemment, le troisième allait selon toute vraisemblance porter ses fruits, comme dit la Bible.

Sandrine frappa à sa porte à trois heures du matin et, d'une voix étouffée, lui adressa quelques amabilités en français. C.B. fut à deux doigts de la sommer de parler américain. Il avait dispersé ses quatre cent soixante-dix dollars dans une demi-douzaine de cachettes, glissant un billet de cinquante dans chaque chaussette. Quelqu'un a dit qu'il faut donner un peu pour recevoir un peu, le genre de niaiseries troublantes qui dominent l'existence. La chambre de Sandrine était vraiment très agréable, décorée d'affiches françaises, dont l'une figurait une sublime gorge de rivière dans le Midi, où rôdaient sans doute des truites arc-en-ciel. À cet instant précis, je devrais être chez moi en train de pêcher, pensa-t-il, car il était six heures du matin dans le Michigan et il imaginait très bien les volutes de brume tournoyer au petit jour, tout près de la surface de son étang à castors préféré, d'où il avait sorti une truite de rivière pesant trois livres sur une Adams femelle n° 16, une truite au doux ventre jaune. Sandrine avait décidé que C.B. était au moins un musicien rock mineur, mais qui ne faisait jamais la couverture de *Rolling Stone* à cause de ses fringues ridicules. Et puis, elle savait que Bob ne s'acoquinait jamais avec des nullités. Quand ils partagèrent un joint plutôt que de boire un verre, C.B. vit les problèmes fondre sur lui à vitesse grand V, car il s'agissait de l'herbe la plus puissante à laquelle il eût jamais goûté.

Il se vexa lorsqu'elle alluma la télévision, mais elle s'expliqua aussitôt :

« Les murs ont des oreilles. »

Et puis, ajouta-t-elle, les fonctionnaires de l'immigration la traquaient fébrilement. En France, elle avait vécu dans un château, mais en Amérique elle habitait une chambre du *Siam* pour se cacher du gouvernement néo-fasciste. Elle se révélait incapable de renoncer à son déguisement et son intention la plus évidente, loin de se focaliser sur la *green card*, consistait à obtenir les mille dollars que Bob lui devait, suite à une faveur sexuelle. Peut-être que C.B. serait assez courtois pour rembourser à une pauvre fille la dette de son ami ?

« Laisse-moi y réfléchir », répondit-il en parlant dans son poing fermé comme dans un micro.

L'herbe commençait à envahir son cerveau et le conseil du couple yogique – « écoute ton corps » – ne lui parut pas très séduisant. Sous ses yeux, Sandrine venait d'adopter une tenue plus confortable, une simple nuisette en coton qui lui descendait jusqu'à mi-cuisses. La côte de bœuf se mit à faire des siennes et à meugler dans son ventre. Elle ôta le chapeau de C.B. et bondit en arrière, comme frappée par un aiguillon à bestiaux, couinant qu'elle n'avait jamais vu des cheveux aussi laids dans tout le cosmos. Par bonheur pour C.B., Sandrine était une cosmétologue expérimentée. Elle l'emmena dans la salle de bains, l'obligea à se pencher au-dessus du lavabo et tondit ses cheveux raides et hirsutes au ras du cuir chevelu; C.B. s'en fichait, mais lorsqu'il vit l'eau couverte de ses cheveux, il pensa à Samson tondu par Dalila. Quand Sandrine tira la chasse d'eau des toilettes, le tourbillon des cheveux entraînés vers le fond évoqua brièvement un cul de vache. Elle acheva son traitement capillaire en lui appliquant une lotion bleuâtre et brusquement C.B. se rappela le rêve terrible de Delmore, où notre héros rentrait au bercail avec une coupe de cheveux inédite! Mon Dieu, comme la vie est mystérieuse! Ils s'étreignirent devant le grand miroir de la salle de bains et Sandrine libéra bientôt le zizi de Chien Brun hors de sa cage. L'organe de C.B. lui semblait très lointain tandis qu'il sondait la tiède nuisette en coton à la recherche de l'œil du taureau.

« *Non, non, non** », murmura-t-elle en l'entraînant vers le lit.

Ils s'y écroulèrent dans la position fameuse du 69, une pratique que, selon Bob, elle affectionnait particulièrement. Hébété par la marijuana, il aurait apprécié n'importe quoi et cette adorable fille n'en était pas à sa première expérience. Mais sans les effets émoussants de la bière, de la viande et de l'herbe, tout aurait été fini en moins de deux. Comme l'univers lui semblait obscurci, il ouvrit les yeux et, entre les deux hémisphères soyeux des fesses de Sandrine, il découvrit Vincent Price à la télévision. C'était le très ancien film d'horreur sur les parachutes qui refusent de s'ouvrir, une métaphore judicieuse de la propre existence de C.B. D'ailleurs, Delmore avait toujours regretté que les avions de ligne modernes ne soient équipés d'aucun parachute. Elle assena un grand coup de pelvis au menton de C.B., qui sentit alors les mains de la fille descendre le long de ses mollets, puis contre ses chevilles vers le seul vêtement qu'il portait, ses chaussettes. Les mains de Sandrine jouèrent à l'intérieur tandis que l'avion de Vincent traversait les nuages qui dominaient les deux hémisphères dodus et elle grommela tout à coup :

« Un cadeau pour Sandrine, *merci**. »

Lorsqu'il jouit, elle s'écria :

« Espèce de sale avare ! »

Mais elle avait déjà exploré les deux chaussettes et trouvé les deux billets de cinquante. Elle bondit sur ses pieds, les larmes aux yeux, en agitant les maigres billets qu'il ne lui avait pas exactement destinés. Pendant qu'il s'habillait rapidement, elle le menaça d'appeler la Mafia, une entité dont il avait vaguement entendu parler, mais la paranoïa liée à la drogue orientale s'installait et les pires scénarios devenaient possibles. Jusqu'à cette période de sa vie – et il avait quarante ans passés –, il n'avait jamais cru à la déprime post-coïtale. Pendant qu'il enfilait son pantalon, elle tenta de s'emparer prestement du portefeuille du malheureux, mais il l'avait sagement laissé dans sa propre chambre, et tous deux retombèrent sur le lit. Elle se débattait à plat ventre et simulait quelques gémissements inspirés, tandis que, debout, il décidait que jamais il n'avait vu une croupe aussi splendide et cette vision contribua beaucoup à lui remonter le moral. Avant de franchir la porte, il se retourna une dernière fois : elle tendait vers lui une main implorante pour lui réclamer encore de l'argent, tout aussi séduisante que la divine actrice aperçue plus tôt dans la soirée.

De retour dans sa chambre, il but une bouteille et demie de sa précieuse réserve d'eau, après quoi il alla se coucher sans la moindre pensée.

Le téléphone sonna à onze heures douze. C.B. avait déjà les yeux ouverts, il pensait à la sage devise de Frank : « Peu importe où tu vas, tu es là. » Comment protester contre la profondeur de ce point de vue ?

« Nous avons rendez-vous avec le destin. Je me sens en grande forme. Et toi ? » lui demanda Bob d'une voix si forte que les oreilles de C.B. en tintèrent.

Après la sagesse de Frank, il essayait de retrouver les paroles exactes du couple yogique qui prétendait que notre corps est couvert de mains et d'yeux, ou incrusté de mains et d'yeux, moyennant quoi nous avons à notre disposition une kyrielle de ressources sensibles. Ce couple adorait les citations. D'ailleurs, ils en collaient partout chez eux.

« C.B., tu es là ? Bob entendait une respiration, mais rien de plus.

— Mouais. Perdu dans mes pensées.

— As-tu retrouvé l'adorable Sandrine ?

— En un sens. Crois-tu à l'évolution ?

— Il suffit de regarder *La Planète des singes* pour y croire. Mais, putain, de quoi me parles-tu ?

— Je me demandais si, par hasard, je ne descendais pas d'un ours plutôt que d'un singe.

— Je ne crois pas, mais la science n'est pas mon point fort. Tu es toujours là ?

— Oui. Si tu es d'accord, on entame les opérations à l'aube. Sharon a dit que c'était dans environ une demi-heure.

— Rejoins-moi dans ma chambre et on va causer stratégie. Je commande le petit déjeuner. »

Lorsque C.B. se passa de l'eau sur le visage pour en chasser le sommeil, il fut stupéfait par sa coupe de cheveux inédite et sa nouvelle teinture bleuâtre. Une raison supplémentaire pour porter son feutre. Cette Sandrine était quand même un sacré numéro. Comme les chaussettes de C.B. s'affligeaient profondément de la perte des deux billets de cinquante, il opéra une nouvelle répartition des trois cent soixante-dix dollars restants. À ce rythme-là, même les pipes allaient devenir hors de prix et seule l'inflation garantirait désormais la fidélité conjugale, à condition que vous soyez marié.

Avant de monter dans la voiture, C.B. glissa un billet tout craquant sous la porte de Sandrine en guise de pourboire ironique, lui offrant ainsi un tiers de tasse de café pour affronter cette journée qui montrait tous les signes prémonitoires d'une grave alerte au smog. Ses yeux et son nez le démangeaient, comme s'il se tenait tout près d'un feu où auraient brûlé des pneus, mais après tout c'était peut-être le temps idéal pour leur mission. Néanmoins, le ciel jaunâtre semblait de mauvais augure et il passa un doigt sur ses lèvres éraflées en se rappelant l'origine de cette irritation.

Frank lui avait dit qu'avant de participer à une bataille, les guerriers indiens déclaraient volontiers : « Aujourd'hui est un bon jour pour mourir. » Néanmoins, cette affirmation semblait légèrement emphatique pour la situation présente. Une blessure mineure serait peut-être appropriée, mais il n'avait nullement l'intention de mordre la poussière, comme on dit. Et il ne désirait pas davantage revoir la bombe brune, Sandrine de son prénom, en tout cas pas à ce tarif-là. Pour cent dollars, on pouvait passer tout un mois d'hiver en faisant attention à ses dépenses. À la taverne, deux vieux vétérans de la Seconde Guerre mondiale lui avaient confié que, dans l'Europe ou le Japon en ruine, on pouvait faire l'amour en échange d'une barre de chocolat, mais cette transaction lui avait paru tout sauf admirable. Le moins qu'on puisse faire, c'était de rôtir un poulet et de préparer de la purée pour la pauvre fille, avant de lui mitonner un pudding aux pommes avec du sucre brun et beaucoup de beure.

Dans la chambre de Bob, C.B. fut impressionné par la disposition des pièces : un salon et deux chambres, dont l'une, qui faisait office de bureau, était bourrée de livres. Jamais il n'aurait cru cela possible dans un hôtel. Au salon, à côté d'une table couverte de nourriture, trônait sur un trépied un télescope braqué vers la piscine. C.B. pensa que, quand on voulait voir les dames de près, il suffisait de descendre et de se rincer l'œil au bord du bassin, mais Bob lui rétorqua :

« C'est moins dangereux comme ça. »

C.B., qui avait soupé des femmes pour l'instant, dirigea le télescope vers une bande de perroquets vert pâle nichés dans un arbre en fleur. Il fut déçu d'entendre Bob lui déclarer qu'il ignorait le nom de cet arbre et ajouter que l'hôtel essayait de se débarrasser de ces oiseaux adorables parce qu'ils chiaient parfois en plein vol sur les clients réunis au bord de la piscine.

« Comment veux-tu qu'ils fassent autrement ? Les oiseaux n'ont pas de W.-C. », dit C.B. avec irritation. Car ces oiseaux étaient beaux comme des loriots.

« Le directeur croit qu'ils font exprès.

— J'espère bien », dit C.B. en s'installant à la table recouverte de mets divers.

La côte de bœuf laissait maintenant un creux dans son estomac.

« Je t'ai commandé du jambon de ferme, des œufs de ferme et des frites de ferme. Le menu ne dit pas si les toasts viennent également de la ferme, peut-être de la banlieue.

— Je mangerais bien un peu de sauce avec, mais je ne me plains pas. Le ketchup suffira. »

C.B. sortit de sa poche la petite bouteille de tabasco et s'aperçut très vite que son contenu brûlait sa lèvre éraflée. Il harponna une tranche de saumon fumé dans l'assiette de Bob et la jugea savoureuse. Histoire de blaguer, Bob avait commandé pour C.B. un grand verre de jus de carotte, que celui-ci vida discrètement dans les toilettes dès que Bob eut rejoint sa chambre pour s'habiller. Pris dans le maëlstrom de la cuvette, ce jus de carotte n'avait pas meilleure allure que ses cheveux la veille au soir. Au moins, Bob avait eu la bonté de ne pas éclater de rire en découvrant la coiffure bleue de son chauffeur.

« Tu es à Rome, tu adoptes les pratiques des Romains », se contenta de dire Bob.

Lorsqu'il revint de sa chambre, Bob portait un T-shirt très élégant sous sa veste sport de marque italienne, en honneur de la mission.

« Sharon dit que nous nous obstinons à essayer de peindre le monde avec nos propres couleurs alors qu'il possède déjà les siennes.

— Comment se fait-il qu'elle soit si intelligente ? Ça ne cadre pas avec sa tenue. »

C.B. jeta encore un coup d'œil à travers le télescope, car il venait de repérer un mouvement fort peu ornithologique sous l'arbre aux perroquets. C'était une femme en bikini blanc ultra réduit et, en réglant le télescope, il réussit à discerner quelques petits poils qui sortaient d'un des plus admirables muffins du royaume. Bob jeta un coup d'œil et dit qu'il s'agissait de Nina Coldbread, la reine de la télévision italienne, bien partie pour s'abîmer la peau. Quand Bob lui avait offert une villa, elle avait seulement bâillé en rotant, du moins selon Bob. Tandis que le scénariste se rinçait copieusement l'œil dans le télescope, C.B. sentit qu'il souffrait d'une surexposition à la beauté, que dans le Grand Nord on pouvait passer toute sa vie sans jamais voir des femmes comparables et que, si jamais pareille aubaine vous arrivait, ce spectacle se transformait aussitôt en un précieux souvenir. Peut-être un homme aux expériences plus limitées conservait-il davantage d'atouts dans son jeu, sans même parler des coups de boutoir veloutés de la nuit passée qui lui mettaient encore le visage à feu et à sang. Peut-être que cette expérience lui avait inculqué un peu de bon sens, mais peut-être que non.

Bob commença à s'agiter sérieusement lorsque C.B. gara leur véhicule devant un portail de sécurité, tout près de Benedict Canyon, à l'adresse où Lone Marten était censé crêcher. La mémoire embrumée d'alcool de Bob se rappela que c'était aussi l'adresse d'une terreur des studios qui flanquait une trouille bleue à tous les scénaristes, mais dont il ne parvint pas à se rappeler le nom. Il passa en revue un certain nombre de patronymes des studios, puis se souvint d'Universal avec soulagement, car il avait déjà brûlé les ponts avec eux à cause d'un projet très peu excitant baptisé *Certains l'appelaient Mardi*, sur l'aventurisme sexuel d'une épouse de Républicain.

Bob demanda à C.B. d'appuyer sur l'interphone et, lorsqu'une voix demanda :

« Je peux vous aider ? »

Bob beugla :

« Nous faisons partie du peuple ! »

Aussitôt, comme par magie, l'énorme portail s'ouvrit.

Bob apprit à C.B. que la dame en question était très active dans le mouvement des droits civiques relatifs aux Indiens.

Ils roulèrent dans un tunnel en brique, le *nec plus ultra* de la sécurité pour Dieu sait quelle raison, puis ils émergèrent sur une immense pelouse verte devant une villa de style Tudor. Au milieu de cette énorme pelouse, mais tout près de l'allée d'accès, une femme en peignoir lilas jouait au croquet avec trois Amérindiens très typés qui tous portaient une queue de cheval noire. Un autre homme dormait sous un arbre.

« Voici bien le comble de l'ironie : des Peaux-Rouges jouant au croquet, dit Bob en riant.

— Pas vraiment, rétorqua C.B. Les Ojibways ont inventé le croquet, mais ils utilisaient des boules sculptées à la main dans les excroissances de chênes malades et fendus par la foudre. »

Sous la pression des circonstances, l'esprit de C.B. devenait baroque. Il comprit aussitôt que l'homme qui commençait à se redresser sous le pin n'était autre que Lone Marten.

Quand ils descendirent de voiture, la femme se précipita en disant :

« Bob, Bob, Bob, bienvenue à bord. »

Bob rougit de plaisir, car elle se souvenait de son nom, mais il pensa alors que la mémoire de cette femme n'était peut-être pas imbibée d'alcool. Ils tombèrent dans les bras l'un de l'autre pour respecter la coutume de la région, puis elle s'inclina devant C.B., qu'elle prenait pour un autochtone. Mais notre héros, obsédé par son objectif, traversait déjà la pelouse en enjambant les arceaux pour rejoindre Lone Marten. Un colosse lakota, du moins selon l'inscription de son T-shirt, coupa la route de C.B. quand Lone Marten poussa un cri strident et se mit à grimper dans le pin. C.B. considéra la musculature du Lakota, puis, au-dessus des épaules massives, Lone Marten qui poussait toujours des cris de paon effarouché dans son arbre.

« Je ne veux pas me quereller avec toi, grand chef. Il m'a volé ma peau d'ours. À une époque, j'ai été le meilleur boxeur à mains nues de nombreux comtés. Et je n'ai pas tout oublié.

— Il t'a volé ta peau d'ours ? » Le Lakota se retourna pour regarder Lone Marten dans l'arbre, puis vers C.B. « J'ai vu cette peau d'ours hier. Je crois qu'il l'a sans doute vendue.

— C'est mon oncle Delmore qui me l'a donnée. C'était sa médecine d'ours et il me l'a donnée parce qu'il est parti vers le sud pour s'occuper de tortues.

— Nous n'avons jamais eu la moindre sympathie pour vous autres Chippewas, et c'est peu de le dire, mais les temps ont changé. Même aujourd'hui, on ne peut pas voler la médecine d'ours à un homme. »

Le Lakota opina du chef et fit un pas de côté, même si à ce moment-là tout le monde avait suivi C.B. jusqu'à l'arbre. C.B. ramassa deux boules de croquet et lança la première vers le cul de Lone Marten qui s'exhibait tout près d'une branche. Bob essaya d'agripper le bras de C.B., mais sans succès. Le Lakota et Bob expliquèrent le problème à l'hôtesse qui se tordait les mains en découvrant avec horreur la colère du mâle, une caractéristique sexuelle qu'elle avait déjà constatée chez son mari, mais sous une forme atténuée. Elle saisit à son tour le bras de C.B. qui s'apprêtait à lancer la seconde boule de croquet vers le crâne de Lone Marten.

« Lone Marten, je suis capable de monter et de t'arracher à cet arbre comme un ours ! cria-t-il tout en se tournant poliment vers la femme qui s'agrippait à son bras.

— Lone Marten a vendu la peau d'ours à Lloyd Bental lors de notre réunion de soutien qui a eu lieu hier ici même. Il va offrir la moitié des bénéfices à la cause. Si ça ne suffit pas, je peux vous la payer. » Elle prit son téléphone portable fixé à sa ceinture en tissu impalpable et couina : « Mon carnet de chèques, s'il vous plaît.

— Non, c'est impossible », protesta C.B. effondré à terre, le visage entre les mains, sans remarquer qu'en entendant le nom de Lloyd Bental, Bob s'était recroquevillé sur lui-même, son visage devenant aussi pâle que la neige sale.

On aboutit bientôt à une impasse. Le Lakota et les deux autres Amérindiens s'assirent de l'autre côté du tronc de l'arbre et la femme les rejoignit, convaincue qu'il s'agissait d'une sorte de rituel inédit, qu'elle ne voulait surtout pas rater. Sa domestique arriva en courant avec le carnet de chèques et fut aussitôt congédiée. Entre-temps, Bob était retourné à la voiture où, à sa grande déconvenue, il put seulement trouver trois petites mignonnettes offertes dans l'avion. Au seul nom de Lloyd Bental, de loin le producteur-réalisateur le plus puissant d'Hollywood, tous les neurones de Bob se figeaient de terreur. Il suffisait de fâcher Lloyd pour ne plus jamais retravailler à Hollywood. Personne n'avait osé compter le nombre des scénaristes qu'il avait renvoyés vers l'Est du pays, le cerveau en capilotade et les couilles ratatinées.

Enfin, Chien Brun se redressa, leva le menton et regarda longuement dans l'arbre Lone Marten qui se sentait maintenant dans la peau d'un scénariste viré et renvoyé vers l'Est du pays. Pour la première fois de sa vie, Lone Marten comprit qu'il était allé trop loin. Lorsque l'occasion s'était présentée de vendre la peau d'ours au moghol, il avait aussitôt compris qu'il ne devait pas le faire, tout comme il avait aussitôt compris que ce pauvre crétin de Chien Brun n'aurait jamais dû révéler à ces salauds de *wasichus* l'emplacement des tombes indiennes. Mais à cette réunion de soutien, Lloyd Bental était accompagné de deux jeunes actrices qui avaient fait transpirer tant et plus Lone Marten, sans parler du rouleau de billets de cent dollars capable d'étouffer un cochon. Les femmes blanches et le fric, sans parler de la drogue, avaient toujours circonvenu son cœur minable de criminel au petit pied.

« Lone Marten, si tu ne m'aides pas à récupérer ma peau d'ours, je te retrouverai et je t'arracherai le cœur. »

Sur cette menace dépourvue de toute ambiguïté, C.B. retourna lentement vers la voiture en essuyant ses larmes contre sa manche. La femme le suivit, lui demanda où il habitait.

« Au *Siam* », répondit-il.

Elle pensa naturellement à Yul Brynner et Anna. Elle passa la main par la fenêtre pour tapoter l'épaule d'un Bob liquéfié par les sanglots, et elle ne vit aucun inconvénient à ce que C.B. exécute un demi-tour dans le jardin où il creusa de profondes ornières en prenant congé. Ça, c'était de l'émotion.

Ce fut son heure la plus sombre, il ne sentait plus ses mains sur le volant. La circulation était bloquée sur Sunset à cause d'un accident et C.B. subit de manière poignante la pression écrasante de la civilisation. Un Finlandais âgé de quatre-vingts ans qu'il avait bien connu était venu jusqu'ici en avion pour voir son fils et, à son retour, il avait averti C.B. que « le monde se remplissait ». Aucun doute là-dessus. C.B. voulut se métamorphoser en tortue, comme la fois où Lone Marten et lui avaient traversé la laideur insondable de Las Vegas en voiture ; mais présentement, il se contenta de relever son col de chemise et de rentrer la tête à l'intérieur du tissu, préférant son propre air vicié.

L'état de prostration ahurie de Bob ne l'aidait guère, même s'il babillait sur les sept Oscars de Lloyd Bental, ses centaines de millions de dollars, ses maisons à Beverly Hills, Palm Springs, Palm Beach, Acapulco, son immeuble en pierre de taille à Manhattan, son somptueux appartement parisien, sans parler de sa villa en bord de mer à East Hampton. Tous ces détails détournèrent un peu C.B. de la pureté de sa vertueuse colère et il se demanda si ce gars vidangeait ses circuits d'eau pour éviter le gel lorsqu'il changeait de résidence et comment il se débrouillait pour que la mécanique des toilettes ne se grippe pas lorsqu'elles restaient inemployées pendant un long moment.

Alors le téléphone sonna, interrompant les monologues intérieur et extérieur de Bob, mais ce fut comme si Bob ne reconnaissait pas le téléphone, si bien que C.B. décrocha. C'était l'hôtesse du jeu de croquet qui appelait pour dire qu'elle était entrée en contact avec Lloyd Bental, mais que le nabab refusait de se séparer de sa descente de lit sur laquelle, au moment même où elle l'avait appelé, il faisait du stretching parce que cette dépouille le plongeait dans un univers spirituel très spécial. Elle avait également téléphoné à son propre époux, le réveillant à Londres, et lui-même appelait le chef du département des accessoires de son studio, lequel chef allait faire livrer une peau d'ours au *Siam*. C.B. se retint de lui dire d'aller se faire foutre, mais une idée assez vague commença de prendre forme dans son cerveau et il lui répondit seulement :

« Merci, femme blanche, et laisse-moi te dire que tu avais fière allure dans cette robe couleur lilas. »

Malgré sa colère, il n'avait pas été sans remarquer les formes séduisantes de l'hôtesse.

Pendant ce temps-là, Bob continuait de déblatérer pour signifier qu'il ne pouvait plus aider C.B. à récupérer sa peau d'ours, car si jamais on le surprenait à s'opposer aux visées de Lloyd Bental, « il ne retravaillerait plus jamais dans cette ville ».

« Tu pourrais bosser dans le Nebraska », rétorqua piteusement C.B. en scrutant l'embouteillage à la recherche d'une éventuelle issue.

« Il me ferait suivre jusque là-bas, vieux. Sa vengeance est certaine et rapide. Il s'en prend même aux animaux. Il y a quelques années, quelqu'un lui a offert une louve hybride comme animal domestique. Elle a chié par terre comme font tous les animaux. Pour la punir, Lloyd l'a fait teindre en rose pétard et la louve est morte de honte. La SPA a été informée de ces sévices, mais même eux ont eu peur de Lloyd Bental. J'ai une famille à nourrir, une femme malade et deux enfants malades. Ils ont besoin de manger de bonnes choses et de boire du bon lait. Faut que j'envoie cinq cent mille billets annuels à la maison.

— Et ta mère lascive ? s'enquit C.B. sans la moindre ironie.

— Exact. Elle a dans les soixante-quinze ans, mais sans doute qu'elle continue à traîner dans les rues. Mon cœur est avec elle.

— Finie, la voiture ? » fit C.B.

Il allait de nouveau goûter aux charmes de la vie pédestre. Et puis, la marche nettoie l'esprit.

« Finie, la voiture, répéta Bob. Ma voiture est ma signature. Tout le monde en ville connaît ma voiture, surtout les flics. Je pourrais t'en louer une », ajouta-t-il en une espèce de chevrotement ovin.

Lorsque C.B. se gara devant l'hôtel, les sanglots de la souffrance et de la peur secouaient Bob. Ils s'embrassèrent devant le portier interdit et Bob fourra quelques billets dans la poche de C.B. Il se retourna et vit Bob qui montait les marches en trébuchant ; puis il se dirigea vers le Jardin Botanique, car il avait besoin d'une bonne dose de nature pour rassembler ses pensées. Il devrait se contenter d'une dose homéopathique.

C.B. retourna à pied au *Siam* au bout d'une heure. Dans le jardin, il avait remarqué un Oriental en costume blanc, assis près du bassin des carpes et, puisque le cœur de C.B. était aussi porté à la contemplation, il s'assit auprès de lui. Au bout d'une demi-heure de silence partagé, l'Oriental sourit et se leva. Ils bavardèrent pendant quelques minutes et C.B. apprit que ce type se concentrait afin de pratiquer une opération de chirurgie du cerveau durant huit heures sur une petite fille. C.B. lui souhaita bonne chance en pensant à Baie, la fillette de Rose, qui dans le Michigan souffrait de graves problèmes cérébraux, suite à l'alcoolisme de Rose pendant la grossesse, et les dégâts étaient aujourd'hui irréversibles. Tout au long du trajet jusqu'au *Siam*, C.B. sentit le poids moite et particulier du mal du pays s'abattre sur lui. Il mourait d'envie de se faire piquer par les moustiques et de se geler le cul par une de ces froides matinées estivales qui menaçaient la récolte des myrtilles sauvages ; d'habitude, il sortait alors en cueillir quelques-unes pour faire des crêpes. Il mettait toujours beaucoup trop de myrtilles et ses crêpes n'étaient pas présentables, mais délicieuses. Ensuite, une bonne bière enrayerait la douceur du sirop d'érable, puis il marcherait pendant quelques heures ou bien il irait pêcher.

De retour au *Siam*, il prit une douche en rejetant avec dégoût ses fringues hollywoodiennes d'opérette. Le moment était venu d'endosser de nouveau l'humilité discrète de son costume de portier qui arborait le nom de Ted l'inconnu sur la poche. L'oreille collée au mur, il entendit Sandrine chantonner, sans doute l'expérience la plus remarquable qu'il ait vécue en ville, même si les avis divergent. Le spectacle avait néanmoins été merveilleux, malgré l'intrusion occasionnelle du visage lugubre de Vincent Price entre les deux collines soyeuses. Il venait à peine d'achever l'une de ses précieuses petites bouteilles d'eau quand on frappa à la porte. Il prit la précaution de jeter un coup d'œil à travers les rideaux et découvrit Lone Marten qui tenait une peau d'ours doublée en feutre vert. Il ouvrit la porte et cette descente de lit lui sembla encore plus ridicule que dix secondes plus tôt, entrevue à travers la fenêtre ; elle avait une légère couleur cannelle et des machins en caoutchouc antidérapant cousus sur la doublure. Peut-être était-ce impossible, mais cette peau semblait avoir appartenu à un ours très *gay*.

« Cette bagnole que je viens d'emprunter coûte cent trente mille dollars, dit Lone Marten en montrant la Mercedes décapotable garée derrière lui.

— J'en ai rien à foutre de ta caisse. » C.B. calcula néanmoins que cette somme dépassait sans doute les revenus cumulés de toute son existence. « Cette peau d'ours semble venir directement du département des accessoires d'Universal.

— Comment tu le sais ? » Lone Marten regarda d'un air perplexe ce qu'il tenait entre ses bras.

« Mon petit doigt. »

Il pivota sur les talons pour voir Sandrine qui écarquillait les yeux sur le seuil de sa chambre.

« Lone Marten ! s'écria-t-elle.

— Sandra, la Française! Comme c'est curieux de te retrouver en des circonstances aussi modestes, sans parler de C.B.

— Je m'appelle Sandrine, coco. Je parie que tu comptes fourguer cette bagnole à Tijuana pour un gros paquet de dollars. J'habite ici parce que c'est gratuit. Je ne peux pas vivre avec un homme parce que, vous autres les mecs, vous êtes tous la semence du diable, et peut-être encore pire. »

Il se révéla que son petit ami cadre à la NBC l'avait emmenée à la réunion de soutien chez Benedict, où Lone Marten avait enchéri sur des bijoux imitation turquoise.

« Sandrine, chérie, j'ai besoin d'une paire de ciseaux », dit C.B.

Tout le monde appelait tout le monde *chéri*; alors, se dit-il, pourquoi pas moi? Il prit la peau d'ours dans sa chambre. Il avait l'intention de la faire entrer en douce chez Lloyd Bental et de l'échanger avec celle qu'il désirait. Il finirait sans doute par mourir dans une prison californienne, mais tant pis. Peut-être qu'ils le relâcheraient d'ici deux ou trois hivers et il rentrerait alors au pays pour entendre le craquement délicieux de la neige sous ses chaussures.

Sandrine et Lone Marten s'assirent sur le lit pour fumer un joint pendant que C.B. découpait la doublure avec les ciseaux. Lone Marten envisagea plusieurs moyens pour aider C.B. à récupérer sa peau d'ours, y compris la stratégie extrêmement créative consistant à faire sauter la villa avec une tonne d'engrais azoté, un peu d'essence et quelques capsules explosives. Sandrine bâilla en entendant le nom de Bental.

« Trouve quelque chose de mieux et tâche de te rappeler que sinon je vais t'arracher le cœur », menaça C.B. qui en avait fini avec cette satanée doublure.

Il remarqua en passant qu'on avait shampooiné et adouci la peau avant de gratifier ce malheureux ours de deux yeux en verre bleu. Les blasphèmes sont sans limite, pensa-t-il alors.

« Je connais très bien Lloyd Bental, se vanta Sandrine qui réussit à attirer aussitôt leur attention. Je lui ai vidangé les burnes un certain nombre de fois. Mais je ne veux pas baiser avec lui, parce qu'il n'est pas une star, seulement un metteur en scène. »

Il ne fut guère difficile de conclure un marché pour récompenser Sandrine de son aide. Lone Marten commença à cinq cents dollars, mais elle insista pour avoir ses mille billets habituels, tout en foudroyant C.B. du regard et en lui rappelant ses deux minables biftons de cinquante dollars planqués dans ses chaussettes. Lone Marten sortit un rouleau et compta dix billets de cent dollars, tout en expliquant d'une voix plaintive que c'était l'argent réuni pour le peuple indien par le comité de soutien et que maintenant les malheureux n'auraient plus assez de fric pour réparer les fuites d'eau de leurs tipis. Sandrine fit semblant de bâiller, puis elle alla chercher le numéro de Lloyd dans son carnet d'adresses personnel en peau d'alligator, un carnet épais de dix bons centimètres. Dès qu'elle fut partie, Lone Marten chuchota à C.B. qu'il venait de la payer en faux billets, de mauvaises imitations qu'il avait achetées vingt dollars les mille, une denrée fort précieuse en pareilles occasions. C.B. acquiesça et, quand Sandrine fut de retour, elle annonça que Lloyd avait seulement une « fenêtre » de trente minutes à neuf heures, avant d'aller dîner, et qu'ils devaient donc être ponctuels. Moyennant quoi ils allaient mariner dans leur jus pendant deux heures. Sandrine avait tellement faim que Lone Marten l'emmena manger quelque chose, en s'arrachant du parking du *Siam* à une vitesse incroyable. C.B. leur demanda de lui rapporter une saucisse de foie au pain de seigle avec des oignons, du cheddar et de la moutarde forte, mais il ne se faisait pas trop d'illusions sur leurs chances de succès. Il ne pouvait, en tout cas, s'approcher davantage de la nourriture énergétique de son cher Michigan. Un cœur ou un foie de chevreuil eût été plus apte à le requinquer en vue de la grandiose soirée qui s'annonçait, mais il aurait eu du mal à trouver l'un ou l'autre dans le voisinage.

Plusieurs fois, des chasseurs avaient offert à Frank et à C.B. de la viande d'ours, car ils désiraient seulement en conserver la dépouille. Les deux larrons découvrirent bientôt qu'il fallait retirer tout le gras sur la viande des vieux ours, car sinon il imposait un goût désagréable, comme si vous aviez mélangé de la graisse d'essieu et du savon noir. Les ours plus jeunes, en particulier les femelles, avaient moins de toxines dans le sang et, par les soirées paisibles dans la cuisine de la taverne de Frank à la fin du mois d'octobre, ils préparaient quelques ragoûts d'ours expérimentaux en y mêlant beaucoup d'ail et de vin rouge, mais parfois selon une variante incluant de l'ail, des piments forts et un rhum bien sombre avec lequel, selon Frank, on faisait mijoter les vieilles biques dans les Caraïbes ensoleillées.

L'inconvénient de la viande d'ours pour Chien Brun, c'était qu'elle provoquait toujours des rêves d'ours extrêmement saisissants. Il était très effrayant de faire l'amour à une ourse même en rêve, d'autant que les gigantesques ours mâles faisaient ressembler Mike Tyson à Mary Poppins. Pour le taquiner, Delmore lui assura qu'autrefois aucun homme n'était jamais devenu ours en mangeant trop de viande d'ours, ni même en s'intéressant de très près aux ours.

Un soir qu'il pêchait près de la source de la Fox River, il s'était adossé contre une énorme souche de pin blanc et une ourse était venue s'installer à moins de vingt pas de lui. Les deux primates avaient tous leurs sens en éveil et ils faisaient très attention à ne pas se regarder, sachant très bien que dans le monde animal un regard direct est considéré comme extrêmement impoli. Même les corbeaux n'aiment pas qu'on les regarde ; si vous les observez du coin de l'œil, il y a de fortes chances pour qu'ils restent plus longtemps dans les parages.

Un claquement de portière le tira brusquement de ses cogitations animales, qui eurent pour seul effet d'accroître son mal du pays. Son cœur bondit à l'idée du sandwich à la saucisse de foie et il huma l'air en ouvrant la porte. Mais c'était Sharon qui conduisait la Taurus marron, tandis que Bob ronflait à côté d'elle. À la place de sa robe rose et de ses chaussures noires brillantes, elle portait maintenant des vêtements d'adulte, un débardeur et un Levis. Elle s'appuya contre la portière de la voiture avec un déhanchement très séduisant. Ses mamelons pointaient sous le débardeur.

« Bob a insisté pour que je le conduise jusqu'ici et qu'il s'excuse, mais maintenant il roupille.

— Gardons-nous de réveiller chien qui dort, proféra C.B. sans raison aucune.

— Ne sois pas trop dur avec lui. C'est juste un gros bébé.

— Je ne suis pas trop dur. Il a ses problèmes. Ça ne doit pas être facile quand toute ta famille est malade, sans parler de ta maman qui court les rues.

— Oh, c'est rien que des conneries, tout ça. Nos familles sont amies depuis toujours ; sa femme et ses enfants se portent à merveille, hormis les névroses classiques, la dope et l'alcool.

— Sans blague ? » C.B. n'arrivait pas à décider s'il était étonné, stupéfié ou simplement distrait de ses propres problèmes pour quelques minutes. « Je croyais que tu étais son amie.

— Je reconnais que je le mène un peu par le bout du nez. Je désire vraiment faire carrière dans le cinéma et après la soirée d'hier je crois que j'ai un boulot en vue auprès du grand Lloyd Bental. Il me fait penser à une poire maquillée de rouge à lèvres, mais je l'aime beaucoup. Il m'a récité des poèmes en cinq langues différentes.

— Eh bien, félicitations. »

Maintenant, C.B. n'en revenait pas. À l'intérieur de cette immense métropole se nichait manifestement un petit village. La dernière chose à dire à Sharon, c'était qu'il complotait contre le fabuleux Lloyd.

« On t'a déjà dit que tu étais étrangement séduisant ? susurra Sharon en jetant un coup d'œil à Bob Duluth pour s'assurer qu'il dormait toujours.

— Je ne dirais pas que ce n'est jamais arrivé. »

Leurs regards se croisèrent longuement, contrairement aux mœurs en usage chez l'autre moitié du règne animal. C.B. s'inclina et tendit le bras vers la porte de sa chambre de motel. Sharon entra en rougissant jusqu'à la racine des cheveux. Beaucoup plus tard, il songerait avec perplexité combien les rapports entre le temps et les gens étaient inappropriés. Sharon et C.B. s'étreignaient passionnément derrière la porte. Elle avait le jean aux genoux et il lui caressait les fesses pendant qu'elle tirait un peu rudement sur le zizi chippewa, comme pour faire démarrer un vieux moteur de hors-bord. Leurs langues s'enchevêtraient suavement quand Lone Marten poussa un cri strident sur le parking :

« Saucisse de foie en provenance de chez Nate et Al ! »

Ce fut tout simplement bouleversant : si près du but, mais impossible désormais d'aller de l'avant. L'injustice se répandit autour de C.B. comme un pet d'éléphant. Il coinça rapidement son zizi sous sa ceinture et sortit, suivi de Sharon qui sifflotait curieusement la Marche du Colonel Bogie.

« Et voilà, mon frère de sang, et avec une double portion de viande ! » dit Lone Marten en lui tendant l'énorme sandwich, alors que le flasque organe masculin retombait dans le pantalon à l'inverse de la célèbre corde indienne.

Entendant un sifflement caractérisé, il pivota sur ses talons. Sharon et Sandrine s'affrontaient à trente centimètres l'une de l'autre et crachaient leur venin respectif.

« Te revoilà à essayer de me piquer un de mes copains, espèce de salope maigrichonne au cul pincé ! hurlait Sandrine.

— Tu mérites un bon coup de tatane en pleine chatte, espèce de traînée pseudo-française à la gomme ! » répliquait Sharon.

C.B. se pencha par la fenêtre de la Taurus, côté passager, et lança un regard coupable vers Bob endormi. Cette explosion de colère féminine le navrait. Il prit une énorme bouchée de son sandwich en subodorant que, puisqu'il venait d'être privé de sexe, il risquait d'être également privé de sandwich. Lone Marten s'interposa rapidement entre les deux furies, lesquelles avec une synchronisation parfaite le giflèrent d'importance pour une raison mystérieuse. Puis Sharon se dirigea vers la Taurus et C.B. tendit la main pour tapoter amicalement le crâne de Bob. Le scénariste se réveilla en sursaut, huma l'odeur alléchante du sandwich et s'empressa d'en mordre une énorme bouchée. C.B. bondit en arrière lorsque Sharon fit soudain reculer la Taurus marron.

« Salut, vieille branche », dit-il en agitant la main.

Bob ressemblait à un enfant rabougri qui se serait endormi après une scène de ménage.

Heure H. Sandrine conduisait la voiture d'une main experte dans Beverly Glen, car son petit ami de la NBC possédait exactement le même modèle. Le siège avant était assez petit et Lone Marten dut s'asseoir sur les genoux de C.B. Dire qu'il faut payer un pont d'or pour avoir seulement deux sièges minuscules, se lamenta C.B. en remarquant que le cul osseux de Lone Marten n'avait pas le charme potelé des ravissants postérieurs de Sharon ou de Sandrine.

L'idée était la suivante : Sandrine entrerait dans la maison de Lloyd et, avant de faire son boulot, elle laisserait la porte ouverte, en espérant qu'elle réussirait à entraîner le nabab à l'écart de la pièce où se trouvait la peau d'ours. Ce plan ne présentait aucune garantie de succès et, lorsque Lone Marten proposa d'avoir recours « aux bons vieux procédés de la fac », C.B. ne comprit goutte à ce sabir et il se renfrogna bien davantage quand Lone Marten et Sandrine partagèrent encore un joint si fort que ses seules émanations suffirent à lui donner le tournis.

« *Je suis ici**, gazouilla Sandrine en appuyant sur le bouton du portail de Lloyd. *Je suis là**.

— Très bien », fit aussitôt une voix de baryton melliflue de l'autre côté de l'interphone.

Un portail aussi vaste que celui d'une prison au cinéma s'ouvrit alors. C.B. et Lone Marten se laissèrent glisser sur le siège jusqu'à être invisibles. Sandrine assena une tape sur le crâne de Lone Marten qui soulevait la minijupe en coton pour jeter un coup d'œil en dessous. C.B. ne put s'empêcher de ressentir une certaine fierté au souvenir du bon temps qu'il avait récemment passé dans l'intimité de Sandrine, malgré l'image désormais permanente de Vincent Price gravée dans sa mémoire.

Alors qu'elle immobilisait la voiture, il s'empara de la peau d'ours qui lui parut féminine, quoique sèche. Sandrine descendit de voiture, il entendit son rire de gorge, puis quelques mots de français et le rire sonore de l'homme qui évoqua à C.B. le journaliste d'Escanaba à la télévision quand un touriste quelconque demandait de regarder les infos à la taverne de Frank. C.B. ne put s'empêcher de jeter un coup d'œil discret par la fenêtre de la voiture. L'homme portait un court peignoir jaune et ressemblait à la description que Sharon en avait fait : une poire barbouillée de rouge à lèvres. C.B. ne put qu'admirer sa rapidité de manœuvres, car il avait déjà remonté la jupe de Sandrine au-dessus de la taille et C.B. constata avec ravissement qu'après qu'ils eurent gravi l'escalier monumental, elle réussit à laisser la porte entrouverte.

Malgré les claquements secs du moteur de la Mercedes qui refroidissait, C.B. tendit l'oreille pour savoir si Sandrine allait crier « moula ! » si elle réussissait à entraîner Lloyd par la porte latérale et vers la roseraie, ou dans une chambre, n'importe où mais loin de la fameuse peau d'ours, au cas où elle aurait la chance de la repérer dans la maison.

La mâchoire pendante, Lone Marten semblait parfaitement hébété dans la lumière aveuglante du lampadaire qui les éclairait. Alors C.B. entendit un vibrant « moula ! » et il descendit de voiture, en serrant contre lui la peau couleur cannelle aux yeux de verre bleus. Lorsqu'il atteignit les marches, il se retourna et vit que Lone Marten le suivait tel un zombie. C.B. s'empara des épaules du filou et le repoussa violemment à l'intérieur de la voiture avant de lui enrouler une ceinture de sécurité autour du cou. Il allait devoir se débrouiller seul.

Et ce fut facile comme bonjour, même s'il fut d'abord distrait et ébloui par la splendeur du lieu, convaincu que seul le roi du monde pouvait habiter ce genre de palais. Il essaya de courir silencieusement sur la pointe des pieds, reconnut bientôt son échec, mais il trouva alors la peau d'ours qui, selon toute prévision, gisait sur le sol d'un bureau aux murs couverts de centaines de photos et de dédicaces à la gloire de Lloyd. C.B. plia rapidement son butin et le fourra dans le sac poubelle noir qu'il tenait toujours à disposition dans la poche arrière de son pantalon vert de portier. Il étendit avec soin la peau de remplacement, puis contempla un moment les trophées des Oscars alignés sur le manteau de la cheminée en soupçonnant qu'ils étaient en or massif. La seule fois où il eut peur, ce fut lorsqu'il entendit une voix féminine à l'accent mexicain demander :

« C'est vous, monsieur Lloyd ? »

Mais à ce moment-là, C.B. se trouvait tout près de la porte d'entrée et le grand Lloyd rugit alors puissamment dans la roseraie :

« Maman, papa, succès ! »

L'espace d'un instant, C.B. se figea sur place alors qu'il dégringolait les marches vers la voiture. Il se rappela soudain une soirée à Munising, alors qu'il faisait l'amour avec vigueur à l'épouse d'un avocat, il s'était tout à trac asséné une bonne claque sur le cul en hurlant :

« À cheval, cow-boy ! »

Et la femme lui avait flanqué un vigoureux coup de poing sur l'oreille.

Lone Marten était assis tout droit sur le siège et parfaitement endormi. C.B. le poussa par terre et monta dessus en le tassant en boule sous ses jambes. Il décida de ne plus jeter le moindre coup d'œil au-dehors lorsqu'il entendit Sandrine et Lloyd échanger de mélodieux « *au revoir** ». Les battements de son propre cœur l'énervaient, ainsi que la crainte que Lone Marten ne lâche encore un de ses bruyants *ugh !* de cinéma. Il tâtonna à la recherche du visage de Lone Marten et appliqua fermement sa propre chaussure contre la bouche du faux frère. Alors Sandrine monta près de lui, le moteur rugit et il ne put s'empêcher de presser ses lèvres contre les cuisses de la jeune femme pour l'embrasser de tout cœur. Les doigts de Sandrine tapotèrent sa nuque tandis qu'il remontait la jupe. Elle chantonna une petite ritournelle française et C.B. fut bien content de ne pas en comprendre les paroles.

La seule raison de retourner au motel était la précieuse eau restante ainsi que quelques bouteilles supplémentaires. Il s'était demandé s'il valait mieux se rendre à l'aéroport ou à la gare routière, mais quatre jours de voyage en car augmenteraient les risques de vol de sa précieuse peau d'ours. Il devina qu'il possédait sans doute assez d'argent pour s'offrir un billet d'avion, au moins pour effectuer une partie du trajet, même s'il n'avait aucune idée du prix de ce genre de transport. Lorsqu'il demanda à Sandrine si elle accepterait de lui consentir un prêt pour payer son billet d'avion, elle lui lança un *non* sans réplique.

« Je me suis occupé de toi tout du long entre Beverly Hills et Santa Monica et tu ne veux même pas me prêter un sou, dit-il avec découragement.

— Tiens, voici le dollar que tu as glissé sous ma porte, trouduc », répliqua-t-elle en souriant.

Ils firent halte au centre de gymnastique de Sandrine à Santa Monica, afin qu'elle puisse payer sa note avec le fric de Lloyd. Lone Marten s'éloigna pour s'offrir un café à cinq dollars et C.B. envisagea un moment d'emprunter des faux billets, mais il y renonça bientôt. Il n'était jamais monté dans un avion, sauf dans un petit Cessna avec un bûcheron pour observer la région et il n'avait pas trouvé l'aventure très palpitante, même si vus du ciel les fonds de rivières et de lacs étaient splendides.

Maintenant, par la porte ouverte du gymnase il regardait un spectacle parfaitement ahurissant. La musique rock était très forte et il y avait d'innombrables rangées de femmes qui imitaient les mouvements d'une jeune et svelte prof noire. Procédant à une rapide évaluation, C.B. calcula que moins d'une femme sur quinze ici présentes avait vraiment besoin d'exercice ; il était dix heures du soir passé et elles se démenaient comme des diablesses. Les merveilles de cette ville ne cesseraient donc jamais ? Il constata de nouveau que les gens qui marchaient dans la rue ne le remarquaient absolument pas avec son uniforme vert de portier. Un peu plus tôt, il avait été tenté de faire un saut au motel pour récupérer ses précieuses bouteilles d'eau et sa tenue fantaisie hollywoodienne, mais où diable pourrait-il arborer ces vêtements au pays ?

Lorsque Lone Marten revint avec son café, il était très agité. C.B. s'était déjà étonné de l'effet immédiat qu'avaient sur ce type les substances diverses et variées qu'il absorbait. Cette fois, Lone Marten venait de s'envoyer quelques amphètes avec son café et il se vexa quand ni Sandrine ni C.B. n'en voulurent. Pendant tout le trajet jusqu'à l'aéroport de Los Angeles, ils se disputèrent pour un oui ou pour un non, mais surtout en fait parce que Lone Marten voulait refourguer la luxueuse Mercedes à Tijuana, après quoi il pourrait s'envoler en compagnie de la sémillante Sandrine vers une île des mers du Sud avec le fruit de sa dernière arnaque.

« Je dois vivre dans cette ville, dit Sandrine sur un ton définitif.

— Je pourrais peut-être te faire bosser dans un documentaire sur les danses cheyennes que je vais tourner pour l'Office National du Cinéma, proposa Marten.

— Quel est le rôle ? s'enquit Sandrine avec un léger intérêt dans la voix.

— Tu seras une lamproie vorace et emperruquée qui suce l'âme des hommes à travers leur zizi, répondit Lone Marten en hurlant de rire.

— Arrête tes conneries. Cette dame nous a aidés », intervint C.B. en posant fermement la main sur la nuque de Lone Marten.

Grâce au téléphone de la voiture, Sandrine apprit l'existence d'un vol Northwest « yeux rouges » (comme elle le qualifia), de Los Angeles à Minneapolis et qui décollait à minuit, une information que C.B. ne trouva guère encourageante ; mais il sentait depuis un moment que le destin commençait à lui sourire. Lorsqu'elle le déposa à l'aéroport, C.B. contourna la voiture pour faire un baiser d'adieu à la jeune femme.

« Au revoir, chéri. T'es extra. Reviens me voir bientôt, dit-elle. Vraiment génial que tout ça finisse en beauté. »

Assis dans la salle d'attente avant l'embarquement de son vol, C.B. se remémora ses récentes tribulations à l'aéroport. La séduisante employée au comptoir de la compagnie aérienne était à la fois si nunuche et collet-monté qu'il pensa qu'elle aussi essayait sans doute d'entrer dans le show business. Comme c'était le week-end de *Memorial Day*, il ne restait des places libres qu'en première classe et ce voyage allait faire dépenser à C.B. presque tout son pécule, neuf cents dollars environ, y compris les dollars généreusement glissés dans sa poche par Bob Duluth. Ensuite, il ne lui resterait plus assez d'argent pour prendre le second vol jusqu'à Marquette. Ou alors, il pouvait s'inscrire sur la liste d'attente en classe touriste et tenter sa chance à l'embarquement, ce qui lui permettrait aussi d'attraper le vol de sept heures du matin. Mais la seule expression *liste d'attente* le déprimait tant qu'il sortit tous ses billets plus ou moins froissés, tous sauf onze dollars, en se sentant rassuré par le rêve de Delmore où celui-ci venait le chercher à Minneapolis, nonobstant sa coupe de cheveux vraiment « bizarre ». De toute évidence, il devait œuvrer à l'accomplissement du rêve de son mentor.

Il vécut une mésaventure encore plus désagréable au contrôle des bagages quand le crâne de l'ours apparut sur l'écran du moniteur et qu'une femme noire à l'uniforme moulant s'écria :

« Mais qu'est-ce que c'est que ça ? »

Deux employés de la sécurité prirent C.B. à part et lui demandèrent s'il possédait les papiers nécessaires pour transporter sa peau d'ours conformément aux règlements du Bureau des Poissons & Gibiers des États-Unis d'Amérique. La situation devenait inextricable, mais par bonheur ces deux employés devaient bientôt être relevés par des collègues et ils ne voulaient pas créer un incident qui les aurait retardés. Par ailleurs, C.B. sortit une réplique que Frank avait déjà employée quand les flics l'avaient arrêté alors qu'il rentrait du bar de Seney :

« Je me suis battu au Viêt-nam pour que mon pays reste libre. Mon corps ressemble à celui d'un pauvre gars roué de coups par un boxeur aux gants plombés. On a encaissé plein d'obus de mortier dans le delta du Mekong ; du coup, la pêche a été bousillée. »

Ça a suffi et il a victorieusement franchi la porte d'embarquement sans savoir que seuls les agents de sécurité les plus zélés acceptent de se colleter un cinglé.

Quand il téléphona à Delmore dans une cabine publique, les nouvelles étaient mitigées, tout en frôlant la ligne médiane en direction du bon côté de la vie, sauf pour cette chère Doris qui était toujours aux soins intensifs. À la grande surprise de C.B., son coup de fil ne réveilla pas Delmore à cette heure tardive dans la Péninsule Nord. En effet, Delmore venait de bavarder longuement avec un gars en Uruguay sur son poste de radio amateur et il décrivit ce pays comme étant « en plein boum ». Delmore exigea que Chien Brun revienne immédiatement, non seulement pour voir Doris avant qu'elle « clabote », mais pour s'occuper de l'éducation de Red et de Baie, les enfants de Rose. Feu la nounou blanche qui-aimait-les-Indiens avait duré trois jours seulement : Baie lui en avait fait voir de toutes les couleurs, mettant un bébé serpent dans le bol de céréales de la donzelle, ou bien mangeant sous ses yeux horrifiés un hamburger cru avec du sel et du poivre.

Par ailleurs, on pinaillait toujours pour savoir si C.B. s'était vraiment trouvé dans le comté d'Alger pendant les festivités pyrotechniques sur le site archéologique. Mais le réel accroc qui défrayait toujours la chronique journalistique était cette histoire de doigt de flic sectionné par les dents de Rose, même si une avocate féministe était arrivée de Lansing à la rescousse, car Rose soutenait mordicus que ledit flic lui avait auparavant peloté les nichons. Que ça plaise ou non à C.B., Delmore et son avocat travaillaient d'arrache-pied à une déclaration légale étayée par le témoignage de Delmore qui affirmait que C.B. était le vrai géniteur des gosses de Rose. Comme le nouveau procureur était un républicain et un grand défenseur des valeurs familiales, il n'allait certainement pas mettre aussi le père en prison, car dans ce cas le comté se ruinerait en frais de tutelle légale. L'éducation de ces deux gamins présenterait également l'avantage d'obliger C.B. à rester dans le secteur, une perspective certes guère séduisante, mais tout valait mieux que de se retrouver derrière les barreaux. C.B. s'était toujours senti exclu de la conviction de Frank, pour qui nous passons tous notre existence en cage. Enfin, C.B. annonça à Delmore qu'il ferait mieux de sauter tout de suite dans sa voiture, car l'avion devait atterrir à six heures et demie du matin à Minneapolis et il n'avait plus assez de fric pour le vol de Marquette.

« Je t'avais pourtant prévenu que ça se passerait ainsi, putain de tête de pioche, croassa Delmore avant d'ajouter : Gare ton cul au bord du trottoir. Je tiens pas à payer le parking. »

Quand C.B. trouva sa place près d'un hublot et à l'avant de l'appareil, il glissa la peau d'ours sous le siège situé devant lui, puis il ôta ses chaussures afin de poser ses pieds couverts de chaussettes contre la fourrure et, ainsi, empêcher tout vol. Un important homme d'affaires de Minneapolis s'installa à côté de lui, manifestement à regret. Ce type et son costume à fines raies taillé sur mesure donnèrent à C.B. l'impression d'être encore plus invisible que précédemment, ce qui n'était pas peu dire. Lorsque l'hôtesse de l'air vint lui proposer un verre, C.B. lui demanda le tarif des consommations et il découvrit alors avec ravissement que dans cet avion toutes les boissons étaient gratuites, mais pour s'apercevoir ensuite que les neuf verres qu'il but cette nuit-là coûtaient en fait cent billets chacun.

Il resta tout le temps de marbre, sauf durant l'improbable accélération qui précéda le décollage accompagné du vacarme terrifiant des moteurs. Peu après, la beauté de toutes les lumières de Los Angeles lui donna la chair de poule et le fascina comme un enfant incrédule. Plus tard, lorsque l'avion atteignit trente-cinq mille pieds, il ne put s'empêcher de dire à son voisin :

« Nous volons à dix kilomètres d'altitude ; les fosses les plus profondes de l'Océan pacifique sont, paraît-il, aussi éloignées de la surface de la Terre. »

L'homme d'affaires ferma aussitôt les yeux en faisant semblant de dormir.

Plus tard encore, très loin vers la Terre, il aperçut de minuscules constellations lumineuses qui signalaient villes et villages et qui se fondaient en magnifiques fleurs blanches.

Lorsqu'on leur servit une salade de fruits de mer en guise de snack, C.B. remarqua vite que ce plat n'avait pas la saveur des mets du restaurant de Malibu que fréquentait Bob Duluth ; il prit dans sa poche sa bouteille de tabasco et transforma le contenu de son assiette plastique en un rose appétissant. Son voisin lui adressait des coups d'œil envieux et C.B. lui donna la sauce piquante.

« Vous êtes un homme intelligent, fit le type.

— C'est la première fois qu'on me dit ça, rétorqua C.B. en savourant le goût pimenté.

— Que les autres aillent se faire foutre, vous êtes intelligent. »

Le voisin venait de finir son troisième verre et semblait plus chaleureux.

Il apparut que ce type avait fait quelques expéditions de chasse et de pêche assez classieuses et il était ravi d'avoir quelqu'un à qui raconter ses histoires flatteuses de pêche au saumon en Islande et en Norvège, de chasse au canard en Argentine, de chasse à la colombe au Mexique où, lors d'un après-midi fabuleux, il avait abattu trois cents colombes à ailes blanches. Redescendant sur terre, il avoua ensuite une simple chasse à la grouse près de Grand Rapids, dans le Minnesota, lieu de naissance de Judy Garland, pas très loin de l'endroit où Bob Dylan était né. L'homme sortit alors son ordinateur pour montrer à C.B. des vidéos de ses deux épagneuls bretons ; les chiens de chasse aboyaient assez fort et firent tourner la tête des autres passagers qui essayaient de dormir. Les hommes étant ce qu'ils sont et quoi que cela veuille dire, ce quidam lui montra aussi plusieurs photos de ses copines de Los Angeles. Il faisait l'aller et retour à Los Angeles une fois par semaine et, bien que son mariage fût une réussite comme l'attestaient, juste après les chiens, plusieurs photos informatisées de sa femme et de leurs enfants, la route est un lieu solitaire et le travailleur a, comme on dit, besoin d'affection. Si C.B. n'avait pas somnolé pendant quelques minutes, il aurait pu admirer la photo d'une pauvre actrice française que l'homme d'affaires aidait à obtenir une *green card*.

C.B. ne remarqua pas davantage que, durant les quatre heures de vol, son voisin ne lui posa pas une seule question sur sa propre vie. Ultime transfiguration, la lumière de l'aube se mit à vibrer sur la lointaine verdure inférieure.

« C'est la nuit la plus courte de toute mon existence », proféra C.B. un peu trop fort.

Même l'écoulement du temps était sujet à des variations imprévisibles.

Neuf verres, ce n'est pas rien sur Terre ; mais dans une cabine pressurisée à dix mille mètres d'altitude, cela tient d'un dangereux exercice. Lorsque l'avion atterrit à Minneapolis par une aube fraîche, humide et venteuse, les autres passagers de première classe lancèrent à Chien Brun et à l'homme d'affaires des regards noirs qui ne passèrent malheureusement pas à la postérité. L'homme d'affaires faillit assommer une élégante en prenant sa mallette dans un compartiment à bagages, puis il tenta d'embrasser une hôtesse de l'air pour lui dire au revoir, enfin il beugla qu'il allait se rendre à son bureau dans sa Land Rover flambant neuve. Le copilote, dont le sourire fatigué apparut à l'entrée du poste de pilotage, reprocha à l'hôtesse de l'air d'avoir servi trop de verres à ce connard. Même C.B. comprit alors que leur amitié récente touchait à son terme et il laissa son voisin s'éloigner devant lui tandis que, de l'autre côté de la travée, une femme âgée traitait C.B. de « petit branleur ».

Il marchait depuis un moment déjà dans le long couloir et il apercevait enfin la salle de l'aéroport tout en serrant son sac poubelle contre sa poitrine, lorsqu'il s'arrêta net et se demanda pourquoi le sol, ce tapis interminable et maintenant ce revêtement dur, semblait si étrange à ses pieds. Il avait oublié ses chaussures dans l'avion et, quand il fit demi-tour pour les récupérer, il s'aperçut qu'il lui faudrait de nouveau affronter les agents de la sécurité : c'était évidemment une mauvaise idée.

Dehors, il s'assit sur un banc non loin du bord du trottoir et il se sentit bientôt transi de froid et d'humidité, mais il n'osa pas battre en retraite, de peur de rater Delmore. Enfin, il déroula sa peau d'ours et s'y pelotonna bien au chaud, en proie à une violente gueule de bois. Deux écolos couillons fraîchement débarqués de Boulder, du genre à faire chier la gauche, la droite et le marais, lui lancèrent des regards venimeux du haut de leurs pompes à semelles épaisses, mais il ne broncha point, parfaitement en sécurité à l'intérieur de cette version civilisée du Pays du Nord.

Enfin, au bout d'une bonne heure d'attente, Delmore klaxonna plusieurs fois à moins de deux mètres de C.B., le réveillant en sursaut d'un rêve splendide où Sandrine et lui tourbillonnaient à travers l'univers, attachés tête-bêche comme des chiens celtes. Il ouvrit la portière, puis étala sa peau d'ours sur le siège.

« Je l'ai récupérée, dit C.B. au bord des larmes.

— J'ignorais que tu l'avais perdue. C'est bien que t'aies ces fringues, parce que – j'ai oublié de te prévenir au téléphone – y a des chances pour que tu décroches l'ancien boulot de nuit de Rose : nettoyer le casino. Bon, maintenant aide-moi à trouver la sortie de ce putain de merdier. »

Delmore tendit la carte à C.B., lequel dormait déjà. Il n'avait rien entendu des nouvelles récentes.

Ils étaient à mi-chemin dans le nord du Wisconsin, sur la Route 8, quand Delmore arrêta la voiture sur une aire de repos donnant sur un lac, à l'est de Ladysmith. Il avait acheté une miche de pain, de la moutarde et une boîte de corned-beef Spam en guise de déjeuner de bienvenue pour un Chien Brun qui ne s'était toujours pas réveillé.

Le soleil brillait maintenant et, bien qu'il fît à peine quinze degrés, Delmore avait chaud au cœur à l'idée d'avoir de nouveau près de lui son parent prodigue, même si ce crétin simple d'esprit refusait toujours de se réveiller. Delmore prépara les sandwiches, sortit une glacière qui contenait un pack de bières pour C.B. et du thé glacé pour lui-même. Sentant la colère monter en lui, il retourna vers la voiture pour allumer la radio et mettre au volume maximum le service de l'Église luthérienne du dimanche matin. C.B. s'enfonça plus profondément encore dans sa peau d'ours, Delmore ouvrit une bière et en fit couler un peu sur les lèvres du dormeur. Alors C.B. tâtonna à la recherche de la poignée de la portière, il tomba à genoux, se releva et prit la boîte de bière des mains de Delmore. Il but longuement, tout en clignant des yeux et en examinant le paysage, il frotta ses pieds couverts des seules chaussettes contre la douce herbe verte, il vida la boîte de bière, puis la tendit à Delmore, après quoi il descendit jusqu'au lac en titubant à travers un bosquet de peupliers, de cèdres et de bouleaux, il s'agenouilla parmi les roseaux boueux et se rinça le visage à l'eau froide. Au retour, il prit un chemin plus long afin de remonter la colline à travers bois, dansant à moitié entre les arbres comme un ours de cirque qui apprend à marcher avec difficulté, giflant les troncs et éructant quelques syllabes dépourvues de sens, retournant ainsi en dansant vers la table de pique-nique, où il engloutit une autre bière, s'empara de son sandwich au corned-beef Spam et contempla avec une reconnaissance illimitée le vert profond de la fin du printemps.

LA BÊTE QUE DIEU OUBLIA D'INVENTER

Titre original :
The Beast God Forgot to Invent

Le danger de la civilisation, c'est bien sûr qu'on risque de bousiller sa vie en conneries. Le sociologue discrédité Jared Schmitz, viré de Harvard vers une petite université religieuse du Missouri avant d'avoir été titularisé quand une partie de sa thèse de doctorat se révéla une imposture, déclara que dans une culture située au septième degré du consumérisme forcené, la périphérie absorbe toujours le noyau central, lequel disparaît au point que très peu de citoyens se souviennent de sa nature précise. Schmitz avait stupidement confié à sa maîtresse, une étudiante en licence, qu'il avait en fait inventé certaines données françaises et allemandes et, lorsqu'il la quitta pour une danseuse classique, cette étudiante rendit publiques les confidences dudit sociologue. Ces faits sont sans rapport réel avec notre récit, mais ils offrent une anecdote amusante sur la vraie nature de la vie universitaire. Ainsi bien sûr que le message poignant d'une culture qui gâche temps et argent à acquérir non seulement l'abri, le couvert et le vêtement, mais, dans une confusion écœurante, tout un superflu devenu nécessaire.

À quoi bon ? Telle est la question qui nous hante vraiment, et qui se pose à la fin de toute déclaration de quelque importance, comme si les choses sérieuses devaient prouver leur dignité essentielle dans une arène sportive, indépendamment des activités futiles qui saturent l'existence humaine.

Mais je dois aller de l'avant, car ce récit est en fait une déclaration effectuée dans le cadre de l'enquête d'un coroner de Munising, dans le Michigan, le siège du comté d'Alger dans la Péninsule Nord, à propos du décès d'un jeune homme de ma connaissance, Joseph Lacort. Connu dans la région sous le diminutif de Joe, il se noya à cinquante kilomètres de l'entrée du port, près des hauts-fonds de Caribou, dans le lac Supérieur. Tout le monde croit qu'il était à la recherche de Marcia, son gros labrador retriever, qui nageait absurdement à la poursuite des canards et des oies, car ce jour-là dans le port il y avait un groupe nombreux d'oies du Canada. Mais enfin, quel fou nagerait toute la soirée et toute la nuit à la recherche de sa chienne ? Personne, sauf Joe. Pour ma part je crois que Joe s'est suicidé, même si cette opinion ne concerne que moi, car les membres restants de sa famille n'ont jamais été très liés avec cet individu remuant. Néanmoins, le terme de suicide est trop banal pour convenir à cette situation extraordinaire. Peut-être se crut-il appelé par les créatures surnaturelles qu'il croyait avoir vues.

Avant que j'oublie – oui, j'oublie parfois qui je suis, mon identité ne m'intéresse plus beaucoup –, je m'appelle Norman Arnz et j'ai soixante-sept ans. Je suis en semi-retraite et je viens de Chicago, où je travaillais comme agent immobilier et marchand de livres rares. Cela n'a guère d'importance, mais je suis le seul membre de ma famille élargie, avec laquelle j'ai coupé les ponts – ils me méprisent et je le leur rends bien –, à avoir repris le nom de famille *Arnz* après qu'il fut changé en *Arns* durant la Première Guerre mondiale, quand les Boches étaient une vraie plaie. Comme ma mère était d'origine scandinave, je suis un bâtard d'Europe du Nord.

Durant toute ma vie j'ai passé l'été dans mon chalet, du moins depuis que mon père l'a acheté alors qu'il travaillait comme ingénieur des mines pour *Cleveland Cliffs* à Marquette, dans le Michigan, au début de la grande Dépression qui s'est aujourd'hui fragmentée en millions de petites dépressions chez nos concitoyens. Pardonnez-moi cette modeste blague, mais plus d'une denrée liée à la grande Dépression s'est très bien comportée en Bourse pour les amateurs de ce poker désinvolte. Dès qu'un sinistre crétin commence une phrase par : « Mon courtier en Bourse... », je tourne aussitôt les talons.

J'ai répondu au coroner que je ne pouvais pas me rendre à Munising à cause de ma santé défaillante, alors qu'en réalité j'évite ce village à cause d'une liaison mélancolique avec une serveuse de bar, il y a dix ans, une liaison attisée par les derniers feux déliquescents de mes hormones. Ce fut pour moi une histoire d'amour, mais une affaire juteuse pour Gretel – il ne s'agit bien sûr pas de son vrai nom –, et notre liaison pitoyable était de notoriété publique à Munising.

L'autre jour, j'ai pris la précaution de téléphoner à Chicago pour déterminer si la nature du décès de Joe – accident ou suicide – avait la moindre conséquence sur la prime d'assurance-vie due à sa mère. Ce n'est pas le cas. C'est une femme séduisante qui a dépassé le cap du demi-siècle, profondément impliquée dans son troisième mariage abysmal, cette fois avec un bûcheron d'Iron Mountain. Je la connaissais vaguement dans les années soixante, elle a grandi ici, avant de décamper avec un crétin de garde-côte qui est devenu le père de Joe et s'est brièvement occupé de son rejeton.

Avant de commencer pour de bon, je dois dire que la fin de la vie de Joe ne regarde que lui. Alors qu'il nageait vers le nord dans ces eaux froides et hachées, j'imagine le croassement de son rire, le seul rire dont il a jamais été capable après son accident d'il y a deux ans. Après cet accident de moto il souffrit d'un traumatisme cérébral ou d'une lésion interne sans pénétration par le hêtre qu'il percuta alors qu'il était ivre mort. Le propriétaire de la taverne eut vraiment de la chance que Joe ait descendu son dernier pack de bières sur la plage avant de prendre sa Ducati. Ici, je pourrais poursuivre sur la nature absurdement procédurière de notre culture, mais qui m'écouterait? Personne, bien sûr. Même mon ancienne femme a déclaré, peu de temps après notre divorce, il y a vingt ans, qu'elle désirait être mariée à un homme qui ne ferait pas de longs discours pendant les repas. De fait, mon ami Dick Rathbone, que je connais depuis l'enfance, éteint son Sonotone dès que je me lance dans un de mes sermons. Par bonheur, certains vieux retraités plus ou moins désargentés m'écoutent à la taverne tant que je continue à leur payer des verres.

Jusqu'à son accident à l'âge de trente-cinq ans, Joe possédait des intérêts dans trois magasins de sport qui marchaient du feu de Dieu dans le centre du Michigan et qui lui permettaient de passer l'été ici. J'ai entendu des chiffres plus ou moins fantaisistes, mais je crois qu'il a dépensé tous ses revenus, soit sept cent cinquante mille dollars, dans une rééducation, jusqu'en mai dernier, qui s'est soldée par un échec avant que Dick Rathbone et sa sœur décident de s'occuper de lui. Dick avait travaillé pendant une trentaine d'années comme simple employé au ministère de l'Environnement et il a eu l'idée, très brillante selon moi, de fixer des dispositifs télémétriques tant sur Joe que sur Marcia afin de pouvoir les localiser à tout moment. Certains nouveaux arrivants dans notre communauté jugèrent ces dispositions inhumaines (quoi que cela veuille dire au vu du siècle dernier), mais ces nouveaux arrivants sont d'habitude tenus pour quantité négligeable dès qu'on aborde des questions importantes, à cause de la xénophobie fondamentale de la condition humaine. Suite à son impact avec le hêtre, les grincements de crécelle de son cerveau dans sa coquille portant le nom technique de « contrecoup », Joe perdit presque toute sa mémoire visuelle et il se trouva incapable de reconnaître jusqu'au visage de sa mère ou le mien, une déficience qualifiée de « prosopagnosie ». Ainsi, le cadet des soucis de Joe était l'ennui, car tout ce qu'il voyait il le voyait pour la première fois, encore et encore. Chacune de ses journées commençait comme le meilleur des mondes, pour emprunter cette expression à Aldous Huxley, dont le prix des éditions originales est demeuré étrangement stable.

Parfois Joe suivait Marcia, mais le plus souvent c'était elle qui le suivait. Son point de repère était le bassin rococo pour les oiseaux dans le jardin de Dick Rathbone. Joe gardait sur lui une bonne boussole de marine, achetée d'occasion, et il en avait une autre fixée à la ceinture. Mon chalet se trouve à 173 degrés au nord-est du bassin aux oiseaux de Rathbone, à sept ou huit kilomètres de là, mais Joe se moquait de cette distance. Un témoin digne de foi m'a assuré qu'en juin dernier, aux environs du solstice d'été, Joe fit à pied l'aller et retour jusqu'à Seney pour aller y chercher une marque bien précise de crême glacée, que la sœur de Dick avait oublié d'intégrer à ses emplettes, une promenade de plus de quatre-vingts kilomètres qu'il effectua en quatorze heures, un double marathon que Joe courut d'un pas tranquille. Selon un garde forestier du parc national voisin de Lakeshore, Joe avait gravi et descendu plusieurs fois les immenses dune de sable à la même vitesse. Lorsque je l'ai interrogé à ce sujet, il m'a gauchement expliqué que c'était sans doute dû à sa blessure et qu'il se trouvait incapable de modifier son allure, un handicap qui lui avait sans doute causé quelques problèmes durant sa marche nocturne à travers les fourrés.

À dire vrai, je ne m'entendais guère avec lui avant son accident. Malgré ses succès financiers dans le sud de l'État, il se comportait comme un vaurien dès qu'il venait ici et singeait ses amis du cru. Il est déjà assez difficile d'être de plain-pied dans un monde, encore plus dans deux, mais il n'y a pas de quoi se vanter de fricoter avec de fieffés crétins par nostalgie de l'enfance. Il buvait d'énormes quantités de bière, ce qui entraînait d'absurdes querelles avec la première copine venue. L'impulsion qui motive ce genre de beuverie est mystérieuse. Dick Rathbone a émis cette hypothèse que ces types aiment pisser, ce qu'ils font d'ailleurs une bonne douzaine de fois chaque soir. Par curiosité, j'ai appelé un vieil ami à Chicago pour l'entretenir de cette énigme. Cet ami est une vraie perle, un psychiatre gay d'origine italienne, prénommé Roberto. Je ne cite pas son nom de famille, car le monde est pour ainsi dire son jardin. Bizarrement, Roberto était d'accord avec notre humble Dick Rathbone, mais malgré tout je n'ai pas réussi pas à imaginer la nature de cette impulsion. Nous avons tous nos limites, pas vrai ? Le désir de pisser, vraiment...

Un matin de juillet, très tôt, Sonia, une infirmière diplômée originaire de Lansing et l'une des copines de Joe, est arrivée à mon chalet en déclarant qu'elle était convenue de le retrouver ici. Il faisait déjà chaud, elle portait un débardeur et un short très émoustillants. Quand je lui ai apporté un café, j'ai vu ses tétons ; puis, lorsqu'elle a croisé les jambes sur sa chaise, j'ai eu droit à un aperçu de poils pubiens. Contrairement aux femmes de ma jeunesse, elle exhibait son intimité avec une absolue nonchalance et j'ai ressenti un léger bourdonnement en plus d'un certain vertige que je n'avais pas connu depuis des années. J'ai, comme de juste, essayé de déterminer sur-le-champ s'il s'agissait d'une expérience positive ou négative et je suis parvenu à une espèce de compromis. Nous sommes de simples victimes, de simples suppliants, confrontés à ce qu'un ami mexicain appelle « l'enchilada divine ».

Comme elle avait les genoux plus qu'éraflés, j'ai été chercher du mercurochrome ainsi que du coton, et avec un sourire elle m'a laissé m'occuper d'elle. Joe, me dit-elle, lui avait déclaré qu'il allait remonter la petite rivière, en marchant dans l'eau bien sûr, pour rendre visite à la tombe d'un ourson qu'il avait enterré fin mai. Quand je lui ai demandé si elle était tombée, elle m'a répondu en riant de bon cœur que Joe l'avait longuement « baisée en levrette » sur la plage et que ses genoux avaient alors un peu souffert. Bon, j'avais déjà rencontré Sonia plusieurs fois, mais je croyais naïvement que ce genre d'informations ne se partageait qu'avec les amis intimes. J'ai opiné du chef en me permettant un petit rire. Si les infirmières ont tendance à s'exprimer crûment, c'est parce qu'elles sont souvent en contact avec la mort. Un quart d'heure plus tard elle m'a demandé si elle pouvait s'allonger sur le divan, où elle a adopté une position encore plus coquine avant d'émettre un très léger ronflement. Et me voilà, prisonnier dans ma propre maison, essayant de me concentrer sur un manuel de botanique naguère fascinant, mais incapable de lire deux phrases sans jeter un coup d'œil à

Sonia. J'avoue qu'à un moment je me suis même agenouillé tout près d'elle en me moquant d'être pris sur le
fait. Après tout, c'était ma maison.

Ainsi s'est écoulée cette matinée, presque jusqu'à midi,
quand je me suis à mon tour endormi, le visage contre
mon manuel de botanique plutôt que sur une chose plus
intéressante. Le bruit de la douche ainsi que les aboiements sonores de Marcia, la chienne labrador de Joe,
m'ont réveillé. J'ai mis du temps à réagir, toujours plongé
dans le rêve de mon restaurant de viande préféré à
Chicago et bavant sur une planche de botanique, quand
Sonia a filé devant moi, vêtue en tout et pour tout d'une
simple serviette. Elle s'est accroupie au-dehors pour caresser Marcia, qui essayait manifestement de trouver
quelqu'un pour la suivre. Mon inquiétude due à l'absence
de Joe était passablement soulagée par la taille minuscule
de la serviette qui tentait vainement de couvrir la nudité
de Sonia. Elle voulait suivre Marcia, mais je n'ai pas été
d'accord. À la place, j'ai appelé Dick Rathbone sur le téléphone de ma voiture, – aucune ligne téléphonique ne
rejoint mon chalet –, et je lui ai exposé le problème. Pendant que nous attendions, Sonia et sa serviette se sont ins-
tallées sur une chaise et l'amie de Joe a fondu en larmes.
Debout à côté d'elle, je lui ai tapoté et caressé l'épaule
pour la réconforter. Dès qu'une femme pleure, je me sens
affreusement mal à l'aise, en partie parce que, sauf occasion exceptionnelle, ni ma mère ni mon épouse ne pleu-
raient. Sonia a bredouillé quelques mots sur l'état
absolument désespéré de Joe, un état qu'en sa qualité
d'infirmière elle devait connaître mieux que quiconque.
J'ai alors eu une érection, que mon pantalon d'été en tissu
léger ne dissimulait sans doute pas. J'ai essayé de m'écarter, mais Sonia m'a saisi le bras en pleurant comme une
fontaine ; puis, remarquant mon érection, elle a vivement

pincé mon membre comme font les infirmières, avant d'éclater de rire et de me traiter de « vieux bouc ». Elle s'est ensuite habillée sous mes yeux, avec une candeur fière et amusée, tandis que mon cœur souffrait sous le camouflet.

Dick Rathbone est arrivé avec son récepteur télémétrique et nous sommes descendus vers la berge touffue de la rivière, tandis que Sonia et Marcia choisissaient de patauger et de nager près de nous. Nous avions parcouru un peu moins de deux kilomètres quand nous avons découvert Joe qui dormait à poings fermés sur une langue de sable, près d'un tourbillon. Dick nous a montré le cairn de pierres dressé sur la berge, à l'endroit où Joe avait enterré l'ourson que sa propre mère avait tué, du moins selon Dick, parce que l'une de ses pattes avant était déformée. Joe avait trouvé ce détail insupportable.

Lorsque Sonia le secoua pour le réveiller, aidée par les vigoureux coups de langue de Marcia sur le visage du dormeur, Joe annonça qu'il avait vu une chose tout à fait extraordinaire, une espèce mammifère entièrement nouvelle, une bête dont il ignorait jusque-là l'existence. Dick m'a chuchoté qu'il fallait ajuster le dosage des médicaments de Joe, avant de s'enquérir aimablement des traces de cette bestiole. Joe a répondu que cette bête ne laissait pas de traces, mais qu'il connaissait son territoire de prédilection, une région située assez au sud, mais que je ne décrirai pas pour la préserver de certaines curiosités indésirables. Dick a donné à Marcia plusieurs biscuits pour la récompenser de son aide, une friandise qu'il gardait toujours sur lui à cette fin. Marcia était seulement fidèle à Joe, tous les autres étaient pour elle des pigeons potentiels. Un jour, je l'ai rencontrée sur un terrain boisé, dans une rue écartée du village. Comme elle semblait inquiète, énervée, je l'ai suivie et elle m'a guidé obstinément jusqu'à l'épicerie pour que je lui achète une petite gâterie.

Je n'avais nullement envie de m'asseoir là sur le banc de sable pour regarder Joe sombrer de nouveau entre les bras de Morphée ; j'ai donc confié cette tâche à Sonia, à Dick et à la fidèle Marcia, sans oublier de remarquer avec amusement que, chaque fois que Dick jetait un coup d'œil à Sonia, ses grosses oreilles flasques rougissaient. Ce fut donc avec soulagement que j'ai transmis en silence le fardeau de ma lubricité à mon vieil ami, avant de me diriger vers l'amont de la rivière et mon chalet pour déjeuner et goûter à une sieste bien méritée. Sonia me rappelait un poème déprimant de Robert Frost, intitulé *La Route délaissée*.

Horreur! Nous ne sommes qu'en juillet et nous venons de subir trois jours d'une pluie froide et drue, avec un vent qui soufflait du nord-ouest et du Canada. Toute vie a fui de moi vers le plancher en érable. Un associé du Nebraska m'a dit un jour que je gardais « le couvercle vissé trop serré ». Peut-être, mais je ne l'ai pas remarqué, sauf à des moments comme celui-ci, quand le temps et ma propre humeur bagarreuse me mettent dans tous mes états. Cher coroner, je méprise tout ce que j'ai dit, mais par pure paresse je n'en changerai pas un mot. Voilà la seule chose que j'ai écrite depuis plusieurs jours, mais je vais tenter d'aborder plus franchement le cœur des choses, un cœur qui bien sûr a désormais cessé de battre. J'ai actuellement l'impression que mon réservoir humain est vide et que j'en constitue le sédiment, la couche de saleté amassée au fond, le résidu de mes propres années. Je me dis maintenant que le souvenir de Sonia assise sur cette chaise à quelques pas de l'endroit où je me trouve a peut-être précipité cette débandade. Rien ne tourmente davantage un vieux chnoque que la pensée de la vie non vécue. Curieusement, Sonia m'évoque l'image d'un ouvrier d'aciérie enfournant du charbon dans un haut-fourneau.

Et puis je désire me montrer juste envers Joe. Après tout, je ne suis pas censé parler de moi, mais de mon jeune ami décédé. Une vague aura l'entoure toujours dans mon esprit, qui l'assimile au fondateur de quelque religion primitive. Je viens de me rappeler certaine aube de la fin juin dernier, quand il est arrivé littéralement couvert de piqûres de moustiques et de taons, les vêtements tout boueux, mais mourant d'envie de me montrer les cent trente-sept sons d'eau qu'il avait répertoriés dans son calepin. Que pouvais-je faire de cette liste? Très franchement, elle était intéressante. Voilà un homme qui, chaque jour et très littéralement, voyait chaque chose pour la première fois, mais qui avait aussi une perception tout à fait extraordinaire (et c'est un euphémisme!) de l'aura, sinon du visuel, même si cette dernière affirmation est sujette à débat. Sa liste de sons d'eau incluait les noms de torrents, de rivières et de lacs, ainsi que la morphologie et les conditions climatiques qui avaient présidé à leur création. On peut, je suppose, percevoir toute eau comme descendant vers le bas, hormis les phénomènes de marées où la mer descendante s'apprête à remonter la pente. À côté de chaque son de la liste de Joe figurait un certain nombre de rubriques et d'arabesques, destinées à lui rappeler le son réel, qu'il pouvait réentendre à sa guise, ainsi qu'il me l'a expliqué au petit déjeuner. Joe engloutissait sa nourriture comme Marcia, qui grattait à la porte. J'ai préparé pour la chienne une assiette d'œufs frits dans la graisse de bacon, son plat préféré. Ai-je dit que Marcia aussi disparut, la nuit où Joe se noya? Le corps du défunt fut finalement retrouvé, cher coroner. D'ailleurs, vous l'avez sous la main, quelle que puisse être sa nature réelle. Personne n'a jamais revu Marcia, mais il est impensable qu'un retriever labrador puisse se noyer. Peut-être rejoignit-elle les créatures imaginaires de son maître, pour autant qu'on puisse les qualifier d'imaginaires. Plus probablement, cette aimable dame disparut dans une voiture occupée par des touristes.

Mais je perds le fil. La matinée consacrée aux sons de l'eau eut lieu juste avant l'annonce de la découverte d'une bête nouvelle. J'avais interrogé Roberto, mon ami psychiatre de Chicago, sur les phénomènes auratiques, et il me répondit que les lésions cérébrales sans ouverture cranienne sont parfois déroutantes, dans la mesure où le cerveau lui-même est d'une complexité affolante. Roberto m'a alors envoyé un livre sur le cerveau, que j'ai trouvé à peu près illisible. Je ne parvenais tout bonnement pas à croire que « cette chose » se trouvait dans ma tête.

Le répertoire des sons d'eau entrepris par Joe m'a poussé à me demander si la nature, adéquatement perçue, est réellement apprivoisée. Je ne suis peut-être pas compétent pour tirer des plans sur cette comète-ci, mais qui va m'en empêcher ? Les professeurs passent tout leur temps à se surveiller les uns les autres en ignorant le commun des mortels, dont je fais partie. Hier, quand la pluie et les bourrasques ont faibli pendant quelques minutes, j'ai rempli ma mangeoire à oiseaux et trouvé un gros-bec du soir mort dans l'herbe. Je ne sais pourquoi, j'ai humé ses plumes mouillées et conclu que sa mort remontait à peu de temps. Son poids impalpable m'a fait frissonner, mais comment aurait-il pu voler autrement ? J'ai admiré le bec solide et les étonnantes plumes jaune et beige, striées de blanc. Je me suis rappelé la première fois où, alors jeune homme, j'ai eu la chance de tenir dans ma paume droite le sexe d'une fille. Quel mystère... Je suis certain que tous les hommes se rappellent cet événement avec un sentiment d'authentique « altérité ».

Reprenons. Dans l'âtre, j'ai placé une bûche que j'ai à peine pu soulever. C'est du hêtre, mais qui ne provient pas de l'arbre si stupidement percuté par Joe. Je suis très las d'être un vieux grognon et je commence à me demander si cette identité n'est pas tout simplement un produit culturel comme les autres. Les Américains adorent les métaphores sportives : j'ai sans nul doute franchi la troisième base et je vole vers le but, soit un trou dans la terre. Bien sûr que je préférerais être « inhumé » dans un arbre sur une plate-forme ou dans une petite hutte oblongue en bois, comme font certaines tribus autochtones. Je suis seulement certain à quatre-vingt-dix-neuf pour cent que c'est sans importance, mais le un pour cent restant demeure troublant.

Je peux tenter de déterminer la nature de Joe par mes observations et par ce qu'il m'a dit ; également, à partir des trois calepins qu'il m'a laissés. Du moins le crois-je. Mais il serait alors inutilement épuisant de défendre la nature de mon esprit qui crée mes perceptions relatives à Joe. Au cours de ces trois derniers jours pluvieux, j'ai commencé de percevoir certaines limitations que je n'avais pas encore senties et que je ne suis pas près de juger positivement. Je suis peut-être moins intelligent que je ne le pensais. Cette constatation n'entraînera aucune dépression, car la pluie s'en est déjà très bien chargée, même si je reconnais qu'il s'agit d'une pluie lucide, modérément humiliante, d'une pluie liminaire.

En juillet, par exemple, Joe reçut la visite d'une jeune femme que j'ai trouvée assez désagréable pendant les premiers jours. Cette fille se mouchait plus fréquemment que tout autre mortel, à cause, disait-elle, d'une allergie banale. Elle était de taille normale, mais assez mince, et elle portait des vêtements amples qui dissimulaient ses formes. C'était une étudiante en licence de littérature comparée à l'Université d'État du Michigan, à East Lansing, une faculté dont j'ignore presque tout, hormis que leur équipe s'appelle les Spartiates et joue en première division. J'ai moi-même fréquenté Northwestern et, malgré l'excellente réputation de cet établissement, une torpeur invincible a caractérisé mes études. Voilà que je recommence. Personne n'en a rien à foutre. Même moi, ça ne m'intéresse pas. Serais-je l'incarnation de l'Homme Moderne, cet acheteur de jouets qui tente de s'égayer au beau milieu de son ennui ?

Bref, cette fille que j'appellerai désormais Ann, n'émettait aucune des vibrations physiques de Sonia. Elle était néanmoins d'une intelligence caustique et elle aidait efficacement Joe à collecter pour moi des specimens botaniques, un hobby absurde que j'entretiens depuis l'enfance. À cause de la confusion visuelle dont il souffrait, Joe revenait sans arrêt avec les mêmes specimens que la veille, voire que les jours précédents. Je donnais cinq dollars à Joe en échange de toute nouveauté ; un jour, avec l'aide d'Ann, il a gagné deux cents billets. Malgré l'intelligence évidente d'Ann, pas forcément une qualité agréable, et malgré l'infirmité de Joe, elle brûlait pour lui d'un amour irrationnel. Mais bon Dieu, que signifiait donc cette absurdité ? Comment peut-on continuer d'aimer quelqu'un affligé d'un tel handicap, qui ne vous reconnaît même pas physiquement quand vous vous levez le matin, bien que les résonances mnémoniques soient présentes dans la conversation, le toucher et sans doute l'odorat ?

Mes préjugés désinvoltes à son encontre ont commencé à se lézarder quand je me suis retrouvé dans la cuisine de Dick Rathbone et qu'il m'a expliqué que Joe et Ann avaient longé la rive du lac Supérieur jusqu'au lac Muskelunge (une marche de trente kilomètres) et qu'elle l'avait appelé lorsque l'après-midi était devenu d'une chaleur étouffante. Par la fenêtre de derrière, nous regardions le jardin qui entoure le bassin aux oiseaux, centre et repère de toutes les déambulations de Joe, quand Ann et Joe sont revenus de la plage. Elle a saisi le jet d'eau, ouvert le robinet et arrosé Joe pour le laver de son sable, avant qu'il ne lui rende la pareille, bien que l'eau ait manifestement refroidi. Ann a hurlé, trébuché puis sauté au-dessus de deux tréteaux laissés par Dick dans le jardin, près de la petite cabane qui tenait lieu de maison à Joe. Assez banal, direz-vous, mais lorsque je suis sorti pour les examiner de plus près, j'ai constaté que ces tréteaux faisaient un mètre de haut. Cette fillette intello était une sacrée sauteuse... Qui plus est, elle possédait l'agilité énergique de la danseuse, ce qu'elle avait bel et bien été plusieurs années auparavant. Pendant que Dick s'affairait à son célèbre poulet au barbecue, j'en ai parlé à Ann, après avoir reconnu qu'elle m'avait étonné. Elle m'a rétorqué que j'étais le genre de type à passer sa vie à se faire des idées fausses sur les gens, même si sa repartie a été accompagnée d'un sourire. Bien vu, ai-je pensé, quoique je ne lui aie rien dit. Je lui ai plutôt répondu que, lorsque j'étais tout jeune homme, ma mère interdisait sous son toit tout livre touchant à la sexualité, n'autorisant même pas les livres de photographie d'art qui incluaient des nus ; mais comme elle suivait des cours de danse, il y avait à la maison un certain nombre de livres contenant de splendides photos de ballerines et pour reprendre une expression aujourd'hui courante, ces livres « me branchaient ». Mes souvenirs ont amusé Ann, mais elle se montra alors désagréable. Entretenais-je mon obsession précoce pour les danseuses ? Non, évidemment que non. Étais-je toujours attiré par elles ? Eh bien, dans la mesure limitée où un homme âgé peut être attiré par quiconque. Ah, quelles conneries, dit-elle, j'aurais dû suivre mes désirs, les ballerines sont relative-ment faciles, car la plupart d'entre elles ont un réel besoin d'un « papa-gâteau ». Son propre père avait prodigieuse-ment agacé toute sa famille avec ses « tergiversations ». Elle aurait préféré qu'il fasse les quatre cents coups comme Picasso (il enseignait la peinture à l'université). Pour Ann, la prétendue maturité de son père relevait de l'imposture pure et simple et le fait qu'il ait renoncé à la peinture et à la boisson pour le bricolage domestique constituait à ses yeux une immense déception.

Ces confidences m'ont suffisamment mis mal à l'aise pour que je rejoigne la machine à barbecue de Dick et affecte un profond intérêt pour les poulets. Ann, qui por-tait maintenant ce qui je crois s'appelle un sarong, aidait Edna, la sœur de Dick, à préparer le pique-nique en vue du repas. Joe dormait dans l'herbe en utilisant Marcia comme oreiller, ce qu'il faisait souvent. Ann s'assit près de lui et lui ébouriffa les cheveux. J'ai alors pensé qu'elle était peut-être attirée par Joe à cause de son propre père qui avait perdu toute cette sauvagerie qui caractérisait l'inté-gralité de la vie de Joe. Après avoir passé une année et demie dans plusieurs hôpitaux, il n'avait pas la moindre intention de fréquenter de nouveau le moindre hôpital ni le moindre médecin. Mais il est présomptueux de ma part d'affirmer qu'il ait eu la moindre intention en dehors de ce que, simplement, il « faisait ».

Ce dîner n'eut pour moi rien d'agréable, sauf le poulet et la salade de pommes de terre. Selon son habitude, Joe dévora un poulet entier en cinq minutes, avant de se ren-dormir. Edna le couvrit d'une moustiquaire afin de le protéger contre les insectes volants du début de soirée. Ses muscles se contractaient souvent et elle se demanda à voix haute si elle ne devait pas augmenter les doses de ses médicaments. La liste de ces derniers était longue comme le bras, mais loin d'avoir le moindre effet positif, ils empêchaient simplement le pire. Edna s'amusa de voir Ann me taquiner alors que nous savourions notre dessert – une crème glacée aux myrtilles fraîches, à base de lait non pasteurisé de vache Jersey, que Dick achetait à un ami de Newberry.

La première remarque caustique d'Ann toucha mes activités de marchand de livres rares, certes en semi-retraite, mais qui gardait toujours un pied dans les affaires. Elle nous considérait comme des nécromanciens, et, puis, comment pouvais-je me moquer de la Bourse alors que je travaillais fondamentalement dans le même genre d'affaires ? Sa mère passablement cinglée avait vendu cinquante dollars à un marchand une première édition du livre de Robert Frost intitulé *Au nord de Boston* afin d'offrir à son bricoleur et crétin de mari un cadeau d'anniversaire, et ce pour une fraction infime de la valeur réelle de ce livre. Quand Ann l'avait appris, elle s'était rendue au magasin du marchand de livres et avait attendu que d'autres clients y entrent pour apostropher le marchand dans les termes les plus vulgaires. Elle réussit à sortir un autre billet de cinquante dollars qu'elle déchira en menus morceaux pour les lancer à la tête du marchand éberlué.

Cette sortie réussit presque à me gâcher mon poulet. Une sueur coupable dégoulina le long de mon ventre, au souvenir d'avoir arnaqué une tremblotante veuve d'universitaire pour lui soutirer la collection de Faulkner de feu son époux afin de l'intégrer à ma propre collection, déjà assez vaste, des œuvres de cet auteur qui me rappelle la botanique en ce sens que ses romans contiennent une multitude de formes et de permutations. J'ai pris de belles vacances à Paris après avoir vendu huit mille dollars un fac-similé de *La Paie du soldat*.

Entre-temps, j'ai changé de sujet de conversation en devinant qu'Ann était une enfant très tardive, si bien qu'adulte elle s'était sans doute mis en tête de protéger ses parents, au point de devenir la mère de tous les deux. Cette intuition sauvage, en forme de parade défensive, eut le don de l'électrifier : dire qu'elle se retrouva « le cul par terre » relève du plus doux des euphémismes. Elle me décocha un regard méprisant et glacial, puis réveilla Joe et l'entraîna vers leur cabane.

Maintenant vous connaissez Sonia et Ann, mais nous n'avons vu aucune des deux quitter la scène. Alors qu'une autre va arriver en août. Pour m'excuser auprès d'Ann, j'ai demandé à ma secrétaire à mi-temps à Chicago de lui envoyer mon exemplaire personnel de *Au nord de Boston*, un cadeau généreux en termes financiers, bien que je n'aie aucune prédilection pour ce poète. Ann réagit en m'envoyant environ cinq cents pages d'études trouvées sur Internet et relatives aux lésions cérébrales sans ouverture crânienne. C'était un texte incommode et atroce qui, en plus d'informations scientifiques impitoyables émanant de médecins spécialisés dans ce domaine, incluait des centaines de témoignages des blessés eux-mêmes. Certains de ces derniers vous faisaient chavirer le cœur, douloureuses confidences d'années de thérapie avec peu de chances de guérison totale, mais la moindre avancée devenait l'occasion d'une grande fête familiale. Le simple nombre des blessés reflète bien sûr la fréquence des accidents de voiture et de moto, ainsi que le principe newtonien selon lequel tout objet en mouvement (votre tête) a tendance à le rester, à moins que n'intervienne une force contraire ou un brusque déséquilibre (dans le cas de Joe, un hêtre gris et massif).

Mais pourquoi me sentir à ce point bouleversé par toutes ces histoires, moi, l'étudiant sophistiqué du langage, des meilleurs textes de la littérature mondiale, sans parler des documents juridiques, des livres d'histoire, des meilleurs journaux et magazines ? La réponse, je crois, se trouve dans le charme des contes folkloriques, de l'art primitif ou « naïf », les origines de la musique du tiers-monde, les récits oraux enregistrés de nos propres autochtones. Un camionneur donne un coup de volant pour éviter un car scolaire (bien sûr !). Il subit de graves blessures à la tête, laquelle se transforme en un rutabaga à demi cuit. Son épouse et ses cinq enfants le baignent et le nourrissent pendant des années dans leur humble cabanon du sud de l'Indiana. Le blessé accomplit quelques progrès et, au bout d'une décennie d'efforts héroïques de la part de la famille et des médecins, le camionneur est capable de donner sa fille en mariage à l'église de campagne locale, bien que sa tête oscille de manière incontrôlable et qu'il réussisse seulement à marcher en exécutant des pas chassés. Sa grammaire demeure très pauvre, mais il est capable d'envoyer son récit courageux sur le site Internet consacré aux lésions cérébrales sans ouverture crânienne, parce que la compagnie de transports routiers lui a offert un ordinateur portable ! Il est capable, tout seul, d'attraper des poissons-chats dans un cours d'eau proche de leur maison. Sa famille adore le poisson-chat frit, sa seule contribution possible à leur bien-être. Seigneur, ce récit m'a flanqué par terre !

Ce genre de choses. Lire ces douzaines de témoignages personnels m'a rappelé combien presque tous nos discours imprimés sont faussement socratiques et chicaneurs, discours dépourvus de noms de couleurs et de goût, une fosse septique universelle de verbiage sans aucun lien réel avec les existences que nous espérons mener. C'est le langage de l'ennemi et les politiciens dirigent la meute, avec cette merde verbale qui à la première occasion jaillit comme morve hors de leur bouche. Analogique, ironique, ce qu'on appelle l'usage commun diffusant ses virus d'entre les couvertures des livres.

Je suis peut-être excessif, mais j'en doute. Bref, après avoir lu attentivement les cinq cents pages, j'ai renvoyé le paquet à Ann en lui écrivant que je ne supportais pas de le garder dans mon chalet, mais pas avant que Joe ne l'ait vu sur le comptoir de ma cuisine. Sa mémoire verbale est atteinte, mais pas autant que sa mémoire visuelle. Il se rappelle, dans une mesure minime, les noms d'arbres, d'oiseaux, d'eaux, ce genre de choses, mais, disons lors d'une promenade, il est incapable d'associer ces noms aux objets réels qu'ils désignent.

Par exemple, il a insisté en juin pour me montrer la tanière d'un coyote. J'ai d'abord refusé car, sans une forte brise, l'air en juin est infesté de taons qui ont tôt fait de vous tranformer en une masse de boutons irrités. J'ai bien sûr remarqué au fil des ans que j'ai sans cesse davantage de bonnes raisons pour ne pas marcher : trop froid, trop chaud, les moustiques, les taons, les mouches, il pleut, il fait trop humide après une averse, ou alors je suis trop fatigué après avoir lu, réfléchi, mangé, ou m'être tourné mes gros pouces (génétique).

Joe a déclaré que nous pourrions nous rendre en voiture jusqu'à quelques centaines de mètres de cette tanière, ce qui était un mensonge. Il y avait presque deux kilomètres à parcourir à pied. Les insectes divers étaient féroces dans l'air immobile et humide. Joe a montré une

souche de pin blanc sur une colline lointaine, partiellement entourée par un dense fourré d'herbe aux sorciers ;
un fourré hérissé d'épines longues de cinq centimètres et
si pointues qu'un ami chasseur s'est retrouvé avec le pénis
transpercé de part en part. À travers mes jumelles de luxe,
je n'ai rien remarqué de particulier. Joe, qui regardait sans
jumelles, a dit qu'il distinguait deux nez qui dépassaient
du trou obscur situé à la base de la souche, ainsi qu'une
troisième silhouette plus petite abritée dans le trou. Cela
aussi m'a échappé. La mère nous observait derrière un
merisier de Virginie aux fleurs éclatantes. Joe se tenait
debout derrière moi et j'ai fini par repérer la forme diffuse
de la mère. Joe était mécontent, parce que de toute évidence les petits coyotes ne voulaient pas sortir à cause de
ma présence. Il m'a ordonné de retourner sur mes pas
jusqu'à une autre butte située à trois cents mètres de là, en
direction de ma voiture. J'ai reniflé l'air à l'odeur désagréable et avec un sourire il a sorti de sa poche un sac plastique rempli de ragoût.

Une fois atteinte la position qu'il venait de m'assigner,
j'ai observé Joe qui marchait d'un pas décidé mais zig-
zaguant, en sautant et en riant. Lorsqu'il a atteint la
tanière, il s'est allongé et a versé la nourriture sur sa poitrine. Une minute plus tard, les trois petits coyotes ont
émergé de leur trou pour manger à même la poitrine de
mon ami, dressés sur son corps tandis qu'ils se querellaient à propos de cette manne imprévue. La mère, maintenant assise à une trentaine de mètres de là, observait la
scène. Après le repas, Joe s'est mis à ramper en jouant à
chat avec les chiots et à un moment un jeune coyote est
resté en équilibre sur son dos en mâchonnant son col de
chemise.

Je dois dire que, même si ces animaux n'étaient ni
domestiqués ni dressés, je n'ai pas considéré ce spectacle

comme particulièrement exceptionnel. Les coyotes doivent leur survie à une prudence hors du commun. Un naturaliste m'a un jour confié qu'il soupçonnait que, pour chaque coyote que vous voyez, une douzaine au moins vous ont déjà vu. Sur le moment, les facéties de Joe m'ont semblé plus amusantes qu'impressionnantes, mais que connaissais-je vraiment à ces choses ? Je concevais vaguement cette idée que les coyotes faisaient sans doute confiance à Joe parce qu'il appartenait désormais à leur monde, dont nous sommes tous exclus pour d'excellentes raisons. Et selon les contes et récits des autochtones, cette espèce possède un sens de l'humour particulièrement développé. J'ajouterais qu'un biologiste animal du ministère de l'Intérieur m'a dit que début juin il avait observé derrière ses jumelles Joe en train de marcher aux côtés d'un petit ours. Cet incident lui paraissait troublant parce que les deux autres hommes qui avaient accompli le même exploit étaient, comme lui-même, des spécialistes professionnels des mammifères.

Voilà qui suffit pour l'instant sur ce chapitre, cher coroner. Vous désiriez savoir tout ce que je sais sur Joe Lacort et je vous l'écris à ma façon. Il est très improbable que quiconque en dehors de nous deux prenne connaissance de ce rapport. Comme je ne vous connais pas, comment pourrais-je compter sur vous ? Un écrivain en herbe âgé de soixante-sept ans aboutit forcément à cette conclusion que, si personne ne veut m'utiliser, je dois m'utiliser moi-même. La question essentielle de ma longévité n'a aucune pertinence. La question de savoir pourquoi je me souviens aussi mal de ma vie est plus brûlante. Les convulsions placides de l'ennui professionnel s'éternisent parfois pendant des mois. Un jour, dans un restaurant de Chicago, on fêtait à une table voisine la millième autopsie d'un médecin du département municipal de pathologie, un événement qui n'empêchait nullement les convives de savourer leurs steaks et leurs entrecôtes. Pour la défense de Joe, lorsque je suis porté à la rumination, je me rappelle certaines promenades que j'ai faites ici dans les années soixante. Sans doute parce qu'elles ont fortement marqué mes sens. Si je tente de me souvenir de mes activités professionnelles durant cette même période, j'entends mentalement le bruit de papiers froissés, de dossiers qu'on ouvre et referme, le choc feutré d'un livre posé sur un autre, les sirènes des voitures de police dans la rue, le bâillement ou la toux de ma secrétaire, le cliquetis de sa machine à écrire. Je vois les murs de mon bureau, la fenêtre passablement crasseuse, les gravures réconfortantes montrant des paysages anglais et français du dix-huitième siècle. Je gardais les meilleures, les Caravage et les Gauguin, nos propres Winslow Homer et Maynard Dixon, pour la délectation privée du foyer. Je ne désirais pas que mes collègues, assez sympathiques au demeurant, mais pour qui la Terre entière portait l'étiquette « commerce », voient mes préférées. Mes collègues, ces androïdes prédateurs.

Ann est revenue une petite semaine après son départ. Les nouvelles étaient mauvaises, mais j'étais déjà averti du problème. Joe avait éteint son émetteur télémétrique à cause de sa colère contre le ministère de l'Environnement. Fin avril, avant l'éclosion des bourgeons, Joe s'était construit un petit abri sur un tertre entouré d'un vaste marécage, l'ensemble étant situé sur des terres appartenant à l'État. Cette illégalité rendait nerveux l'ancien employé de ce ministère qu'était Dick, mais il livra en voiture une petite quantité de bois de construction jusqu'à la route la plus proche, à sept kilomètres environ du site. Joe avait effectué plusieurs voyages laborieux pour transporter ces matériaux, d'où il revenait tout boueux jusqu'aux hanches à cause de la traversée du marécage. Malheureusement, un avion de reconnaissance du ministère avait repéré cet abri, lequel ne fut pas détruit avant juin. Dick avait tenté sans succès d'intervenir, déclarant qu'il doutait que quiconque ait jamais mis les pieds sur le tertre de Joe depuis qu'on avait abattu ces immenses pins blancs, quatre-vingt-dix ans plus tôt. Mais la loi, bien sûr, est la loi. Les règles sont les règles. La merde aussi est la merde. La plaie fondamentale du gouvernement est de ne jamais faire volontairement la part de l'intention ou du motif. Dick s'était rendu en voiture jusqu'à Marquette pour voir le directeur, un jeune prétentieux frais émoulu de l'université, un crâneur qui, malgré les trente années de service de Dick, lui accorda seulement un entretien de cinq minutes avant de lâcher, péremptoire, que la loi était la loi, bien que Dick lui ait affirmé que Joe ne passerait sans doute pas l'année. Après tout, que ferait-on de lui quand la neige rendrait tous les chemins impraticables et que le thermomètre aurait chuté jusqu'à moins vingt ?

Quand Ann est arrivée vers midi, je sortais d'une nuit d'insomnie passée à remâcher ce problème et j'avais également commis l'erreur d'appeler Roberto à Chicago pour lui demander conseil. Je me sentais particulièrement fragile, car la lune avait été presque pleine et un cerf avait brâmé près du chalet, émettant un affreux sifflement semblable à la note fondamentale d'un harmonica brisé. Le seul pire bruit que je connaisse est le cri d'agonie d'un faon ou d'un lapin attrapé par un coyote et qui ressemble à celui d'un enfant.

Bref, Roberto m'a répondu d'une voix terne et pâteuse, comme s'il avait une gueule de bois consécutive à Dieu sait quelle débauche perverse. Il a suggéré que j'essayais de contrôler Joe comme un substitut à mes enfants inexistants. C'était inacceptable ainsi qu'absurde, compte tenu de la situation présente. Roberto a aussi suggéré que mes raisons s'entremêlaient en un écheveau bien dissimulé, où figurait sans doute aussi l'envie sexuelle, un point pour moi sensible. Étais-je jaloux de Joe qui sautait avec succès sur tout ce qui bougeait dans les parages? Bien sûr que oui. Lorsque les belles Ann ou Sonia n'étaient plus dans le coin, il était capable de s'offrir n'importe quelle ignoble truie de taverne grâce à l'argent durement gagné en collectant des specimens botaniques. L'une de ses conquêtes pesait au moins cent cinquante kilos. Quand j'ai taquiné Joe, il m'a seulement répondu : « Elle m'excitait », puis il est passé à autre chose, ses capacités d'attention étant plus faibles que celles d'un enfant moyen.

Autrement dit, quand Ann est arrivée, je n'étais pas en grande forme. Midi n'avait pas encore sonné, mais elle m'a demandé un gin avec de la glace et elle s'est figée sur place, les yeux écarquillés, quand j'ai ouvert le congélateur pour y prendre des glaçons, car il contenait aussi le « zoo gelé » de Joe, deux douzaines d'oiseaux morts qu'il avait trouvés lors de ses marches interminables. Edna Rathbone avait refusé de les conserver dans son propre congélateur et je n'ai vu aucun mal à les accepter dans le mien. Ann a sorti une fauvette noire avec ses couleurs de Halloween, orange et noir, elle a soupesé son poids dérisoire, puis elle l'a approchée de ses yeux en secouant la tête d'un air émerveillé. J'ai expliqué que fort peu de gens trouvaient sans doute des oiseaux morts en grand nombre, surtout parce qu'ils ne regardaient pas et que leur vision n'était pas assez acérée. Un ornithologue, ai-je poursuivi, m'avait un jour expliqué qu'un faucon était capable de lire les petites annonces du journal à une distance de vingt mètres. À l'époque j'ai trouvé ses mots assez laids. Pourquoi pas un texte de Shakespeare ou un manuel sur les oiseaux, à vingt mètres?

Ann m'a aussitôt coupé, en me demandant si je suggérais ainsi que Joe voyait mieux depuis son accident. Je lui ai répondu que j'en doutais, car je m'étais renseigné auprès d'un neurologue ami de Roberto, pour qui c'était très improbable, ajoutant que Joe avait peut-être gagné une plus grande concentration visuelle ou une attention accrue. Cela suffisait certainement à expliquer qu'il puisse trouver autant d'oiseaux morts. Elle a éclaté de rire, avant de décrire l'observation minutieuse de son propre corps par Joe, puis d'engloutir son gin en deux gorgées, peut-être poussée par la gêne. Je nous ai alors préparé deux filets de veau que j'avais dégelés en vue de mon dîner, plus une modeste portion de *pasta al olio* accompagnée d'ail et de persil. Elle a poliment réfréné jusqu'à la fin du déjeuner son désespoir causé par l'absence de Joe, après quoi elle est devenue particulièrement difficile.

De toute évidence, elle avait lu trop de textes sur les lésions cérébrales sans ouverture cranienne, certainement grâce à la bibliothèque médicale à sa disposition à East Lansing. Je soupçonne que de telles informations sont forcément mal digérées, à moins d'être un professionnel capable d'envisager le corps dans son intégralité. Par exemple, je peux lire jusqu'à la saint-glinglin un texte sur les milliards de synapses du cerveau humain et m'en émerveiller sans comprendre tout à fait ce que ces neurones et ces synapses passent réellement leur temps à faire. Peut-être le néophyte devrait-il se contenter d'accepter en silence que le cerveau est la partie du corps la moins réparable. Je me rappelle avoir observé des cervelles d'agneau à l'étal d'un boucher, rue de Buci, à Paris, en me demandant comment ces petites boursouflures roses peuvent bien contenir le caractère et les habitudes de l'agneau, la totalité de son « agnéité » pour ainsi dire.

Ann s'était levée à quatre heures du matin pour venir d'East Lansing en voiture, je l'ai donc envoyée faire la sieste à l'étage. Puis je suis sorti sur la terrasse pour m'asseoir dans une chaise-longue, en surplomb de la rivière, comme je le fais depuis soixante ans lorsque je me sens troublé, depuis qu'enfant j'ai découvert la vertu hypnotique des cours d'eau. La brise qui soufflait du lac Supérieur, distant de cinq kilomètres, était assez forte pour éloigner les répugnantes bestioles volantes, et la rivière elle-même a rapidement absorbé les répugnants parasites de mon cerveau. À Chicago, Roberto avait dû m'administrer toute sa pharmacopée, du Valium au Soloft en passant par le Prozac ; mais dès que je passe quelques jours ici dans le Nord, j'abandonne les produits chimiques au profit de la contemplation de la rivière. Je ne veux pas dire qu'une rivière serait une panacée, seulement que notre cerveau est incapable de maintenir ses structures troublées lorsqu'il se trouve confronté à une rivière. Je pense que c'est la raison non avouée qui pousse tant de gens à pêcher la truite, alors que la plupart sont tellement incompétents qu'ils ont très peu de chance d'attraper un seul poisson sur leur mouche.

J'ai sombré dans un cauchemar pesant où je me perdais dans les bois tandis que mes bras et mon buste se liquéfiaient avant d'être absorbés par le paysage. Quand la Gestapo (!) me retrouvait, j'avais recouvré mon aspect ordinaire, mais je savais qu'une partie essentielle de mon caractère avait disparu et j'ai fondu en larmes. Je me suis bien sûr réveillé en pleurant et me suis senti très perdu en pensant à mon chien incapable, Charley. Des années plus tôt, au cours de nos négociations de divorce, ni l'un ni l'autre ne voulait de ce chien. Au début, nous avons feint le contraire, avant de rire de bon cœur, un comportement étrange au cours d'un divorce, en reconnaissant que nous désirions tous deux nous débarrasser de Charley. La stratégie de survie de Charley consistait apparemment à ne manifester aucun tempérament particulier, mais à adopter le caractère et les gestes qu'on attendait de lui. Il a passé sa vie à ne jamais s'engager, peut-être parce que je l'ai beaucoup trop entraîné quand il était jeune, en m'inspirant à ma manière livresque d'une dizaine de manuels sur le dressage adéquat des chiots. Mon épouse affirmait volontiers que j'avais dressé Charley de manière si intensive qu'il avait cessé d'être un chien et qu'il se comportait seulement comme un chien en mon absence. Nous avions une très grande cour à Winnetka, un espace affreusement monochrome, et si je jetais un coup d'œil furtif par la fenêtre juste après l'aube je voyais parfois Charley se comporter en chien. Mais dès qu'il me voyait ou devinait ma présence à la fenêtre, il s'asseyait simplement, qu'il pleuve ou qu'il vente. J'avais un peu plus de quarante ans à cette époque, apogée tortueuse de mes illusions de contrôle du monde. Ç'a été pour moi une surprise impensable quand ma femme a déclaré qu'elle voulait divorcer, prouvant ainsi qu'on ne pouvait la dresser! Comme je lui ai de mon plein gré laissé la maison au cours du divorce, elle a finalement décidé de garder Charley afin que ce chien conserve ses amis, les autres chiens du voisinage qui passaient lui rendre visite. Avec moi, Charley snobait les autres chiens, comme si je ne voulais pas qu'il reconnaisse leur existence. Beaucoup plus tard, j'ai compris que j'avais de la chance d'être sans enfant.

Assis sur la terrasse en somnolant de temps à autre, j'ai pensé qu'on avait beaucoup de mal à reconnaître la part immense de notre vie consacrée à de monstrueuses conneries. Dans mon cas il y a eu récemment une bonne quantité de rires cyniques, mais aussi de deuils, chaque année apportant sa pierre tombale. Le temps me semblait toujours répétitif. J'aimerais aujourd'hui qu'il continue à se répéter ainsi. Hier, je suis allé avec Dick Rathbone rendre visite à un métis chippewa qui a la réputation d'être le meilleur traqueur dans cette partie de la Péninsule Nord. Il connaissait vaguement Joe, qu'il a qualifié de « drôle de zèbre ». Cet homme n'était absolument pas un Indien de drugstore ou de Hollywood et nous nous sommes retrouvés très inconfortablement debout dans la cour minable de sa cabane en rondins. Il a déclaré qu'il serait heureux de partir à la recherche de Joe s'il était perdu, mais que le problème n'était pas là. Lorsque Dick a déclaré que Joe avait peut-être des ennuis sans ses médicaments, notre homme a dit :

« Rien ne peut aider ce gars. »

Il a aussi ajouté que, puisque Joe était en rogne, il était très bien tout seul, car lorsqu'on pique une colère en ville, on risque fort d'atterrir en prison. Il a aussi dit que dans la région on ne pouvait retrouver personne, et surtout pas Joe, sans la permission de l'individu recherché. Pour tomber d'accord avec lui il suffisait de jeter un coup d'œil à la densité de la forêt qui semblait sur le point d'engloutir la petite clairière et la cabane.

J'avais raconté tout cela à la pauvre Ann après le déjeuner et elle répétait sans arrêt :

« Nous pourrions au moins aller voir. »

Idiot que je suis, j'ai fini par accepter, convaincu qu'il ne fait pas vraiment nuit noire avant dix heures et demie du soir à cette latitude septentrionale et que ça ne nous ferait pas de mal de rouler au hasard et peut-être de crier « Joe ! » parmi les frondaisons.

J'ai donc quitté ma chaise-longue bien-aimée pour entrer dans le chalet et préparer du café. J'ai toujours aimé les bons hôtels où l'on vous sert le café à votre chevet et je lui ai donc apporté une tasse à l'étage. Elle dormait sur le ventre en soutien-gorge et petite culotte, un cadeau du Ciel pour ne pas dire plus. Ses formes étaient assez masculines, hormis ses fesses, lesquelles n'étaient nullement masculines. Elle m'a lancé un regard endormi par-dessus l'épaule et marmonné : « Vous êtes un ange. » J'ai poliment détourné les yeux, mais réussi à me cogner la hanche contre le montant du lit en me renversant un peu de café bouillant sur la main. J'ai eu mal, mais en une milliseconde j'ai décidé de ne rien en montrer. Je crois qu'elle a vu clair dans mon jeu et, quand j'ai posé la tasse sur la table de nuit, elle a pivoté en position assise et s'est frotté les yeux. Je suis parti en toute hâte mais avec prudence, car mes jambes me semblaient très éloignées de moi et je n'avais certes aucune envie de trébucher dans l'escalier. Mon esprit, tel un objectif parfaitement indifférent, venait de prendre des dizaines de photos d'elle en soutien-gorge et culotte bleu pâle (je crois que cette nuance s'appelle bleu-œuf-de-grive), de ses fesses arrondies, modérément grosses, et, lorsqu'elle s'est assise, du minuscule œuf d'oiseau appelé « mont de Vénus ». Comme plusieurs années m'éloignaient de perceptions comparables, je n'ai pas tout de suite compris l'effet de persistance rétinienne qu'elles avaient sur moi.

Bien sûr, un coroner n'a que faire des accès de lubricité d'un vieillard. Mais la rédaction de ce petit rapport n'a jamais été mon idée. En ce moment même, j'essaie de décrire les changements de mes perceptions qui m'ont permis de comprendre sans équivoque ce qui était arrivé à Joe. J'ose affirmer que personne ne comprend davantage que le fragment de l'histoire directement contigu à lui. Par exemple, lorsque Joe écrit dans son carnet : « J'ai regardé mon hêtre sous des dizaines d'angles différents », je connais à la fois l'arbre dont il parle (qui n'est pas celui de son accident) ainsi que ses expériences assez joueuses avec la perception qu'il était capable de faire à cause de sa blessure. Dans son carnet, il parle fréquemment de Dieu ou, mieux, de dieu. J'ai mis longtemps à déchiffrer son sabir particulier, parce que je ne comprenais pas encore réellement mon propre langage. Ainsi, dans presque tous nos emplois du langage, nous nous localisons émotionnellement et nous plaidons notre cause comme nous le faisons dans les formes de prière les plus enfantines. Joe m'en a montré un, par bonheur une promenade aisée, un énorme hêtre bien particulier, à l'extrémité ouest du lac Au Sable, qu'il observe sous cent angles différents marqués par des brindilles et à cinq distances variées, signalées par des cercles concentriques. À ses yeux, ce hêtre présente un aspect parfaitement inédit à partir de ces cinq cents points de vue, de sorte qu'il s'en trouve sidéré, amusé, joyeux, ou plutôt qu'il s'en est trouvé ainsi avant d'avoir bu trop d'eau du lac Supérieur. Multipliez ces chiffres par les milliers d'endroits qu'il a parcourus et observés, peut-être d'une manière moins structurée, et vous saisirez mon problème initial de compréhension. Qui est cet homme ? Il rit comme un babouin au zoo de Chicago.

Quel bain de boue nous avons enduré, aux sens littéral et figuré de cette expression. Nous avons « levé le camp » à quatre heures de l'après-midi, pour employer un terme militaire. Ann a pris une bouteille d'eau et quelques pathétiques barres de céréales, cette espèce d'absurde nourriture yuppie que même notre chien Charley refusait de manger en s'en éloignant, la queue bien serrée entre les pattes. J'ai un bon 4X4, assez onéreux, mais je souhaitais effacer quelques souvenirs déplaisants quand je me suis embourbé avec Dick Rathbone lors de nos explorations à la recherche des rivières à truites. Nous sommes passés chez Dick, et Edna nous a aimablement emballé deux parts de gâteau au chocolat, avant de nous demander de lui montrer, sur la merveilleuse vieille carte IGN de Dick, l'endroit où nous comptions nous rendre. Edna a fait preuve d'un léger cynisme, car nous avons flirté ensemble il y a quarante ans et mon incompétence phénoménale au milieu des bois est de notoriété publique dans cette région que je fréquente pourtant depuis près de soixante ans.

Bien sûr, j'aurais dû y réfléchir à deux fois, ce que je ne fais jamais. Un jour, à Paris, j'ai failli fondre en larmes car j'étais incapable de retrouver mon hôtel et, lorsqu'on m'a fourni des indications précises, je l'ai découvert à une rue de là seulement. Je descendais dans cet hôtel depuis des années, mais les ruelles qui entourent la rue de Varenne se ressemblent toutes, sauf pour les habitants du quartier, même si c'est là une piètre excuse. Et puis, pendant que je recherche Joe, j'ai Ann auprès de moi, mais j'ai plus tard réfléchi qu'Ann n'était certes pas un guide patenté.

Pour rassurer Edna, j'ai tracé sur la carte une croix minuscule dans une région inexplorée que les cartographes appellent « une belle au bois dormant ». Il n'y a rien d'autre là-bas que ce qui y est, ainsi que deux petites pistes de bûcherons zigzagantes et une rivière minuscule qui émerge d'un vaste marécage, lequel entoure le tertre où Joe a construit son petit abri héroïquement détruit par le ministère de l'Environnement. Ce sont ces mêmes gens qui fournissent volontiers des permis de construire aux promoteurs républicains qui souillent l'environnement de toutes les manières concevables. Edna nous a aussitôt conseillé de ne pas aller dans cette région, mais je lui ai assuré que nous ne quitterions pas mon véhicule, ce qui ne l'a pas entièrement rassurée. Tout le monde essaie de plaire à Edna. Un dimanche matin, Joe alla jusqu'à l'accompagner de son plein gré à l'église luthérienne afin que toute la congrégation puisse prier pour la guérison de Joe. Il ne faut pas confondre ce rituel avec le nouvel emploi américain du mot « guérison », où l'on croit guérir les désastres humains les plus terrifiants avant que le sang n'ait séché sur le trottoir.

Nous voici donc partis, le cœur léger, en imaginant la situation réelle de Joe. Il avait beaucoup plus de chances d'être perdu en ville que parmi les bois. Quelqu'un l'avait vu dans une ruelle écartée du centre, en train de consulter sa boussole. Pour des raisons curieuses, davantage liées à l'intuition qu'à des preuves réelles, je soupçonne que Joe et cette brave Edna font parfois l'amour ensemble. Elle a franchi le cap de la soixantaine, mais pourquoi pas ? Elle possède une étrange beauté finnoise.

Nous avions à peine quitté la ville quand Ann s'est mise à parler, avec beaucoup d'émotion, de l'amour, de la mort et de l'art. Je lui ai rétorqué qu'il me fallait aborder ces sujets avec circonspection. Elle m'a franchement déchiré le tympan avant d'ajouter que je ressemblais peut-être à la culture globale, oui, surtout au cinéma, où les émotions profondes s'expriment par des accidents de voiture, des coups de feu, des explosions, des regards écarquillés devant un écran d'ordinateur, des coups d'œil sournois, des femmes nues qui s'agitent sur leur partenaire en croyant rendre hommage à un féminisme frelaté. Personne ne parvenait à égratigner le vernis culturel, sans doute parce que scénaristes et réalisateurs restaient d'une nullité crasse sur le chapitre des rapports humains authentiques.

Je me suis senti blessé et mon irritation m'a sans doute poussé à me tromper plusieurs fois de chemin, me retrou-

vant par exemple sur une route qui butait en cul-de-sac
contre la rivière. J'ai feint d'avoir choisi cet itinéraire, mais
constaté qu'Ann n'en croyait pas un mot. La rivière coulait dans une gorge, très loin en contrebas, et Ann s'est
postée tout au bord du précipice, ce qui m'a rendu nerveux car je suis sujet au vertige. Lors de mes innombrables
trajets en voiture à partir de Chicago, je préférais traverser
le Wisconsin plutôt que le Michigan afin d'éviter
l'immense pont de Mackinac. Jusqu'au milieu des années
cinquante on prenait un ferry pour traverser le détroit. À
quoi bon batailler contre mes propres limitations ? Ces
individus extraordinaires qui semblent dépasser les limites
de l'humain mènent souvent une existence insupportable.
Du moins en a-t-on l'impression. Naturellement, dans le
cas de Joe, il ne paraissait pas l'avoir choisie, mais je me
trompais peut-être. Pendant toute une année il avait
traîné dans divers hôpitaux. Quelle meilleure raison imaginer pour mener ensuite une vie de primate errant à sa
guise ? Pourquoi remettre votre existence entre les mains
de toubibs qui vous tripatouillent le ciboulot en gagnant
des ponts d'or, quand, selon sa propre mère, Joe n'a
jamais eu la moindre chance de retourner à ce que nous
appelons sans y penser une vie normale ? Il avait perdu
son intelligence fonctionnelle, ou du moins cette partie si
prisée dans notre société et qui se définit par l'aptitude à
gagner de l'argent.

Après avoir ruminé pendant un quart d'heure ma prochaine déclaration verbale et avoir buté contre un autre
cul-de-sac donnant sur la rivière, j'ai pris ma boussole
dans la boîte à gants en frôlant ma passagère, ce qui m'a
fait oublier qu'on ne peut pas se fier à une boussole dans
un véhicule, à cause des masses métalliques. J'ai décidé
d'accabler Ann de piques et de sarcasmes, de fragments
lapidaires d'austère sagesse tirés de la littérature mondiale.
Elle le méritait cent fois, pensais-je. Ça m'a aussitôt

amusé, car je cachais le caractère de citation de ces fragments pour feindre que ces idées m'appartenaient en propre, mais j'ai été très surpris lorsqu'elle a découvert ma ruse à deux occasions lors de mes trois premiers essais, et bien que j'aie traduit ces maximes cinglantes en langage banal, voire argotique.

« Je crois que, lorsqu'on est vraiment trop conscient, cela relève de la maladie », dis-je.

Elle m'a répondu du tac au tac :

« Du Dostoïevski mal fagoté.

— Regarde au fond d'un grand trou creusé dans le sol et bientôt il te regardera. »

Elle a réfléchi un moment, puis :

« Votre grand trou est une version débile de l'*abysse* de Nietzsche. Essayez encore une fois. »

Elle a ajouté que les esprits littéraires comme nous sont incapables de se former une image globale, parce qu'ils redoutent de se contenter de moins que la vision ultime.

Elle a éclaté de rire quand j'ai dépecé la phrase de D.H. Lawrence : « La seule aristocratie est celle de la conscience », en :

« Bizarrement, les seuls et uniques biens que nous pouvons posséder ici-bas sont notre niveau de conscience. »

Je me suis défendu en affirmant que, si je m'étais lancé dans l'immobilier et le commerce des livres rares, c'était parce que, à un âge précoce, disons dix-neuf ans, j'ai constaté que j'avais un esprit beaucoup trop ordinaire pour que je puisse devenir écrivain, et que je dissimulais depuis longtemps mon côté fondamentalement vieillot derrière un aspect grognon.

« Vos parents ont dû vous dérouiller à mort », dit-elle en riant.

C'était un peu trop pour moi. Je me suis tourné vers la vitre en craignant de fondre en larmes. Pourquoi n'avais-je pas emporté une thermos de martini ?

« Il y a un point où le cœur mis à nu ne guérit jamais. »

C'était bien trouvé et la citation de Rilke lui a transpercé le cœur. J'ai presque senti sa gorge se serrer et ses larmes monter vers ses yeux. Nous étions arrivés sur le territoire de Joe, et donc le sien. Elle aimait un homme dont la moto avait percuté de plein fouet un hêtre et elle y penserait probablement encore sur son lit de mort. On ne pouvait affirmer qu'il l'aimait aussi, mais le problème se situait désormais ailleurs. Je lui ai tendu un beau mouchoir en lin, dont j'avais acheté une douzaine à Londres. Elle l'a examiné avec attention, me l'a rendu, puis a pris des mouchoirs en papier dans son sac.

« Que le monde aille se faire foutre ! » a-t-elle alors hurlé.

J'ai enfoncé la pédale des freins tandis que la sueur jaillissait sur mon front. Il y a beaucoup de cris dans les média en général, mais dans la vie réelle on a rarement l'occasion d'en entendre un vrai.

Au bout de trois heures de recherches, vers sept heures du soir, nous sommes tombés sur une route. À ma grande surprise, le numéro de cette route prouvait que nous étions à plus de trente kilomètres de notre objectif. J'étais partisan de jeter l'éponge, pour nous diriger vers un restaurant médiocre de la ville voisine, une suggestion qui a eu le don de scandaliser Ann. J'avais une petite carte du comté photocopiée, qu'on vend sur place aux touristes pour un quart de dollar. Néanmoins, cette carte était mauvaise et tout embrouillée, et puis j'avais oublié d'emporter mes lunettes de lecture. J'ai réussi à montrer à Ann notre position présente et elle a pris le rôle du navigateur tandis que mon cœur saignait à la pensée que nous allions mettre une bonne heure à rouler sur des chemins mal entretenus avant même d'atteindre la région où, croyions-nous, Joe se trouvait. Pendant tout ce temps, Ann m'a rendu à moitié cinglé à force d'évoquer tous les détails médicaux qu'elle avait pu apprendre et qui semblaient ignorer la gravité avérée des lésions de Joe, prouvée par des dizaines d'examens comprenant ces réjouissances que sont les IRM et autres scanners. Ann a reconnu avoir lu le dossier médical, épais de huit centimètres, constitué par la mère de Joe, mais elle avait seulement découvert son existence à la fin mars et l'espoir commençait alors de submerger toute considération rationnelle. Elle a même évoqué un guérisseur charismatique dont elle avait entendu parler et qui vivait sur la frontière mexicaine du Texas. Elle était maintenant à deux doigts d'aborder ma vraie « bête noire », le domaine méprisable de l'occulte. Joe n'avait surtout pas besoin d'être confronté à quelque charlatan excentrique. L'occulte découle toujours de notre peur de la mort, qui est aussi la peur des réalités qui nous entourent. Je m'étais un peu plongé dans ce sujet, sur un mode littéraire, jusqu'à la fin des années cinquante quand je me suis mis à lire Loren Eiseley (quelle tristesse que peu de scientifiques, sinon aucun, ne réussisse à écrire aussi bien que cet homme) ainsi qu'un article du grand professeur de Yale, G.E. Hutchinson, intitulé *Hommage à Santa Roselia, ou Pourquoi y a-t-il tant d'espèces animales.* Le mystère tient aux produits de la Terre elle-même, et non à l'œuvre d'elfes vaporeux. J'ai bien sûr parlé, argumenté et péroré, jusqu'à ce qu'elle me prie de me taire.

Dans ces circonstances, vers neuf heures et dans le jour déclinant mais qui diffusait encore beaucoup de lumière, nous avons cru voir une silhouette partiellement nue traverser le chemin étroit à une cinquantaine de mètres devant nous. Cette silhouette semblait en train de bondir.

Je venais d'allumer la radio pour écouter une station de musique classique qui émettait de Marquette afin de calmer nos nerfs durement éprouvés, et je suis tombé sur Brahms que je n'aime pas. Même à ce tournant décisif, je me sens obligé de faire part de mes goûts! Bref, j'ai accéléré jusqu'à ce que nous ayons atteint l'endroit où cette forme étrange venait d'apparaître. Ann s'est mise à crier « Joe! » et j'ai scruté le marécage, la route sablonneuse à la recherche de traces, ne remarquant d'abord rien, puis, sur le bas-côté opposé, l'empreinte profonde d'un talon qui signalait le lieu où cette créature avait repris contact avec la terre. Je me suis retourné vers Ann, qui courait dans les bois en continuant de crier « Joe! ». Je l'ai suivie à une allure plus lente, en repérant sa position grâce à sa voix. J'ai pivoté sur les talons, dans l'espoir de déterminer le chemin que je venais de parcourir. Le méprisable Reagan a dit : « Quand on a vu un arbre, on les a tous vus. » J'ai aussitôt reconnu onze espèces différentes d'arbres et de buissons, mais la réalité la plus frappante était le vrombissement des moustiques. La voix d'Ann a fini par disparaître au loin et j'ai senti mon ventre se contracter à l'idée que nous étions tous les deux irrémédiablement perdus. Soudain, dominant le sinistre bourdonnement des moustiques, j'ai cru entendre autre chose, presque une musique. Bien sûr, c'était le morceau de ce pauvre Brahms diffusé par la radio de la voiture. J'étais sauvé, mais pas Ann. Je suis donc retourné vers une musique qui devenait de plus en plus éloquente et mélodieuse, en me sentant prêt à payer dix mille dollars contre un martini-gin. Ce n'est de toute façon que de l'« argent mort »; un argent destiné aux nièces et aux neveux, car mon mode de vie n'a jamais entamé la plus petite partie de mon portefeuille, un mot affreux sauf lorsqu'il s'applique au *portfolio* d'un artiste. Pourquoi, au nom du Ciel, ne devrais-je pas dépenser dix mille billets verts pour un martini-gin, même s'il n'y avait aucun bar dans un rayon d'au moins vingt-cinq kilomètres?

J'ai maintenu ma paume appuyée sur le Klaxon jusqu'à ce que ce bruit sinistre me fasse monter les larmes aux yeux. Le « bip bip bip » des contes pour enfants traduit mal cette stridence prolongée. Allez donc klaxonner au fond d'une forêt si vous désirez redéfinir votre sentiment du désespoir; la manière qu'a ce hurlement de s'anesthésier et de s'étouffer lui-même parmi la verdure. René, arrête donc de klaxonner.

Au bout d'une demi-heure, Ann a enfin émergé des bois en me demandant pourquoi, bon Dieu, je continuais de klaxonner. Quand je l'ai interrogée, elle m'a répondu qu'elle était revenue par le même chemin qu'à l'aller. Par malheur, j'ai commis une erreur d'appréciation en faisant demi-tour. La nuit tombait et j'ai reculé dans un fossé plein d'eau. Le système quatre-roues-motrices ne fonctionne pas quand le châssis de la voiture touche le sol et lorsque le capot est aussi incliné qu'un avion en train de décoller. Heureusement, il y avait de l'anti-moustique dans la boîte à gants et Ann a eu l'amabilité de ne pas me traiter de connard. Nous avons donc savouré une heure entière de Mozart à la radio avant que Dick Rathbone n'arrive pour nous remorquer hors du fossé, ce que je savais qu'il ferait. Arriver, je veux dire. Pendant qu'il accrochait la chaîne, je suis certain d'avoir aperçu un visage dans les bois éclairés par les phares de son pick-up, mais je n'ai rien dit.

De retour au chalet, j'ai préparé les martini-gin dont je rêvais, ainsi que des sandwiches, car il était minuit et donc trop tard pour préparer un vrai dîner. Au moment de nous quitter, Dick a dit qu'il retournerait sur le territoire de Joe dès la première heure pour accrocher un petit sac contenant ses comprimés à une branche d'arbre proche de son ancien abri. Joe avait éteint ses émetteurs télémétriques, comme il le faisait souvent.

Ann dormait presque sur sa chaise et j'ai insisté pour qu'elle passe la nuit en haut dans ma grande chambre, tandis que je m'installerais sur un canapé devant la cheminée, car le plus petit feu de bois par une tiède nuit estivale réussit à me calmer l'esprit. Je me suis rappelé avoir lu, chez William Calvin, un théoricien de la neurophysiologie, que presque toute la masse ou le volume du cerveau sert d'isolant pour les innombrables milliards d'impulsions électriques. Eh bien, le fait de regarder un feu de bois apaise toute cette énergie électrique jusqu'à un niveau tolérable. Alors que nous attendions que Dick Rathbone nous sorte de notre ornière, Ann m'a confié qu'elle venait d'obtenir une petite bourse de voyage de son université pour se rendre à Saint-Petersbourg, en Russie, pendant un mois de l'hiver prochain. Elle avait toujours désiré y aller en hiver et il lui fallait rencontrer quelques spécialistes de Tourgueniev. Elle a ajouté, comme en passant, et en s'enduisant de nouveau d'anti-moustique, qu'elle ne pourrait peut-être pas effectuer ce voyage, par manque d'argent. J'avais visité cette ville splendide pendant les années soixante-dix, avant le dégel du communisme, et j'ai répondu à Ann que je connaissais un excellent agent de voyages à Chicago, à qui j'allais demander de la loger pendant tout ce mois d'hiver à l'hôtel *Europa*. Je ne voulais pas qu'elle se gèle son joli cul dans quelque sinistre chambre d'étudiant. Pour me taquiner, elle m'a répondu que, si j'en avais après son « joli cul », c'était une manière très dispendieuse de m'y prendre. Saisis d'une gêne partagée, nous avons abandonné ce sujet.

Les yeux rivés à mon feu de hêtre, j'ai pensé que, si à mon âge on pouvait s'offrir un souvenir de cette qualité pour dix mille dollars, alors c'était une affaire en or. Quelle pensée audacieuse, en tout cas pour moi. Ann ne vaut-elle pas une belle fraction de mon argent mort ? Si un martini-gin valait dix mille dollars, quelle somme improbable était donc digne d'Ann ?

II

C'était la première semaine d'août la plus torride de mémoire d'homme, et ces autochtones se souviennent de tous les événements liés à la météo. Peut-être les écrivains racontant une histoire procèdent-ils en réalité à l'enquête d'un coroner... Par exemple, ce matin ma main gauche a été saisie d'un tremblement agaçant quand j'ai lu le journal. Je l'ai d'abord attribué à toutes ces informations ordinaires qui nous font blémir, avant de me décider à admettre que cette tremblote signalait peut-être une nouvelle étape dans le processus de mon vieillissement. En guise d'expérience, j'ai échafaudé un fantasme glandulaire où je renversais Ann sur la table de pique-nique, et ma tremblote s'est aussitôt arrêtée. Telle est ma conception de la science. Mais quelle potion magique mon cerveau a-t-il alors concoctée ?

Joe a refait surface après cinq jours passés dans les bois, très honteux des soucis qu'il venait de nous occasionner. Après nous avoir fait part de ses regrets, il est allé nager au large de la jetée. Épuisé, il a été hissé à bord d'un bateau à moteur, à environ sept kilomètres de la rive du lac Supérieur, par une journée chaude mais venteuse. Affolés, les gens du bateau à moteur ont appelé les gardes-côtes, qui ont dépêché un bateau des auxiliaires locaux, car la base principale a fermé ses portes.

Joe était resté absent pendant cinq jours pour creuser une caverne près du site de son ancien abri détruit.

« Ils ne trouveront pas ma caverne », me dit-il dans le jardin de Dick Rathbone, puis il s'est approché d'Ann, debout à quelques pas de moi, mais qu'il situait de toute évidence dans un univers parallèle, et il lui a répété : « Ils ne trouveront pas ma caverne. »

Est-il un chien malade qui désire se terrer, un mammifère qui trouve sa sécurité dans le secret, un jeune homme blessé qui tente vaillamment de mettre un peu d'ordre dans toute sa confusion ? Je dois dire que je l'ai observé avec attention, à l'affût du moindre signe de détresse ou d'apitoiement sur son sort, mais que je n'ai rien trouvé. Quelque chose, dans son cerveau blessé, avait accepté son état, peut-être sur le même mode que sa chienne Marcia acceptait les errances de son maître. En ma qualité de gourmand patenté, je lui ai demandé ce que Marcia et lui avaient trouvé à manger pendant leurs cinq jours d'absence.

« De la viande animale », m'a-t-il répondu. Un point c'est tout.

Dick m'a ensuite raconté qu'un jour d'avril dernier où il était venu voir si tout allait bien à mon chalet, Marcia avait réussi à attraper un gros lapin blanc. Quand le lapin multipliait les feintes et les écarts à fond de train, afin d'échapper au prédateur, Marcia avait filé tout droit sans se préoccuper des zigzags de sa proie, qu'elle avait ainsi réussi à intercepter.

Ainsi mangeait-il sans doute du lapin, probablement grillé, et Dieu sait quoi encore, car il n'a pas répondu à nos autres questions. Au retour de Joe, Edna a remarqué que notre ami ainsi que ses vêtements étaient relativement propres, ce que pouvait expliquer la présence d'un ruisseau près de son site. Ce détail prouvait qu'il se rappelait les leçons d'hygiène remontant à l'enfance, même s'il faut souligner que de nombreuses espèces mammifères ont tendance à se baigner régulièrement.

Naturellement, Ann a rejoint Joe dans la minuscule cabane située au fond du jardin de Dick. Le premier soir que j'ai passé sans elle, j'ai bouillonné de jalousie, moyennant quoi les remarques ineptes de Roberto n'étaient pas si ineptes que ça... Les pierres tombales des vieillards jaillissent hors de terre comme de banals champignons ou plutôt comme des champignons vénéneux. Le vieux crapaud est assis dans son chalet, les yeux humides, c'est la première fois qu'il est seul depuis cinq jours, mais il devrait en avoir l'habitude après avoir passé le plus clair de son existence en solo. Sa femme lui disait souvent :

« Je ne suis pas vraiment ici, n'est-ce pas ? »

Joe martelait sans aucun doute le corps de cette pauvre Ann. Tu parles, la pauvre Ann... Dans l'amour, les femmes se comportent beaucoup plus sauvagement que les hommes et, malgré le feu dans la cheminée, mon esprit suscitait sans arrêt des images de leur accouplement, malgré l'impuissance très probable de Joe, du moins à en croire Sonia lors de son dernier séjour ici.

Quand, à mon réveil, j'ai préparé du café, j'ai découvert avec étonnement Joe et Ann assis dehors à la table de pique-nique et qui attendaient que je me lève. J'ai d'abord été irrité, car j'aime entamer ma journée par une heure de lecture et j'avais atteint, dans le livre de William Calvin intitulé *Comment le cerveau pense*, un chapitre sur *La Syntaxe comme fondement de l'intelligence*. Il y avait aussi un autre problème : lorsque j'ai ouvert les yeux dans cet état hypnagogique situé entre le sommeil et l'état de veille, mon esprit a échafaudé un projet délirant, à la fois généreux et égoïste. Dans le sud du Nouveau-Mexique, je possède une petite ferme en adobe, où je me rends en hiver, et que m'a léguée mon père quand il démissionna de Cleveland Cliffs pour travailler chez Phelps Dodge, dont les pratiques professionnelles sont plus que douteuses : scandaleuses. J'ai envisagé d'installer Joe dans le village tout proche, surtout habité par des Latinos, et d'embaucher l'un de ces derniers pour surveiller les allées et venues de mon protégé. Par tradition, les Latinos tolèrent davantage que nous les gens comme Joe. Mon projet impliquait bien sûr qu'Ann viendrait en visite. C'était mon côté Iago. Mais enfin, Joe ne mourrait pas de froid et personne n'aurait à l'enfermer l'hiver prochain.

Ils étaient donc assis à la table de pique-nique à sept heures du matin et je leur ai fait signe d'entrer prendre un café. J'ai fini par préparer une douzaine d'œufs sur le plat pour Joe et Marcia, pendant qu'Ann et moi mangions quelques toasts. Ann conduit une minuscule voiture compacte, parfaitement déplacée dans cette région, et elle se demandait si j'accepterais de les déposer le plus près possible du site de la caverne de Joe, qui se trouvait malgré tout à plusieurs kilomètres de toute piste. Joe désirait aller chercher un cadeau qu'il me destinait et Ann m'a appris qu'elle devait partir de bonne heure le lendemain matin. J'ai toujours adoré jusqu'au plus modeste cadeau. Bien sûr que je leur servirais de chauffeur. Nous avons jeté un coup d'œil à Joe qui mangeait des croquettes pour chien à même un sac que je gardais en prévision des visites de Marcia. Horrifiée, Ann lui a arraché des mains le sac de croquettes. Alors il a fondu en larmes pour la première fois ou plutôt je l'ai vu pleurer pour la première fois. Ann a bondi si vite sur ses pieds qu'elle en a renversé sa chaise, et elle s'est penchée vers Joe pour l'embrasser. J'ai senti mes traits se crisper de tristesse, car son adorable postérieur serré dans son pantalon de marche s'est alors planté à quelques centimètres seulement de mon nez et, en même temps, je déplorais vivement cet incident désagréable. Joe n'avait tout bonnement pas reconnu les croquettes pour chien. Marcia en mangeait bien quelques-unes avec ses œufs, pourquoi pas lui ?

Nous sommes donc partis et j'ai été fier de conduire directement jusqu'à l'endroit qui se trouvait tout près de celui où j'avais reculé dans le fossé. Au dernier moment, j'ai décidé de les accompagner à pied, non par un caprice enfantin qui m'aurait poussé à découvrir mon cadeau sans plus attendre, mais poussé par cette idée tenaillante que je ne pouvais sans doute pas comprendre l'intérieur sans m'aventurer au-dehors et jeter un coup d'œil de ce point de vue. Et puis, si je ne découvre pas la terre en cette vie, quand pourrais-je donc la comprendre ? Je reconnais que c'est là une idée un peu rocambolesque, mais je pédalais sérieusement dans la semoule. Je monte et descends, je tourne en rond, ainsi que le veut la condition humaine, mais ne peut-on faire un nombre limité de nœuds sur une longueur de corde donnée ? Calvin cite Sue Savage-Rumbaugh et Roger Lewin, lorsqu'il écrit : « Tous les organismes dotés d'un système nerveux complexe doivent sans cesse affronter cette question posée par l'existence même : que vais-je faire maintenant ? »

Je ne dirai pas que ma balade du côté sauvage s'est particulièrement bien passée. Je suis tombé plusieurs fois, ce qui en soi n'a pas été désagréable, car je ne me rappelle pas avoir vu la terre d'aussi près. Lors de ma troisième chute, je me suis demandé si telle n'était pas la raison cachée des prosternations pratiquées par les musulmans. Je me suis alors souvenu que ces prosternations caractérisent de nombreuses cultures. Les banquiers, les politiciens et *tutti quanti* devraient sans doute entamer leurs journées dans leur jardin en approchant leur nez de la Grande Mère. Je ne l'ai bien sûr jamais fait volontairement, si bien que mon soudain respect pour cette coutume est peut-être biaisé. Pour moi, ce rite n'existe tout bonnement pas sous une forme acceptable ; mais, souvent quand je suis dans les bois, disons en train de cueillir des myrtilles près de mon chalet afin de préparer des crêpes, je sens un étrange respect croître le long de mes jambes, comme si j'étais debout dans des eaux tropicales.

Si je tombais, c'était parce que durant le plus clair de notre marche difficultueuse, les fougères nous montaient jusqu'à la taille, voire plus haut. Joe, sans piper mot, conservait une posture plus stable, écartant un peu les jambes et s'assurant un équilibre certain, même lorsque ses pieds heurtaient une branche d'arbre mort invisible ou une petite souche.

J'ai été très impressionné par la caverne. Près de l'entrée, dissimulée par Joe qui avait transplanté là diverses espèces de buissons, j'ai reconnu la pelle de jardin à manche vert qui appartenait à Dick Rathbone. La caverne proprement dite, assez petite, avait un sol couvert de fougères et de branches de pin, à leur tour recouvertes de peaux de daim non tannées. Les gens les salent, mais le tannage des peaux est une opération laborieuse et payer des professionnels pour le faire revient trop cher. Il y avait une lanterne Coleman, un poncho en plastique bon marché, plusieurs manuels sur les oiseaux et sur la flore, ainsi qu'une carte très usée. J'imaginais Joe en train de lire ces manuels, malgré sa mémoire vacillante, seulement capable de conserver une information pendant quelques secondes quand il s'agissait de dessins et de photos. Il était en revanche incapable de se rappeler le sens des mots, sinon l'aspect visuel qu'ils représentaient. Aucun d'entre nous, affligé de ce handicap, n'aurait pu franchir ce fossé. Je me suis vivement reculé quand un gros et gras serpent noir est sorti de sous une peau de daim. Joe a croassé son rire habituel et Ann a feint de ne pas broncher.

Joe a pris la pelle et nous l'avons suivi sur un versant de colline, puis le long d'une berge escarpée, jusqu'à un torrent. Tandis que Joe creusait dans la berge avec la pelle, j'ai longé le cours d'eau sur une cinquantaine de mètres, je me suis mis en slip et assis dans un bassin d'eau fraîche et rapide pour laver mon corps tout poisseux de sueur. Ann aussi a pris un bain, tout près de l'endroit où Joe creusait, et, cédant à mon voyeurisme légendaire, j'ai regretté de m'être autant éloigné d'eux. Joe a alors crié en brandissant un objet que je n'ai pas reconnu à cause de la distance. Il a encore crié, plus fort cette fois, et j'ai aussitôt enfilé mon pantalon sur mes jambes et mon slip mouillés. J'ai sautillé, pieds nus, vers l'amont et Joe m'a tendu ce qui ressemblait à un énorme crâne d'ours, d'une couleur très sombre comme s'il était taché d'huile, de goudron ou par une substance proche de la créosote. Je l'ai seulement reconnu en tant que crâne d'ours parce qu'il y en a un accroché au-dessus de la cheminée à la taverne, bien que pas aussi massif que celui-ci. Lorsqu'il me l'a tendu, ce crâne était si lourd que j'ai bien failli le laisser tomber, comme si un long séjour sous terre l'avait pétrifié. J'étais tellement sidéré que j'ai à peine remarqué une Ann trempée et presque nue, même si j'ai découvert ensuite que mon cerveau et mes yeux dans leur rôle d'ouvertures avaient pris un certain nombre de photos parfaitement nettes.

« Bon dieu, mais qu'est-ce que c'est ? m'écriai-je avec perplexité.

— Ours, dit Joe. Vieil ours. »

Il a fait une moue et levé l'index pour signifier un secret, puis il a désigné l'amont du torrent, dont les eaux émergeaient d'un vaste marécage peu engageant.

J'ai humé, avec un léger frisson, la puanteur huileuse du crâne. J'ai toujours éprouvé de la répulsion pour les ossements, mais dans ces bois l'on voit rarement des os ou des andouillers parce que nous avons d'innombrables porcs-épics qui s'en nourrissent. Je me suis rappelé une expression de Jack London, qui disait discerner toujours « le crâne sous la peau » quand il buvait trop, c'est-à-dire tout le temps. Durant les étés que j'ai passés ici dans ma jeunesse, j'ai lu et relu Zane Grey et Jack London en me sentant très viril avec mon couteau de chasse et ma carabine de calibre .22 à un seul coup, mais même à cette époque je ne m'aventurais jamais dans les bois au-delà de ce qui me paraissait raisonnable. Un ami excentrique d'alors, qui devint ensuite un peintre paysagiste renommé, se perdait sans arrêt ; de mon côté, mes parents me martelaient dans le cerveau les terreurs de la forêt au point de me transformer en un parfait trouillard. Quand on peint le monde aux couleurs du ressentiment, les parents constituent la toile la plus adéquate. Plus tard, bien sûr, dans les années cinquante, je crois, une gamine qui habitait près de Brimley (à l'est d'ici) fut tuée par un ours. Les ours noirs ont tué beaucoup plus de gens que les célèbres grizzlis, mais ils sont infiniment plus nombreux. Les pensées les plus absurdes tourbillonnaient dans mon esprit, à cause de la surprise due à ce crâne si étrange. Les os constituent sans doute une lacune dans mon éducation ; néanmoins, je savais que ce crâne ne pouvait appartenir à un ours noir, mais qu'il devait venir d'une créature d'avant l'ère glaciaire, il y a treize mille ans.

Joe a cherché ses mots, puis il a exécuté une petite pantomime dans le torrent pour me montrer qu'il avait trouvé le crâne avec ses pieds dans la boue du torrent, avant de frotter avec du sable la substance goudronneuse qui y était collée. Puis il m'a repris ce crâne d'ours pour le replacer dans le trou de la berge et l'y garder en sécurité. Mon cadeau allait de toute évidence rester sous le contrôle de l'homme qui l'avait découvert. Il a fouillé dans sa poche, puis m'a tendu une incisive massive et tachetée. J'étais à deux doigts de refuser cette dent, que j'ai acceptée par pure politesse.

En attendant, Ann restait là en sous-vêtements trempés, le front tout plissé de perplexité, cette mimique humaine qui accompagne l'irruption soudaine et massive de l'inconnu. Joe nous avait manifestement montré une chose très extraordinaire, mais nous n'étions pas en mesure de percevoir ce qu'elle signifiait. Quelques secondes seulement après que le crâne a de nouveau été enterré, je me demandais déjà s'il était aussi gros que dans mon souvenir, et je me suis interrogé sur la taille de la pelle entre le front et le nez de cet objet. Pendant mon enfance et jusqu'à mon dernier voyage de l'an passé, j'ai visité des dizaines de fois le musée Field de Chicago, mais les squelettes de mammifères ne m'ont jamais beaucoup intéressé. Je comprenais que le crâne d'ours de Joe n'aurait sans doute pas tenu à l'aise dans un sac d'un boisseau et je ne parvenais pas à me souvenir d'un crâne aussi gros au musée. J'ai raconté à Ann que, lors d'un voyage en Californie, mes parents m'avaient emmené voir les incontournables Fosses à Goudron de La Brea et qu'elles dégageaient la même odeur que le crâne d'ours de Joe.

Et voilà. Depuis cette légère perturbation, je n'ai jamais retrouvé mon équilibre. Ce n'est pas que les choses se soient régulièrement dégradées après ce jour, mais elles ont certainement pris une autre tournure. Sur le chemin du retour vers ma voiture, je me suis affalé sur le cul avec un bruit sourd, en me faisant très mal au coccyx. Joe m'a porté sur son dos pour parcourir les derniers huit cents mètres, ce qui a bien sûr été humiliant, mais je m'en fichais. Une fois que nous avons atteint mon véhicule, les spasmes de Joe ont augmenté et Ann s'en est pris aux efforts excessifs qu'il venait de fournir. Elle s'inquiétait tout particulièrement parce qu'il prenait déjà les doses maximales des médicaments qui devaient relaxer son impressionnante musculature. Elle a refusé de manger quoi que ce soit et je les ai déposés près de sa voiture, en contrebas du chalet. Elle m'a embrassé en me disant au revoir, pour une fois de toute la longueur de son corps tiède, ce qui a momentanément soulagé mes douleurs au coccyx.

Je me suis préparé une énorme poêlée de viande hachée et en mangeant j'ai examiné cette dent d'ours aussi longue que mon index, en me souvenant que Marcia avait brièvement reniflé le crâne avant de le lécher une seule fois, de gronder, de battre en retraite puis, toute troublée, de scruter la forêt. J'ai fait une sieste et rêvé d'images saisissantes du corps d'Ann qui par malheur saignait et s'épanchait en une myriade de spécimens de feuilles qui, à ma connaissance, n'existaient pas. Je me suis réveillé au crépuscule en grinçant des dents, pour découvrir que je venais de me briser une prémolaire. Et merde, ai-je pensé, au moins ça ne fait pas mal : cette dent est dévitalisée depuis longtemps, elle ne contient plus aucun nerf.

Juste avant la tombée de la nuit, Dick Rathbone est arrivé avec un garde forestier très irrité qui enquêtait sur un délit. On avait retrouvé deux colliers télémétriques, l'un jadis fixé sur un ours noir et l'autre sur un loup, dans une poubelle, à une halte pour touristes proche de McMillan, à l'est de Seney. Pour une raison informulée, ce garde forestier soupçonnait Joe, même si ce dernier manifestait une nette aversion pour les armes à feu depuis son accident, trouvant insupportables les détonations bruyantes. Selon le garde, deux biologistes animaux voyaient ainsi leurs recherches réduites à néant, maintenant qu'on ne pouvait plus identifier les déplacements de ces animaux. Un braconnier avait de toute évidence tué l'ours et le loup, avant de se débarrasser des colliers. J'ai demandé au garde forestier, qui devenait un peu trop arrogant à mon goût, s'il ne trouvait pas très étrange qu'à vingt-cinq kilomètres de distance ces deux bêtes aient perdu leur collier vers la même époque.

« N'essayez pas de m'apprendre mon métier », dit-il alors.

J'ai alors exigé qu'il parte immédiatement, non sans lui réclamer le nom de son supérieur, qui s'est révélé être ce même crétin qui avait détruit l'abri de Joe. C'était apparemment le mobile de Joe. Je me suis rappelé avoir autrefois beaucoup apprécié plusieurs gardes forestiers de l'ancien temps, mais la nouvelle espèce était très imbue d'elle-même, comme si elle constituait le FBI du monde naturel.

Mon rêve d'Ann métamorphosée en bouquet floral m'est revenu en mémoire, malgré mon irritation. J'ai feuilleté un manuel de botanique et décidé que la jusquiame (*hipocyamun niger*) était la plante qui ressemblait le plus à ses parties génitales dans mon rêve. Peut-être l'herbe des sorcières convenait-elle à cette fille solitaire qui, malgré toute sa rationalité avouée, se désintégrait au contact des troubles physiques de son amant. Aussi mélancoliques que soient ces pensées, elles ont disparu dès que le bout de ma langue a touché ma dent brisée et je me suis demandé ce que trame votre esprit quand vous grincez si fort des dents que l'une d'elles se casse.

J'avais lu quelque part que la conscience est prédatrice. Lorsque votre conscience s'approfondit et se complexifie, elle sécrète de nombreuses couches supplémentaires dont il faut tenir compte. C'est vraiment une idée décourageante. Depuis ma jeunesse, j'ai fréquemment pensé, et sans grand déplaisir, que j'habitais dans un œuf gris de ma propre conception, un œuf meublé par mes soins attentifs, et dont la coquille commençait maintenant de se fissurer. La question redoutable est bien sûr de savoir si toutes les choses qui se craquellent finissent par couler.

Misérables ruminations, en comparaison de l'orbe jaune de la lune montant à travers les pins blancs et la ciguë au fond de ma clairière dans la forêt. Je me suis assis sur la table de pique-nique, le cul toujours un peu douloureux après sa récente collision avec la terre, en me disant que, si Joe était lié à cette histoire de colliers télémétriques, il ne pouvait tout de même pas les avoir balancés à soixante kilomètres de distance, et que d'ailleurs il n'en aurait sans doute pas eu l'idée. Mais il y avait aussi Ann qui, si elle avait vu ces deux colliers télémétriques en plus de ceux de Joe, aurait deviné que quelque chose clochait et certainement effacé toute empreinte digitale avant de s'en débarrasser à bonne distance.

J'ai un seuil de tolérance très bas pour le mystère, le crime et la magie, ce genre de choses. Ils ne figurent pas dans mon œuf gris, mais demeurait sans doute la question de savoir comment quelqu'un pouvait enlever les colliers de ces animaux sans un fusil ou une carabine à tranquillisants. Puisque Joe avait creusé une tombe pour un ourson à moins de deux kilomètres de mon chalet, en aval de la rivière, il constituait sans doute un candidat terriblement improbable pour tuer un ours et un loup.

Comme la table de pique-nique était trop dure pour mon coccyx douloureux, j'ai été chercher mon sac de couchage ainsi qu'un grand verre de très vieux Calvados, que je réserve aux occasions particulières. La mise en bouteille de ce Calvados était relativement récente, mais il avait séjourné en fût depuis 1933, ma date de naissance. J'en ai acheté deux bouteilles rue de la Madeleine, à Paris, pour une somme astronomique, juste après que j'ai pris ma retraite. Je tenais maintenant le verre sous mes yeux et regardais la lune à travers le liquide ambré, en évitant de penser à ce que Joe et Ann pouvaient bien faire à cette heure. Maintenant assis sur le sac de couchage plié, un excellent coussin, j'ai constaté avec une stupéfaction idiote à quel point le corps d'Ann ressemblait à celui de mon ancienne épouse. La sexualité avait été notre unique terrain d'entente et, au cours de l'année qui a suivi notre divorce, nous nous sommes retrouvés plusieurs fois pour faire l'amour. Ce divorce a creusé un trou de trois ans dans ma vie, mais mon ancienne épouse s'est révélée beaucoup plus souple que moi, se remariant avec un homme prospère, de quelques années plus jeune qu'elle, et, ultime surprise, adoptant deux orphelins originaires du Laos. Lorsque nous vivions ensemble, elle ne s'est jamais comportée de manière très maternelle, mais mon instinct paternel n'a jamais été très développé non plus. De mon point de vue, mes parents ont été des républicains froids et mesquins, si bien que je me suis considéré très tôt comme un ardent démocrate.

Un engoulevent appelait au-dessus de la rivière et ses cris me donnaient apparemment envie de dormir. J'ai déplié le sac de couchage et me suis allongé en pensant que pour Joe le destin se résumait à une blessure et que, sous l'effet du dieu souvent malveillant de la gnôle, un bref moment d'inattention avait abouti à une négation dramatique du concept de justice ; mais l'histoire, quand on est vraiment humain, ne doit-elle pas se réduire aux seuls cas individuels ? Je me rappelle encore le jour où, attendant de retrouver quelqu'un pour un petit déjeuner au *Drake*, le *New York Times* m'a appris que, selon Mao, la Chine se sentait en sécurité parce qu'elle pouvait se payer le luxe de sacrifier un demi-milliard de citoyens et survivre néanmoins en tant que nation, une déclaration d'une perversité affolante. Oh, que l'Histoire aille au diable !

J'ai entendu une chouette, puis plusieurs chauves-souris sont passées devant la lune. Une légère brise soufflant du marécage situé à l'ouest m'a apporté une agréable odeur pelvienne et je me suis endormi, tout à fait incapable de me relever pour rentrer au chalet. Nous ne sommes pas censés être piégés par nos abris, mais c'est pourtant le cas.

Quand je me suis réveillé à l'aube, il pleuvait doucement mais pas assez pour transpercer mon sac de couchage. J'ai passé un doigt sur mon front mouillé et dit : « C'est moi », comme pour m'en souvenir.

Les premiers rayons du soleil traversaient les arbres à l'endroit précis où, la veille au soir, la lune s'était levée. La nature de la clairière autour de mon chalet, d'habitude fixée brutalement dans sa pérennité, semblait étrange. Dans le trou formé par deux branches d'un bouleau, j'ai aperçu un corbeau dans le ciel, mais brièvement. Une mésange à tête noire, minuscule oiseau passablement pitoyable, m'a observé à partir de la poignée de mon gril à barbecue, à moins d'un mètre, sans doute en me considérant comme une forme de vie très pitoyable. Quand il pleuvait, j'avais vu Joe lever les yeux vers le ciel comme s'il essayait d'identifier chaque goutte de pluie. J'ai eu la chair de poule en entendant un bruit et en discernant un mouvement dans les fourrés, juste au-delà de la lisière de ma clairière. Plusieurs fois cet été, une mère ourse et ses deux oursons sont venus rendre visite à ma grosse poubelle en plastique, d'habitude juste avant la tombée de la nuit ou à l'aube. Quand la poubelle est vide, ils la cognent et la transpercent à coups de dents. Comme je ne désirais pas de visite à cet instant précis, je me suis mis à chanter *O Sole Mio* en m'amusant beaucoup de mon choix. Il y a eu des bruits de branches brisées dans les fourrés, qui m'ont fait penser à un cerf solitaire, dont on peut déterminer la présence grâce au bref laps de temps qui sépare le bruit de son appel de saut et celui de son atterrissage.

J'ai ressenti un léger vertige en sortant de mon sac de couchage et en descendant de la table de pique-nique. Une sensation agréable, car nouvelle. Ce vertige tenait au fait que, si je ne continue pas à faire ce que je fais déjà, que dois-je donc faire ? L'idée m'a traversé de mettre le feu au chalet, mais pourquoi m'en prendre à lui ? Puis l'idée de vendre les dix mille volumes de ma collection entreposée à Chicago ou de m'enfuir, ce qui est enfantin car une fugue suppose que quelqu'un va vous rechercher. Je pouvais aussi tomber amoureux comme le grand Picasso le fit encore et encore, acheter une centaine de Viagra, mariner quelque temps dans une merveilleuse daube sensuelle avant de mourir d'une crise cardiaque, ce qui m'a paru être la meilleure solution.

Pour l'immédiat, j'ai été chercher un seau au chalet et je suis parti cueillir des myrtilles afin de préparer les crêpes du petit déjeuner. Il y avait un beau massif de myrtilles à quelques centaines de mètres de mon chalet. Mon plan consistait à cueillir ces myrtilles, à boire une tasse de café en préparant la pâte, puis à m'offrir un grand verre d'excellent sauternes en savourant mes crêpes, avant de retourner me coucher.

Mon seau était à moitié plein quand Ann est arrivée sur mon chemin défoncé dans sa misérable voiture compacte. Elle m'a appris qu'elle partait pour East Lansing et qu'elle désirait simplement me dire au revoir, un mensonge éhonté. Elle arborait un visage froid et fermé, elle gardait les bras serrés sur la poitrine, toutes choses contrastant avec son corsage blanc sans manches et sa courte jupe d'été à fleurs bleues. Le grand Picasso aurait fondu sur elle comme un écureuil volant, me suis-je dit. Comme elle restait plantée là, pour m'amuser je me suis agenouillé et attaqué à un plant de myrtilles tout proche de son mollet gauche. Son genou était indubitablement un genou. Des fleurs bleues sur sa jupe bleue, des baies bleues. J'ai tendu la paume et elle a mangé quelques myrtilles, puis d'une voix hachée elle m'a fait part de ses tourments. Elle essayait de devenir enceinte de Joe! Mais sa mère était d'une religiosité très stricte et que sa propre fille porte un enfant illégitime était pour elle inconcevable. Dick Rathbone, le responsable légal de Joe, était un vrai salopard qui leur interdisait de se marier. Peut-être pouvais-je moi-même épouser Ann, sans bien sûr la moindre obligation légale et à condition qu'elle réussisse à tomber enceinte. J'ai essayé de la distraire en lui répondant qu'épouser Joe constituerait un mariage à l'intérieur de la même espèce.

« Je t'emmerde! » a-t-elle crié avant de monter dans sa voiture et de démarrer tellement vite que le sable a volé dans mon seau de myrtilles. De toute façon, je comptais les laver.

À en croire Joe, il remarqua pour la première fois la bête dont il avait parlé le mois précédent, alors qu'il se tenait au sommet de diverses collines élevées qui dominaient de vastes étendues boisées ou le lac Supérieur. J'ai mis un après-midi entier à interpréter ce qu'il disait, assisté dans une certaine mesure par son calepin, lequel contenait surtout des gribouillis. Je ne doute pas qu'il croie écrire des choses tout à fait différentes de ce qu'il écrit en réalité ; de même, lorsqu'il parle, il dit souvent des choses qu'il n'a pas l'intention de dire. Bref, cette soi-disant « bête » révèle son existence, lorsque vous dominez le paysage, par une zone particulière de calme dans les bois ou sur l'eau lorsque le vent souffle avec violence. Il existe un certain nombre d'autres détails dont je parlerai plus tard, concernant la nature et les formes variées de cette bête.

Bon, monsieur le coroner, n'en tirez pas la conclusion hâtive que j'ai pris Joe au sérieux sur cette affaire, mais j'ai toujours trouvé plus intéressantes les raisons pour lesquelles un homme croit à quelque chose, que ce qu'il croit. Il ne s'agit pas là d'une subtilité, mais d'une flagrante évidence. Vous avez certainement scié le crâne de Joe pour y pratiquer un trou afin de déterminer son contenu. Il paraît du moins que cette procédure est de rigueur lors d'une autopsie, mais, surprise (!), ce que vous avez découvert est ce que nous savions déjà. J'essaie de vous expliquer pourquoi cette matière grise malmenée l'a entraîné aussi loin vers le nord dans la nuit liquide, alors qu'il nageait sans aucun doute à la poursuite de sa bête, réelle ou imaginaire. J'ai bien sûr interrogé Joe sur l'aspect de cette créature. Il a bredouillé qu'elle avait trois aspects différents.

Je ne dirai pas que j'ai eu beaucoup de plaisir à ruminer toutes ces pensées en compagnie de mes crêpes et de mon sauternes, un château Yquem d'une année modérément bonne. On peut se demander pourquoi boire une bouteille de vin à trois cents dollars au petit déjeuner, mais pourquoi pas ? Ayant dormi à la belle étoile pour la première fois depuis trente ans, je m'étais lancé dans une période de festivités et je ne comptais pas m'arrêter en si bon chemin. Et, aussi étonnant que cela puisse paraître, je ne suis pas retourné au lit après le petit déjeuner. Je croyais avoir mal dormi à la belle étoile, mais je me trompais. Comme pour me jouer à moi-même une bonne blague, mais aussi afin d'apaiser mon sentiment toujours présent d'insécurité, j'ai pris mon pistolet avant de partir en promenade.

Je n'avais pas parcouru plus de quelques centaines de mètres quand m'a arrêté cette pensée, lue quelque part, que nos perceptions dessinent notre carte du monde générée de manière interne. Je me suis aussitôt interrogé sur la carte générée par le faucon capable de lire les petites annonces à une distance de vingt mètres, ou par cet ours dont le crâne absurde signifiait qu'il ou elle n'avait aucun ennemi naturel, ou, encore mieux, la carte générée par le cerveau blessé de Joe, avant de me demander ensuite dans quelle mesure elle différait de celle de la plupart des humains. Ma langue s'est alors mise à sonder ma dent brisée. Dans l'un des livres envoyés de Chicago par Roberto, j'ai lu que chaque cerveau diffère notablement de tous les autres. Et très simplement, il faut beaucoup d'entraînement pour qu'ils se comportent de la même manière. Une partie de la formation de Joe fut ainsi détruite par sa blessure, et sans espoir de la recouvrer. Pour être remplacée par quoi ? Y a-t-il eu le moindre phénomène de compensation ? Il passe manifestement beaucoup de temps à s'amuser, mais semble-t-il dans des activités entièrement étrangères aux nôtres. Il paraît jouir d'une liberté d'une espèce différente, une liberté qui échappe à toute définition.

J'ai examiné mon environnement avec attention et découvert que je me trouvais dans un méandre de la rivière, une zone où la pêche à la truite était particulière-ment bonne. Je me suis mis à quatre pattes pour ramper jusqu'à la berge moussue en remarquant plusieurs pois-sons appartenant à la catégorie que nous appelions « gar-diens ». Ces truites passent toute leur vie sous l'eau, hormis quelques très brèves incursions dans l'air pour attraper les éphémères. J'ai regardé absurdement la dou-zaine d'espèces d'arbres présentes dans le voisinage. Aucun n'était un spécimen parfait, ni même presque parfait, de leur espèce. Ma vague teinture de botanique m'avait appris le nombre incroyable des maladies des arbres, dont il existait littéralement des centaines. D'habitude, les gens ne pensent à ces réalités qu'avant Noël, à l'époque de leur recherche du « parfait » sapin de Noël, mais ces espèces sont rarement sauvages, car plantées et cultivées dans de vastes pépinières qui sont essentiellement des déserts bio-logiques. Il n'y a pas davantage d'arbre parfait qu'il n'existe d'être humain parfait.

En amont de l'endroit où j'étais agenouillé sur la berge, je connaissais l'existence d'un énorme tronçon de pin blanc qui n'avait pas atteint l'embouchure de la rivière à l'époque de l'exploitation forestière. Ce tronc faisait au moins deux mètres cinquante de diamètre. Quand nous étions très jeunes, Dick Rathbone imaginait des moyens pour sortir ce tronc de là avant de le vendre à prix d'or, mais en oubliant de se demander à qui. Un peu comme l'ours préhistorique de Joe, ce tronc était un vestige d'un autre temps.

Mon territoire était étrangement saturé de souvenirs de parties de pêche qui remontaient à plus d'un demi-siècle. Je contemplais avec nostalgie les berges très boisées, situées de l'autre côté de la rivière. Après avoir regardé à gauche et à droite, j'ai choisi l'endroit le moins profond et j'ai traversé en pataugeant avec de l'eau jusqu'en haut des cuisses dans un courant qui m'a paru glacé. C'était très excitant de faire une chose qui sortait à ce point de l'ordinaire, du moins pour moi. Je me suis promené dans la forêt pendant environ une heure en apercevant brièvement le pic-vert chapeauté, presque aussi gros qu'un corbeau. Bien sûr, je me suis très vite perdu, mais j'ai retrouvé mon sang-froid en découvrant grâce au soleil que je marchais dans la mauvaise direction, une constatation assez aisée si l'on ne panique pas. Lorsque j'ai retrouvé la rivière, elle semblait couler dans la mauvaise direction. Je me suis calmé, décidant d'accepter le témoignage de mes sens. Je me dirigeais maintenant de nouveau vers mon chalet et je me suis arrêté sur la berge pour me reposer près de l'endroit où Joe avait enterré l'ourson qui n'avait jamais vu la lumière, sauf pendant quelques mois de printemps. Des larmes sentimentales m'ont envahi les yeux, mais peut-être que cette sorte de deuil n'a rien de sentimental. En tant que vieux chnoque, j'avais parfaitement le droit de sympathiser avec une créature dont l'existence avait été fauchée dans la fleur de l'âge. Notre caractère mortel, vraiment. Nous sommes en permanence debout sur une trappe aux charnières fragiles. Cet ourson avait peut-être quitté la tanière de sa naissance depuis deux mois seulement. Joe a probablement effectué au moins la moitié du chemin au moment de sa collision avec le hêtre. Certes, il était techniquement vivant, mais je commençais de penser que d'un certain côté il avait peut-être une avance réelle sur nous autres. À soixante-sept ans, j'avais indubitablement parcouru les sept-huitièmes du chemin jusqu'à l'autre « côté », une évidence dont il est impossible de tirer la moindre conclusion.

J'avais depuis longtemps élaboré un système pour avoir toujours raison, mais dernièrement j'avais ressenti quelques secousses annonçant que les concepts mêmes de raison ou de tort dans la conduite de sa propre vie relevaient désormais de la panoplie toute faite, de l'accessoire, du passé. À certains moments, la vie semble tellement différente de ce que je m'attends à ce qu'elle soit, et je commence de m'interroger sur l'effet qu'a Joe sur moi.

Assis là contre la berge tiède de la rivière, je me suis allongé et j'ai regardé les racines saillantes des arbres, des buissons, de l'herbe. Me tournant sur le côté, j'ai repéré les traces du derrière de Sonia sur la langue de sable où elle s'était assise quelques semaines plus tôt. De l'autre côté de la rivière, une petite truite montait vers les moucherons dans l'ombre fraîche d'une berge en surplomb, avant d'être rejointe par d'autres, dont une de taille nettement supérieure. J'ai ressenti le désir toujours aussi ténu de sortir du placard mon attirail de pêche à la mouche, inutilisé depuis une décennie au profit d'aucune activité précise.

J'avais remarqué un détail troublant qui est très vite devenu amusant, lors de mes récents trajets à l'épicerie ou au saloon pour mes occasionnels martini-gin. Les gens en général, mais surtout ses anciens amis qui s'étaient désormais éloignés de lui, avaient commencé à parler de Joe en termes presque mythologiques, comme s'il ne faisait plus vraiment partie de la communauté des hommes, ou qu'il avait cessé d'exister. Les descriptions ou les rumeurs faisaient état des « apparitions » de Joe, comme s'il s'agissait d'un rare spécimen ornithologique ou mammifère. On l'avait vu traverser une route dans une région marécageuse, après minuit et au clair de lune. En juin il avait fait l'amour avec une énorme femme sur la plage pendant des heures. Il était millionnaire (pas tout à fait vrai, mais presque) et les médecins l'avaient escroqué (possible). Un vieux Finnois et un garde forestier l'avaient aperçu alors qu'il marchait à côté d'un ours (difficile à croire). Les belles femmes (Sonia et Ann) l'aimaient à cause de son étrangeté. Il dormait dans une caverne (comment cette info avait-elle pu filtrer ?). Il vivait maintenant comme un fanatique religieux (un garde forestier l'avait surpris en train de brandir les bras vers le ciel).

On ne pouvait en vouloir aux autochtones. Je connaissais au moins de vue presque tous les quatre cents habitants du village et pendant l'été ils cancannaient surtout aux dépens des frasques et des bourdes de leurs vaches à lait, les touristes. Il existe ici des ressentiments parfaitement naturels. En hiver, ils parlaient de leurs concitoyens ou du temps. Puisque j'étais déjà ici avant même la naissance de la plupart d'entre eux, on m'étiquetait comme « un type riche et bizarre ». J'admirais la candeur et l'intelligence de bon nombre d'entre eux qui, assez curieusement, auraient admirablement réussi dans ce monde extérieur qu'ils ne prisaient guère. Tous étaient spécialistes des limitations humaines et chacun connaissait les siennes avec une exactitude qu'on rencontre rarement chez les citadins.

Joe roupillait sur mon sac de couchage étendu à même la table de pique-nique, quand je suis ressorti. Marcia se tortillait comme seul un labrador retriever sait se tortiller. J'ai été lui chercher un gros morceau de cheddar, son casse-croûte préféré. Pendant que Joe dormait, j'ai examiné de près les traces d'incision de son cuir chevelu, tout près du front, en éprouvant une brève admiration pour les médecins qui doivent s'occuper de pareilles affaires. Quand j'étais plus jeune, mes aînés parlaient souvent des médecins comme des « scieurs d'os », un surnom vraiment très frappant. J'ai remarqué le calepin de Joe près de sa main gauche, en ressentant aussitôt de l'appréhension car sa présence impliquait toujours le combat des questions et des réponses. Je ne suis pas thérapeute et il me semblait impossible d'imaginer un professionnel capable de lui faire le moindre bien en l'état actuel des choses. Pourtant, il venait parfois me trouver avec son calepin, lorsqu'une chose précise le tracassait. Il y a quelques semaines, je me suis retrouvé à essayer de lui expliquer l'idée des couleurs et la nature du spectre lumineux. Et puis pourquoi les animaux n'ont pas six pattes! Pourquoi tous les énormes pins blancs ont-ils été coupés au début du siècle? Pourquoi les étoiles sont-elles colorées? En entendant cette dernière question, j'ai pensé qu'il avait vu des photos de Hubble dans une revue chez les Rathbone, mais je n'en étais pas certain.

En feuilletant le calepin, j'y ai découvert avec étonnement un Polaroïd osé d'Ann scotché sur une page, vers la fin. La photo était prise par-derrière, Ann à quatre pattes portait un minuscule slip bleu et elle tournait la tête vers le photographe avec un sourire éclatant. « Dieu! Quel cul! » comme disaient les vieux vicieux. Je savais que Dick Rathbone possédait un Polaroïd, acheté juste avant son départ à la retraite, lorsqu'il travaillait sur un projet de pièges et d'examens des populations de poissons. Il m'avait montré des photos des plus grands spécimens. J'imaginais Joe tenant l'appareil photo pour prendre cette image-là. C'était évidemment une sorte de pense-bête élaboré par Ann, car il avait tendance à oublier tous les visages, mais se souvenait de la peau, de l'odeur, du son de la voix et par-dessus tout du goût unique d'Ann.

Soudain, Joe s'est réveillé en sursaut, il a tendu la main au-delà de la table pour gratter la tête de Marcia et il est rapidement descendu de la table. Comme il m'avait surpris, je lui ai tendu son calepin, mais mon indiscrétion n'a pas semblé l'irriter. Il m'a montré la photo d'Ann comme s'il s'agissait d'une précieuse relique, puis une page qui contenait quatre dessins maladroits évoquant ceux d'un gamin de l'école primaire. Le premier figurait un poisson, dont il m'a expliqué avec force gestes qu'il était plus long que l'énorme table de pique-nique, disons de plus de trois mètres. Ce dessin m'a rappelé un esturgeon de lac que j'avais vu dans les années cinquante sur la plage située au nord de Harbor Springs. Le deuxième dessin représentait de toute évidence un corbeau barbu, mais Joe a écarté les bras pour me montrer que son volatile était passablement plus grand que le corbeau commun. Cela n'avait rien d'inquiétant, car j'ai appris au fil des ans qu'un corbeau sur trente environ s'intéressait indiscutablement à moi, moyennant quoi j'ai un faible pour leur espèce. Le troisième dessin était un peu plus surprenant, car il ne représentait aucun animal que j'aurais pu reconnaître. Cela ressemblait à un ours aux formes très rondes, mais doté d'un gros museau incurvé, et Joe a placé sa main au milieu de son buste pour m'en indiquer la taille. Le quatrième dessin montrait le corbeau superposé à l'espèce d'ours au gros pif afin de constituer une créature unique.

J'étais très perplexe, comme on s'en doute, et j'ai mis une demi-heure à essayer de comprendre ce que Joe voulait dire à travers ces quatre dessins. En fait, la bête que Joe avait mentionnée cet après-midi-là, au bord de la rivière, quand Dick Rathbone, Sonia et moi l'avions enfin retrouvé, changeait soi-disant de formes. Au milieu de la journée, elle était un poisson ; entre le crépuscule et minuit, elle devenait la créature ronde et couverte de fourrure, en forme d'énorme boule de bowling ; puis, du milieu de la nuit jusqu'au milieu de matinée, elle devenait ce corbeau surdimensionné.

Toutes ces explications ont abouti pour moi à une immense lassitude. Mon esprit réclamait à cor et à cri un bon déjeuner et une longue sieste. La compagnie d'un dément est épuisante, même lorsqu'on éprouve pour lui une grande amitié. Bref, j'avais besoin d'être seul, mais une fois n'est pas coutume j'ai surmonté cette impulsion banale. Ce n'est pas que je me considère comme un Héros Romantique ruminant dans la solitude des problèmes d'une importance colossale, si de telles choses existent. Sans doute est-ce davantage lié à mes richesses accumulées et au fait évident que les riches sont souvent tatillons, méfiants, soupçonneux, sur leurs gardes, comme si le monde entier s'était ligué pour leur enlever leur argent, ce qui est aussi la vérité, mais à quoi bon ? Le fait que je n'appartienne à aucune famille, aucun groupe, aucune communauté, ne m'apparaît plus comme une qualité. « J'ai erré, solitaire comme un nuage », n'est pas forcément une bonne pensée.

Je me suis donc concentré sur le babil de Joe. Quand il s'échauffe, environ un de ses mots sur dix tombe juste. Quand il est calme, presque un mot sur deux est adéquat. Ses animaux, qui étaient bien sûr ridicules, l'ont mis dans un état d'excitation où jusque-là je ne l'avais jamais vu. Il essayait bel et bien de me convaincre non seulement de leur existence, mais aussi de leurs déambulations les plus fréquentes. Afin de le calmer, il m'a fallu adopter une attitude d'une insupportable crédulité. Même Marcia a commencé à s'agiter et à s'inquiéter de la fébrilité de son maître. Il manifestait une telle passion que, l'espace d'un bref instant, mes cheveux se sont hérissés sur ma nuque à l'idée que cette bête trinitaire existait peut-être, malgré son caractère outrageusement absurde. J'ai lu tellement de romans dont je finissais par croire aux intrigues invraisemblables à condition que leur écriture soit d'une qualité suffisante. Peut-être sommes-nous tous des fous en ce sens précis, sauf les épistémologues les plus intransigeants.

L'aphasie de Joe, ses problèmes de langage étaient d'ordinaire tout à fait supportables et certes compréhensibles, un peu comme ceux d'un bègue que vous aimez beaucoup et dont les difficultés d'élocution soulignent l'importance de ce qui est dit. Mais dans le cas présent, Joe avait perdu jusqu'à la moindre trace de son humour habituel, il rougissait de frustration, ses veines saillaient sous l'effort désespéré qu'il faisait pour s'expliquer clairement. Il bafouillait, se taisait, sifflait, marmonnait, gémissait, la salive jaillissait hors de sa bouche convulsée. Il est enfin apparu clairement qu'il désirait que je voie sa bête sous l'une quelconque de ses trois formes : la dernière chose que j'avais l'intention de faire.

« Ô *deus ex machina*! » J'ai été sauvé par le gong, sous la forme de Dick Rathbone arrivant en voiture devant mon chalet en compagnie d'une grosse fille assez bovine qui devait friser la trentaine, la troisième des petites amies de Joe, et certes pas du genre à éveiller le moindre frémissement de mauvais augure dans vos testicules. Shirley était laide comme un pou, et un gros pou s'il vous plaît. Elle avait toute la spontanéité du fil de fer barbelé, cette jeune femme d'origine norvégienne qui habitait une ferme proche d'Ovid, dans le Michigan, où Joe chassait souvent le faisan. De toute évidence, elle éprouvait pour Joe le même mal d'amour qu'Ann. Seule Sonia, étant infirmière, semblait conserver son bon sens. Les infirmières sont des spécialistes du temps présent, ou de la réalité si vous préférez.

Shirley arrivait du sud en voiture avec une splendide tarte aux pêches, susceptible de rivaliser avec les meilleurs desserts auxquels j'ai goûté en France. Avant que nous ne savourions cette gourmandise, elle a emmené Joe au cabinet de toilette de mon chalet pour le laver, puis elle a coiffé ses cheveux hirsutes à côté de la table de pique-nique. Ce manège m'a rappelé la toilette des chimpanzés en public. Je dois dire que, même si Shirley était vraiment grosse, haute de deux mètres et trop épaisse à mon goût, son corps dodu n'avait rien de flasque et elle évoquait en définitive une fille bien bâtie, costaude, version XXL. Lorsqu'elle a insisté pour que Joe et elle se baignent dans la rivière (elle lui a dit qu'il empestait « le gibier »), j'ai remarqué qu'elle était parfaitement symétrique. Elle avait saisi Marcia comme si elle tenait un chaton au creux de son bras et je suis certain que Marcia pesait trente-huit kilos. Ah, les filles de ferme !

C'est amusant, et je suis certain qu'un anthropologue pourrait l'expliquer, cette manie qu'ont les hommes de jauger et de commenter l'anatomie féminine, sans s'inquiéter une seconde de leur propre aspect négligé ou de leur inélégance foncière. J'ai vu le salopard le plus ignoble du monde noter une pauvre femme selon une échelle allant de un à dix, mais je ne doute pas une seconde que les femmes ont des comportements à peu près similaires, qu'elles ne dévoilent pas aux membres du sexe opposé.

Après leur départ, j'étais une nouille de la marque *Ramollo*, de surcroît terrifié à l'idée que j'allais devoir crapahuter dans les fourrés à la recherche de bêtes inexistantes. Joe avait laissé son calepin sur la table de pique-nique et j'ai pensé avec inquiétude que Shirley aurait très bien pu l'ouvrir et découvrir l'affriolante photo d'Ann. Mais elle ne l'a pas fait. Combien de fois nous inquiétons-nous de choses qui n'arrivent jamais ? Un jour, j'ai assisté à un match des Chicago Bulls avec Roberto qui, plutôt que de reluquer les joueurs d'un œil concupiscent, étudiait avec application les aspects techniques du jeu et s'était abonné à tous les matches de la saison de basket. Le célèbre Michael Jordan avait sauté très haut par-dessus la tête d'un arbitre qui venait de s'arrêter brusquement au milieu du terrain. La foule avait soudain fait silence.

C'était un exploit extraordinaire, mais pendant les heures qui ont suivi le match j'ai redouté qu'il ne réussisse pas à effectuer ce qu'il avait déjà effectué.

Je me suis offert un grand martini en feuilletant le calepin de Joe. J'essayais vainement d'éviter la photo d'Ann. Constatant un frémissement inférieur, je me suis étonné du pouvoir d'une malheureuse photo, alors que toutes les formes habituelles de la pornographie me laissent froid. Les chercheurs connaissent aujourd'hui quelles parties exactes du cerveau génèrent pareilles émotions. Ce qui m'a conduit à penser à Joe en termes de « on se moque de ce qui cloche, acceptons que ça cloche et que ça ne puisse pas être réparé ».

Sa prose était inexistante. Il s'agissait pour l'essentiel d'un mélange de noms, de couleurs, d'odeurs. L'ours énorme sentait « le crottin de cheval et la violette ». Il faut vraiment être fortiche pour sentir une créature qui n'existe pas. « Boue. Pluie. Car orange. Nuage éléphant. Nuage mouette. Nuage roc. » Qu'est-ce d'autre que la forme des choses ?

J'ai repoussé l'heure du dîner pour m'accorder l'une de ces merveilleuses siestes d'une heure où votre corps ne fait plus qu'un avec le lit. Je me suis réveillé au crépuscule, tous les oiseaux autour du chalet se souhaitaient bonne nuit et des roulements de tonnerre lointains venaient du sud-ouest. Joe et Dick Rathbone adorent la pluie parce qu'elle efface les anciennes traces animales brouillées et qu'elle repeint le monde à neuf. L'an passé, juste après une magnifique pluie de la fin juillet, Dick m'a montré de très grosses traces d'ours dans le sable, à moins de vingt mètres de la porte du chalet.

Quand je me suis hissé hors du lit, en jetant un coup d'œil machinal à ma montre, une idée que j'avais eue juste avant de m'assoupir m'est revenue en mémoire. La conscience de Joe est entièrement prédatrice, hyper-thyroïdienne, parce qu'il devine la fin, il sent qu'il va mourir. Sa blessure, ainsi que l'énorme dossier médical qui l'atteste ont modifié son sens du temps, ou détruit ce sens du temps indispensable pour participer à une culture, ou à une « civilisation ». Le sens du temps de Joe est devenu désespérément circulaire, alors que le nôtre est linéaire. Son temps est la durée, immédiate, de ce que ses sens lui disent. Ainsi, un chant d'oiseau est le temps, puis le vent, le lent passage de tel nuage, les arbres dévoilant d'autres arbres, une faim ou une soif croissante. Ce n'est jamais le temps des horloges. Son univers individuel est entièrement holographique et Joe se déplace à l'intérieur de la clôture de ce temps, mais indépendamment de lui. Dans son univers naturel, la mort est un jeu d'enfant. Parmi le million et demi d'espèces vivantes (certains cher-cheurs pensent qu'il en existe près de huit millions), tous les spécimens qui ont vécu meurent.

Toutes ces cogitations commençant à me donner le ver-tige, je me suis préparé le plus simple des dîners, un sand-wich à la saucisse italienne frite avec du poivre vert et des oignons ; j'ai ouvert une bouteille de Côtes du Rhône et emporté mon repas dehors pour jouir des dernières lueurs du jour et voir la lune se lever. Une telle idée aurait sem-blé parfaitement incongrue à mes parents... Ils ne s'auto-risaient rien sortant de l'ordinaire. Lorsque nous séjournions ailleurs qu'ici au chalet, mon père portait tou-jours une cravate pour dîner et, qui plus est, il ne la tachait jamais. Il est mort avec un placard rempli de cra-vates immaculées, que j'ai toutes données à notre jardinier de Winnetka, un Jamaïcain prénommé Cedric, en même temps qu'une cinquantaine de chemises blanches et vingt costumes. J'ai même payé un couturier pour raccourcir les pantalons de cinq centimètres. Cette garde-robe très sophistiquée a permis à Cedric de devenir le patron des jardiniers, même si, lorsque je l'ai revu pour boire un verre maintes années plus tard, il était devenu bouffi et malheureux, se plaignant qu'au bon vieux temps il baisait tous les jours et que, maintenant qu'il travaillait derrière un bureau et qu'il n'avait plus la forme, c'était seulement un fois par semaine. Encore le succès...

J'ai passé la nuit au chalet en me réveillant par inter-mittence, très mécontent que la pluie me tienne à l'écart de ma table de pique-nique, mon nid en extérieur pour ainsi dire. À trois heures du matin je me suis levé et j'ai fouillé dans mes affaires à la recherche d'une bâche et je me suis servi d'épingles de sûreté pour la fixer autour de mon sac de couchage. Je suis sorti sous la pluie, entière-ment nu à l'exception de mes chaussons et je me suis glissé dans mon sac modérément humide. À l'est un orage entrecoupé d'éclairs se ruait vers le nord avant d'atteindre l'air froid du lac Supérieur et d'être repoussé, de rassem-bler ses forces et de procéder à un nouvel assaut. L'espace d'un instant, j'ai eu la merveilleuse illusion de voir une petite pancarte dans le ciel annonçant « Par ici pour la folie » et, tel un étudiant qui simule l'instabilité afin de simplement reprendre son souffle, j'ai été à deux doigts de m'engager sur cette route.

Une pensée modestement troublante m'est venue sous la pluie, concernant les recherches d'Ann sur Tourgue-niev, une pensée qui m'a poussé à me demander si, en dormant, je n'allais pas me casser une autre prémolaire à force de grincer des dents. C'est triste à dire, mais je me rappelais trop clairement le *Journal d'un homme superflu* de Tourgueniev et son triste héros, Chulkaturine, qui était obsédé par tous ses gestes plutôt que par leur contenu. C'est une petite nouvelle amère, voire désespérée, écrite au milieu du dix-neuvième siècle, et qui signale la naissance littéraire de l'homme aliéné, dont les répliques semblent bien sûr se compter aujourd'hui par millions. Nul doute qu'Ann connaissait très bien cette nouvelle et je me suis demandé si elle me considérait comme un Chulkaturine âgé, au même titre que son père. J'en étais presque certain.

Mais naturellement, comme disent les Français, je suis parfois grognon, ronchon, chagrin et chiant, coupable de lassitude, étranglé à un âge précoce par des parents insensibles et brutaux, tout comme Chulkaturine; pourtant, ainsi que je l'ai déjà dit, nous sommes sans doute des millions à glisser vers la vieillesse dans un état de mélancolie irritable. Mais surtout, du moins selon les critères de notre culture, je n'ai pas accompli grand-chose de mémorable. Pour autant que je sache, je suis incapable d'accomplir le moindre haut fait susceptible de m'attirer la tendresse d'Ann.

La pluie a délicieusement augmenté, baignant mon visage comme si j'étais un « *lacrimae christi* » océanique. Je n'ai pu m'empêcher de rire devant la banalité de mon état. Janvier aime mai, qui naturellement a le béguin pour ce pauvre juillet. Histoire de m'amuser, j'ai tenté de me rappeler les détails de l'affection d'un vieux citoyen de Chicago pour une jeune femme : l'amour de Hemingway pour Adriana Ivancivitch relevait d'une illusion absurde, ce qui n'a pas une seconde ralenti le merveilleux vieil imbécile. Comme nous tous, il a été éduqué à la dure par ses parents pour devenir un bon garçon, un homme de bien, un vieillard honorable, et en tout cela il a échoué. À la place, il est devenu un crétin courageux, même si de toute évidence il a bu beaucoup trop à partir de l'âge de vingt ans et s'il n'a jamais compris quel imbécile absurde il était devenu. En tout état de cause, il n'y a rien chez lui qui motiverait notre pardon. Par bonheur, la jeune femme a échappé à ses étreintes paralysées, bien qu'on m'ait assuré qu'elle avait fini par se suicider et par figurer dans la chronique nécrologique du *New York Times*, le signe d'une vie « réussie ». Mais la bourgeoisie vétilleuse (en fais-je partie ?) s'en prend toujours à ceux qui se battent sur ses frontières, même si le sentiment de supériorité morale qui suppure à l'intérieur de votre portefeuille d'actions est aussi un combat. Je me rappelle qu'enfant, lorsque mon père passait avec moi en voiture devant la maison de Hemingway à Oak Park, je croyais ressentir un sentiment très particulier de fatalité qui me semblait accabler également notre foyer. Tant de choses planent dans l'air, d'où notre vertige.

J'ai levé les yeux dans la nuit, incapable de discerner les minuscules gouttes de pluie qui tombaient sur mon visage. Un simulacre de cécité... J'ai pensé distraitement que nous sommes formés de manière très idéaliste, à l'école primaire, au lycée, puis à l'université, mais avec très peu d'armes pour affronter directement cet idéalisme, afin de devenir des inutiles, de bons citoyens, afin de gagner de l'argent et mourir. Tout ce processus m'a paru comique. Il existait forcément des millions d'hommes qui pensaient la même chose que moi, au moins de temps à autre. Je me suis souvenu d'un professeur d'anglais, un tocard élégant mais infirme à Northwestern, qui aimait citer la phrase de Wordsworth, « en amassant et en dépensant nous atténuons notre pouvoir », ou quelque sentence du même tonneau. Nous savions tous qu'il avait fait un mariage avantageux et qu'il collectionnait sherries et portos rares, et il aimait tirer sur ses manchettes de chemise pour nous montrer ses boutons façonnés dans des pièces de monnaie élizabéthaines.

En me tournant un peu, je discernais la forme obscurcie mais réconfortante du chalet. Mon abri. Joe s'activait-il dans un rayon de quatre-vingts kilomètres sous la bruine ? Peut-être avait-il raison sans le savoir. L'intérieur et l'extérieur sont des notions un peu floues. J'imagine que, selon les anthropologues, l'abri est le lieu où vous vous réfugiez quand vous êtes fatigué de chasser, de cueillir, de labourer en extérieur. J'ai passé le plus clair de mon temps en intérieur, bien sûr, à exercer mon métier. Quand vous sortez dans une région relativement peu habitée, vous sentez aussitôt votre claustrophobie refluer, même s'il n'y a évidemment aucun miracle puisque vous transportez votre civilisation sous votre crâne. Je pense que, lorsqu'on passe toute sa vie en intérieur comme c'est si souvent le cas, on se retrouve perdu dans un labyrinthe sans issue. Je me rappelle pourtant avoir fait une promenade d'une journée entière avec mon neveu, l'un de ces authentiques écolos à la gomme, qui a passé toute notre balade à gémir à cause de son père, mon beau-frère et certes un sale type. Mon idée, c'est que le corps de ce neveu se trouvait en extérieur, mais pas son esprit. Par bonheur, son père est tombé raide mort dans une sablière sur un terrain de golf et le jeune homme cherche maintenant des fossiles en paix dans le Dakota du Sud.

Ô Seigneur, nos esprits sont si rapides que nos émotions restent à la traîne. Il y a des années, j'ai rencontré une Française à Paris qui soutenait que dans cette ville on pouvait goûter à la solitude seulement aux toilettes ; pourtant, un jour de la fin mai, sous une légère bruine, j'ai contemplé mille deux cents variétés de roses dans les Jardins de Bagatelle, au bois de Boulogne, et j'étais parfaitement seul. L'autre jour, à la radio, j'ai entendu dire que, compte tenu des conditions météorologiques « durablement chaotiques », il était difficile de prévoir le temps qu'il ferait. Joe m'est aussitôt venu à l'esprit.

III

Nous avons longtemps attendu au cabinet du neurologue de Marquette. J'ai senti l'irritation monter en moi, en partie parce que ni Joe ni Dick Rathbone ne s'irritaient d'attendre. Dick a feuilleté une bonne année de *National Geographic*, pendant que Joe, qui avait tourné sa chaise vers la fenêtre, contemplait la rue en contrebas, comme fasciné par la circulation sporadique dans ce quartier de la ville. Au bout d'une demi-heure, une femme d'âge mûr et sans élégance a fait entrer une fillette d'environ treize ou quatorze ans, dont la tête était entourée de bandages couleur chair qui lui faisaient comme une seconde boîte crânienne. Joe a de nouveau fait pivoter sa chaise, puis la fille et lui se sont dévisagés, chacun reconnaissant chez l'autre un patient potentiel dans cette salle d'attente. La gamine s'est mise à flirter, ce qui m'a énervé à cause de son âge. Dick a feint de ne pas remarquer leur manège tandis que la mère de la fille semblait parfaitement indifférente. La main gauche de la fille s'est mise à trembler, comme paralysée, et elle l'a bientôt saisie avec son autre main en arborant une expression gênée. J'ai pris un magazine *Harper's* pour calmer ma nervosité, mais Joe s'est alors assis à côté de la fille, dont il a saisi la main paralysée. Tous deux ont éclaté de rire et la mère m'a adressé un sourire ravi. La fille a embrassé Joe sur la joue et Joe l'a embrassée à son tour. L'angoisse m'a retourné l'estomac, mais comme je ne savais pas quoi faire, mes yeux ont fixé une page de *Harper's* jusqu'à ce que les images se brouillent. Dick Rathbone a pris langue avec cette femme selon la manière désinvolte de la Péninsule Nord, en commençant par situer l'endroit où chacun habitait. Elle vivait entre Trenary et Chatham. Son mari conduisait un grumier. J'ai regardé ses pieds, qui étaient un peu enflés : elle avait noué lâchement ses chaussures. Je n'ai pas levé les yeux au-dessus de ses pieds, ni des pieds de Joe ou de la fille.

« Ils nous ont dit que Prissy était fichue. Elle s'appelle Priscilla. C'est notre sixième. La dernière. Une tumeur tout au fond de sa tête.

— Maman, je ne veux pas qu'on me plaigne. »

Priscilla annonça qu'elle allait montrer à Joe son chien resté en bas dans le pick-up et, lorsqu'ils quittèrent la salle d'attente, la femme fondit en larmes. Dick Rathbone alla s'asseoir près d'elle pour tenter de la réconforter. Cette scène pitoyable semblait tout droit sortie d'un roman de Dickens, ou de notre Steinbeck national, et j'ai senti la colère monter en moi, même si la mélancolie m'empêchait quasiment de déglutir. Contrairement à sa mère, la fille était assez jolie. Je me suis levé et par la fenêtre j'ai vu Joe et la fille caresser un bâtard installé à l'arrière d'un pick-up aux pare-chocs rouillés.

En proie à un désespoir grandissant, j'ai interrogé la réceptionniste pour la troisième fois sur les activités présentes du médecin, recevant ce même message qui ressemblait étonnamment à celui d'un répondeur téléphonique : le médecin était en chirurgie et il allait arriver le plus vite possible. Il est bien sûr ridicule de se mettre en colère contre les médecins, qui ressemblent à ces petits dieux chicaneurs de l'antiquité, particulièrement heureux de casser les pieds aux paysans grecs. J'ai failli céder au bref désir d'étrangler cette réceptionniste, mais je doutais de mes forces. Au moins, Dick avait calmé cette femme et ils étaient maintenant tout occupés à évoquer « le bon vieux temps ». Retournant à la fenêtre, j'ai alors découvert que Joe et la fille se pelotaient sur l'herbe, tandis que le chien décrivait des cercles excités autour d'eux. J'ai pensé, la peur me nouant les tripes, que Joe était sans doute capable de « conclure l'affaire » ici même, sur la pelouse du cabinet médical. Par chance, notre neurologue égaré est alors arrivé dans une sémillante BMW et, lorsqu'il est descendu de voiture pour saluer ses patients embarrassants, il portait ce qui ressemblait à s'y méprendre à une tenue de golf. Tiens donc, *en chirurgie*, voyez-vous ça… À trente mètres de lui, on sentait presque sa crème solaire *Sun Block*. Mais j'ai soudain ressenti une bouffée de sympathie envers lui, quand il s'est assis sur la pelouse avec Joe et la fille. Je l'avais déjà rencontré deux fois et ce n'était vraiment pas un mauvais bougre. Mon esprit a tourbillonné un instant à l'idée qu'un toubib doit dire au revoir aux vivants, alors que le croquemort, lui, n'a pas besoin d'attendre la moindre réponse.

Au retour, à quelques kilomètres de Marquette, nous nous sommes arrêtés pour manger un hamburger au *Brownstone*. Joe dormait assis sur la banquette arrière, les yeux grands ouverts, une attitude qui mettait mal à l'aise beaucoup de gens, dont moi, tandis qu'un Dick Rathbone en transe écoutait *La Symphonie Jupiter* de Mozart diffusée par le lecteur de cassette de la voiture. Un peu plus tôt, ç'avait été Dick Rathbone et non moi qui avait pris la mouche. En effet, le médecin avait refusé, selon moi à juste titre, d'implanter un appareil télémétrique sous la peau de Joe, et ce après nous avoir confié que toute augmentation de la posologie complexe des médicaments ingérés par Joe l'empêcherait tout bonnement de se déplacer et de se repérer. Il a insisté sur le fait que la suggestion de Dick n'était absolument pas « une procédure approuvée ». De retour dans la voiture, Dick était si écœuré qu'il m'a dit connaître un vétérinaire alcoolique et retraité qui habitait près de Seney et pourrait sans doute faire ce boulot. Pendant ce temps-là, Joe étudiait la carte manuscrite que la fille lui avait donnée afin de lui indiquer l'emplacement de sa maison. Dick n'avait encore rien remarqué, mais j'ai dégluti avec peine en découvrant qu'un peu moins de cent vingt kilomètres séparaient la cabane de Joe et la maison de Priscilla, entre Chatham et Trenary.

Mozart a calmé les plumes ébouriffées de Dick, mais mon esprit était déjà parti sur une autre tangente troublante. Roberto m'envoyait sans arrêt des livres, bien que je lui aie demandé de ne plus le faire. Et je ne pouvais pas m'empêcher de les feuilleter. J'étais tout bonnement incapable de résister au plaisir d'ouvrir un livre neuf et de humer son odeur. Tôt ce matin-là, ç'avait été *Simplicité et complexité dans les jeux de l'intellect*, de Slobodkin. Et une seule phrase de ce livre avait suffi à me mettre dans tous mes états : « Aucun organisme ne peut réagir à toute la complexité de son environnement. » Penché sur mes crêpes (pas assez cuites) aux myrtilles, j'avais regretté qu'un grand naturaliste comme E.O. Wilson, dont j'appréciais beaucoup les *Biophilia*, n'ait pas possédé la pénétration du comportement humain d'un Freud, d'un Jung ou d'un Dostoïevski.

Dick a interrompu mes pensées en demandant :
« Comment Mozart a-t-il bien pu créer ça ? »

Question assez simple, dont, lui ai-je rétorqué, je ne connaissais pas la réponse. Il a rembobiné la cassette pour la repasser. Je suis donc retourné en pensée à mon génie naturaliste, que j'ai doté, tel le docteur Frankenstein, d'une capacité équivalente de compréhension du comportement humain. Et puis, pendant que j'y étais, quelques dons musicaux et artistiques. Le Caravage, Yeats, García Marquez. La banalité de mes réflexions était un piège vieux comme le monde. Mon génie fabriqué de toutes pièces devait participer à des réunions, séduire des femmes, élever des enfants turbulents, boire du vin et peut-être du martini, gagner sa vie. Et son caractère serait trop complexe pour pouvoir se développer normalement.

Joe m'a fait sursauter en déclarant qu'il avait faim. J'avais oublié tout ce pan de l'existence : notre génie devrait cuisiner, manger, déféquer, prendre des douches et peut-être faire l'amour. Toutes ces activités humaines allaient le distraire de sa tâche. Ou peut-être l'aider à l'accomplir ?

Le moment était sans doute venu d'ingérer mon hamburger annuel, lequel se révéla si délicieux que j'ai envisagé de faire un compromis et d'en manger un autre avant la fin de l'année en cours. La serveuse du *Brownstone* a essayé de flirter avec Joe, qui reniflait sans arrêt la carte que Priscilla venait de lui donner, sans doute à la recherche d'une trace de phéromones, et lorsque nous sommes retournés à la voiture, Dick Rathbone a dû indiquer le nord à Joe qui n'avait pas sa boussole. Le lac Supérieur, situé de l'autre côté de la route, montrait le nord. L'est et l'ouest correspondaient à la Route 28. Près de nous, les voitures se dirigeaient vers l'est. Joe a examiné la carte de Priscilla, puis il a pivoté sur ses talons pour faire face au sud. Il se sentait apparemment très démuni, presque nu, sans sa chemise marron crasseuse dont les douzaines de poches contenaient sa boussole, son canif, une ligne de pêche et des hameçons, une crème anti-moustiques et des cartes. Je me suis alors dit que nous devions le faire remonter en voiture sur-le-champ, avant qu'il ne prenne la poudre d'escampette.

C'est d'ailleurs ce qu'il a fait sur l'aire de repos de la Driggs River quand, une heure plus tard, nous nous sommes arrêtés pour pisser. Dick avait des problèmes de prostate et je désirais écouter des touristes en famille qui se querellaient à une table de pique-nique (depuis ma jeunesse, je me crois sans arrêt sur le point de découvrir un sombre secret en espionnant les conversations d'autrui).

En tout cas, Joe avait traversé la Route 28 pour pénétrer dans la forêt protégée de Seney, avant que je ne crie son nom, mais sans résultat. Entendant ma voix passablement plaintive, Dick s'est précipité hors des toilettes en remontant sa fermeture Éclair.

« Merde », lâcha-t-il.

J'ai consulté une carte dans la voiture pour essayer d'estimer le temps que mettrait Joe à traverser la forêt de Seney, après quoi il rencontrerait une large bande de la forêt nationale de Hiawatha, une bonne centaine de kilomètres à vol d'oiseau entre cette aire de repos et Trenary ou Chatham. On s'aperçoit bien sûr très vite qu'on n'est pas un oiseau quand on crapahute dans les torrents, les marais, les lacs, les marécages à la végétation dense et les rivières. Dick s'est aussitôt inquiété du fait que Joe n'avait pas sur lui son modeste matériel de survie. Nous n'avons pas pris la peine de nous demander ce que Joe pouvait bien avoir « en tête », la réponse évidente étant Priscilla.

Cette nuit-là, malheureusement, fut très fraîche pour un mois d'août. J'étais assis avec Dick Rathbone dans sa cuisine pendant qu'il buvait comme un trou. Moi-même j'ai bu quelques verres, mais il a quasiment descendu une bouteille de whisky à lui tout seul. Aux alentours de minuit, sa sœur s'est mise dans une colère noire, sortant de sa chambre en poussant des cris incohérents. Quand Dick lui a répondu sur le même ton, « Ferme ton clapet, vieille pie ! », elle est retournée dans sa chambre en pleurant. Notre conversation partait en eau de boudin. J'ai toujours surévalué l'amitié de Dick parce qu'il préfère, par pure facilité, en rester à la surface des choses. Pourtant, il s'est demandé à voix haute si nous ne nous inquiétions pas autant pour Joe parce que nous n'avions pas d'enfant. J'avais juste ingéré assez d'alcool pour me complaire dans une sentimentalité que je méprise d'ordinaire. Il y a des années, j'ai subi une vasectomie pour me mettre à l'abri de toutes les menaces de procès en paternité, non pas que j'aie jamais été un Lothario, mais à cette époque je me trouvais au dernier stade de la maladie de l'argent. Roberto m'en a guéri il y a quelques années en me demandant à brûle-pourpoint, lors d'un dîner, quelle était la première image qui me venait à l'esprit quand il a prononcé le mot « argent ». Ma réponse m'a surpris :

« Le papier toilette souillé qu'on trouve parfois près des campings. »

Il a été ravi.

Vers minuit, le shérif du comté d'Alger a téléphoné pour nous informer que ni ses hommes, ni les employés du ministère de l'Environnement, ni ceux du ministère de l'Intérieur au Refuge de Vie Sauvage n'avaient vu Joe.

Nous ne nous attendions pas à autre chose et Dick m'a rappelé la déclaration du traqueur chippewa : lorsqu'un individu compétent désire disparaître dans cette région, personne ne peut rien faire pour lui, sinon attendre. Attendre et boire. Mariner dans son jus.

Je me suis réveillé à l'aube sur le canapé des Rathbone. Edna faisait déjà frire des saucisses avec des pommes de terre. Elle faisait partie de ces gens indéfectiblement convaincus que « le petit déjeuner pose les fondations de la journée ». Elle faisait aussi partie de ces femmes dont le moral remonte en proportion de la dégringolade du vôtre. Elle a lancé un coup d'œil par la double porte ouverte qui séparait la cuisine du salon, elle m'a adressé un signe de la main enjoué, elle s'est enfilé le fond de la bouteille de whisky, puis elle m'a apporté une tasse de café que j'ai bue d'un trait, avant de me rendormir. Non sans avoir remarqué avec un certain trouble que je la trouvais très séduisante dans ce vieux peignoir et avec ses cheveux mouillés par la douche.

Je me suis de nouveau réveillé à neuf heures, pour découvrir que Dick était déjà parti sur les traces de Joe vers la forêt de Hiawatha. Il m'avait de toute évidence abandonné derrière lui. Edna m'a aimablement expliqué que Dick avait quasiment le même âge que moi, mais qu'il était encore capable de marcher douze bonnes heures d'affilée. J'en ai eu la gorge si serrée que je n'ai pas pu avaler la deuxième bouchée de mon petit déjeuner. Edna a ensuite essayé de se rattraper en déclarant que son frère n'avait pas un sou vaillant à la banque et que leurs deux chèques de retraite couvraient à peine leurs besoins mensuels, ajoutant que la présence de Joe sous leur toit grevait sérieusement leurs finances déjà précaires. Elle s'enfonçait bien sûr, mais elle a continué de creuser le trou sans avoir l'air d'y toucher, en me rappelant ma position enviable qui remontait à cette époque très lointaine où mes parents arrivaient de Chicago dans notre « grosse et magnifique Buick ». Elle se rappelait que je portais alors ces chaussures « en daim blanc » plus tard rendues célèbres par Pat Boone. Dès que j'ai eu seize ans, toutes les filles du coin savaient que j'étais « un gibier de choix », et voilà pourquoi j'avais une telle cote auprès d'elles. En fait, a ajouté Edna en pouffant longuement de rire, les filles me surnommaient « Johnny-qui-baise-plus-vite-que-son-ombre » à cause d'une blague cochonne en vogue à cette époque lointaine.

J'ai posé par terre mon assiette de petit déjeuner à l'intention de Marcia, en lui caressant la tête pendant que la chienne se régalait. L'allusion initiale d'Edna, pour qui je n'aurais fait que gêner les recherches concernant Joe, m'avait carrément flanqué au trente-sixième dessous. Avait suivi un flot de souvenirs de la demi-douzaine des filles du coin avec qui j'avais fait l'amour en utilisant mes préservatifs haute résistance de Chicago avant de partir à l'université et de me mettre à travailler pendant l'été. Le regard rivé à une petite flaque de jaune d'œuf refroidi, je me suis rappelé leurs noms, ainsi que mes vaines tentatives de camaraderie quand mon père m'avait conseillé, juste après l'anniversaire de mes seize ans, d'utiliser des capotes, parce que ces filles savaient que nous étions « des nantis » et que certaines voudraient peut-être me piéger dans un « mariage express ». *Dixit* le paternel.

Seigneur, je suis sorti en courant de cette maison, mais j'ai trébuché et Edna m'a rattrapé sur le seuil. J'ai réussi à l'écarter de mon chemin, ma main se retirant très vite au contact d'un sein flasque et plantureux. Quand j'ai atteint ma voiture garée dans la cour, je m'étais calmé à la façon d'un zombie de cinéma. Il était impensable de ne pas m'arrêter à l'épicerie et à la poste. Curieusement, j'ai acheté ma première boîte de spaghetti franco-américains depuis la fac (sûrement le signe avant-coureur d'une profonde confusion). À la poste, m'attendaient encore un livre expédié par Roberto et une lettre d'Ann, que j'ai lue sur-le-champ, sans doute une mauvaise décision. Elle n'était pas encore enceinte de Joe, mais elle me traitait néanmoins de tous les noms à cause de mon refus de l'épouser quand « elle porterait l'enfant », une manière étrangement contournée de s'exprimer.

Au chalet j'ai mangé mes spaghetti en boîte étalés sur des toasts et j'ai été submergé par des souvenirs désagréables, qui remontaient à l'université et où figurait une fille de mon cours de français que j'adorais mais qui ne pouvait pas me blairer. Elle se prenait pour une intellectuelle tout en sortant avec un ignoble joueur de basket, qui était aussi président de sa fraternité. Quand j'y repense, cette fille ressemblait déjà à mon épouse et à Ann.

Mon père était obsédé par un travail acharné et par l'argent, deux malédictions calvinistes, et je passais tout mon temps libre à aider mon oncle à trouver des locaux commerciaux prêts à vendre. Il s'agissait souvent de petites usines, où je me rendais avec une équipe de Noirs pour nettoyer l'endroit et y passer un coup de peinture cache-misère. Je me suis souvent demandé par la suite comment nous avions pu passer de si bons moments à accomplir des tâches si éminemment désagréables. Mon oncle défendait cette théorie tellement rare selon laquelle vous gagnez davantage d'argent en payant bien vos employés, moyennant quoi ceux qui travaillaient dans mon équipe avaient un moral à toute épreuve. Mon oncle était également un gourmet, quoique d'une méticulosité excessive, et les déjeuners qu'il nous envoyait étaient toujours excellents, d'habitude des sandwiches gigantesques préparés chez un traiteur italien.

Comment pouvais-je m'apitoyer maintenant sur le décrassage et le décapage des murs et du sol d'une usine vide et non chauffée, par les froides matinées de janvier ou par les après-midi torrides de juillet ? Franchement, mes amis noirs de cette époque rendaient bien pâlots mes camarades d'université, à l'égocentrisme exacerbé et aux émotions superficielles.

Le livre envoyé par Roberto cette semaine-là, *Le Darwinisme neuronal* d'Edleman, m'a fait basculer dans une profonde crise d'angoisse que ma pauvre âme désirait de toute évidence. Me voilà donc en train d'étaler mes spaghetti sur un toast et, malgré toute l'intelligence que je suis supposé posséder (157 lors d'un test de QI), je n'ai tout simplement rien compris au moindre paragraphe de ce bouquin. J'ai reniflé l'ouvrage, en vain. J'ai frissonné, les angles de la pièce se sont brouillés. Les larmes me sont montées aux yeux. Mes poumons ont refusé de se remplir. Ma bouche s'est soudain desséchée. Une image s'est tout à coup formée devant mes yeux : ma cousine Laura me montrant son postérieur dans cette même pièce, nous avions douze ans. Là-bas, près de la fenêtre et de l'angle du mur. Sous la vieille balance en cuivre destinée à peser le poisson, sa main gauche posée sur le rebord de la fenêtre.

« Tu vois mon cul ? » m'a-t-elle demandé avec une intonation très chic.

Tandis que je feuilletais *Le Darwinisme neuronal* en cherchant vainement une phrase que j'aurais pu comprendre, le parfum de lilas de Laura est entré dans la pièce malgré cinquante-cinq années d'absence. Mon épouse n'aimait pas les insectes, en fait elle ne les supportait pas, moyennant quoi elle mettait rarement les pieds ici. Chez elle, cela frisait une phobie qui trouva sans doute son origine le jour où, dans la baignoire où elle prenait son bain, son cousin versa un sac plein d'insectes qu'il venait de ramasser. C'était du moins ce qu'elle prétendait. Les précisions qu'elle fournissait étaient crédibles.

J'ai rencontré Roberto juste après le règlement des derniers détails de mon divorce, au *Drake* à l'heure du thé. Tout s'est bien passé jusqu'à ce que je reste seul avec mon avocat ; je suis alors allé dans les toilettes dont les murs se sont mis à vaciller en un *remake* des images cinématographiques de tourbillons et de remous. Le cabinet de Roberto se trouvait à proximité dans la même rue et il m'a prescrit des médicaments qui m'ont permis de survivre dans du coton pendant quelques mois. Que faire de ce grand trou que le divorce creuse dans votre existence, un trou d'au moins trois ans ?

Roberto explique cette longue parenthèse par le fait que nous sommes essentillement des singes, des primates, et que nous nous absorbons l'un dans d'autre. Personne n'aurait la moindre crise d'angoisse si tous les cas de figure (il y en a au moins un million par individu) étaient classés et répertoriés. Peu de gens connaissent leur esprit, nous étouffons tous sous un tombereau d'analyses psychologiques vaseuses, me suis-je rappelé.

À dix heures du matin, je me suis allongé sur mon sac de couchage lui-même étendu sur la table de pique-nique, et je m'y trouvais toujours à la tombée de la nuit après avoir seulement bougé pour me retourner ou pisser pardessus le rebord de la table. Je n'avais aucune envie de manger ni de boire, en tout cas aucune qui m'aurait poussé à me lever. Mon cerveau papillonnait et voletait, mon corps frémissait. Plusieurs fois, j'ai pleuré. Ma tension sanguine crevait les cumulus de passage dans le ciel. J'ai senti avec ravissement une crampe dans mon pied gauche, qui m'a fait oublier le restant de mon corps. Ma vie s'égrenait comme une bobine d'actualités engourdie. Mon état me rappelait sans cesse un de mes oncles, un homme brusque que je n'aimais pas, qui est revenu du Pacifique après quatre années de service dans la *Navy* durant la Seconde Guerre mondiale, a côtoyé pendant quelques mois la branche de notre famille vivant à Chicago, puis est parti s'installer à Corpus Christi, au Texas. Ce déménagement au Texas constituait une incartade par rapport au goût familial. Bref, Oncle Carl était un homme viril à l'ancienne mode, à la manière de l'acteur de cinéma Robert Ryan. Mon père avait mystérieusement déclaré que la guerre avait « cuit Carl pour de bon ». Sur le moment je n'ai pas très bien compris ce qu'il voulait dire, mais Carl avait certainement de la suite dans les idées. De mon côté, je ne connaissais bien sûr rien à la guerre, mais c'était aussi mon sentiment : Carl avait été cuit par la vision de la mort, comme si mon mode de vie dans notre culture avait seulement constitué une guerre perverse et absurde, dans laquelle l'économie était devenue la seule réalité acceptable. Mais pour autant, je ne me sentais aucun droit de me plaindre ou de gémir. J'étais au moins un général une étoile dans cette conflagration sans issue. Je connaissais bien sûr la tentation de poursuivre les centaines de projets d'amélioration de soi qui nous affligent tout au long de notre vie, avant que nous ne nous convainquions de leur inanité profonde. Dans l'un de mes anciens clubs du troisième âge, à Chicago, nous riions follement de tous ces vieux joggers de notre génération qui étaient tombés raides morts, tandis que nous ignorions par facilité ces autres vieillards qui tombaient raides morts à cause de leur paresse physique.

Le cri d'un geai bleu m'a ramené vers ce présent essentiel que j'avais passé ma journée à tenter d'éviter comme un forcené. J'ai fermé les yeux, ce qui a permis à l'oiseau de s'approcher de la mangeoire pour la dernière fois dans le crépuscule. Comment un geai bleu pouvait-il comprendre mes yeux, me suis-je demandé en les rouvrant pour remarquer aussitôt que le crépuscule semblait avoir progressé vers l'obscurité pendant les quelques minutes que je venais d'accorder au geai pour se nourrir une dernière fois. Puisque j'étais capable de remarquer cela, je devais aussi constater sans l'ombre d'un doute qu'il ne me restait guère le temps d'entamer une autre vie. Telle était l'origine de l'angoisse terrifiante qui m'avait collé si absurdement à la table de pique-nique pendant plus de douze heures.

L'étape suivante était encore plus difficile à franchir, parce qu'elle était d'une logique irréfutable. À quoi bon désirer aussi follement une autre vie, quand j'avais tout lieu d'être satisfait de celle-ci ? Mon âge de soixante-sept ans n'était guère approprié pour cette question, mais les plus grosses bourdes de mon existence ont toujours été jugées fort appropriées. Ainsi, tant ma famille que celle de mon ancienne femme ont jugé notre mariage parfaitement approprié. Bien sûr, dans cet état d'esprit exacerbé, on s'égare aisément dans des détails moins menaçants de notre biographie. Mon ancienne femme était fondamentalement morte pour moi et j'étais sans doute encore plus « mort » à ses yeux.

Par chance, j'ai reconnu la lumière blanche dans la forêt : la lune montante, à quelques jours de son déclin complet, mais certainement assez claire pour aider Joe qui, compte tenu de son incroyable condition physique, approchait peut-être de sa destination scandaleuse, mais sans doute pas scandaleuse pour Joe qui avait perdu tout intérêt pour ces considérations. Je l'imaginais glissant à travers la forêt vers son amie trop jeune, comme dans les romans affreusement sentimentaux de Zane Grey, que j'avais lus dans ma jeunesse et qui incluaient des bûcherons et des cow-boys à l'héroïsme improbable.

Dick avait eu la bonne idée d'appeler Ann quand il était revenu sans Joe. Elle devait passer un examen, mais elle viendrait dès le lendemain. Nous avions aussitôt pensé à Ann en tant que leurre (et peut-être plus) susceptible de détourner Joe loin de cette pauvre fille affligée d'une tumeur. Ce problème était d'autant plus poignant qu'il risquait de nous entraîner vers une sentimentalité absurde.

La lune traversait les arbres ; mon corps ainsi que mon cerveau se retrouvaient enfin, après treize heures ou presque, reposés. Bien sûr, je n'avais pas le temps d'inventer une autre vie, mais je pouvais au moins y jeter un coup d'œil. Il est assez facile de rejeter les possibilités offertes par mille bons livres, mais la nature de Joe était à portée de la main. Et il m'était aussi facile de considérer qu'Ann se trouvait à l'origine de mes modestes tourments, selon le scénario classique où un homme âgé à la vie sexuelle quasiment inexistante rencontre par hasard une jeune femme pour laquelle il éprouve un profond attrait. Histoire prévisible et souvent comique. Avec mes amis de Chicago, ou plutôt de simples connaissances, nous avions souvent ri en évoquant l'un de nous qui avait commis l'erreur de dissimuler son âge, avec des conséquences parfois désastreuses et toujours financièrement ruineuses. Néanmoins, à l'instant précis où vous êtes tout à fait sûr d'avoir rangé vos hormones au placard, elles sont capables de vous sauter dessus sans prévenir. Je suppose qu'à l'inverse de la jeunesse, c'est un problème de fréquence et d'intensité.

Je suis descendu de la table, les jambes toutes flageolantes, et je suis tombé assez doucement, le visage dans l'herbe. La terre semblait raisonnablement solide, à l'inverse de mes impressions récentes. Le monde réel ne ressemble peut-être pas à celui que j'ai vu pendant toute ma vie. Telle était l'une des questions que Joe proposait. Dire que, même l'année dernière, j'aurais très bien pu passer à côté de Joe malgré ma proximité avec Dick Rathbone, ou j'aurais très bien pu ne pas m'intéresser à lui. Il me fallait connaître cet état de vulnérabilité légèrement pathétique, car mon intérêt pour la vie en général semblait s'évaporer, et je sentais que je désirais voir ce que Joe voyait, même au risque d'une brutale surdose sensorielle. L'angoisse provient de la monotonie du train-train, de cette « vie non vécue » dont on parle si souvent, de l'impression d'occlusion qui accompagne tout naturellement une curiosité étouffée, ou une curiosité qui s'est enterrée dans un trou familier. Je reconnais volontiers que les effets précis de la blessure de Joe me demeurent inconnus, mais j'ai lu que d'éminents spécialistes du cerveau réunis en congrès blaguent volontiers quand on les interroge sur la date à laquelle ils seront enfin prêts à s'attaquer au problème de la « nature de la conscience ».

Pour conclure dignement cette journée vouée à des ambitions prétentieuses, j'ai nettoyé et rangé mon étagère d'épices et de condiments. Je cuisine rarement avec le curry, mais j'ai trouvé neuf bocaux contenant du curry en poudre, dont certains datant d'une époque lointaine. Dick Rathbone dit souvent pour plaisanter que je suis « le roi des épices ». Les vermines les plus minuscules se délectent de purée de piment, mais pas de sucre brun !

Sans entraînement, on se heurte très vite à ses limites. J'ai réchauffé quelques *tamales* congelés, expédiés *via Fed Ex* par un ami du Nouveau-Mexique et j'ai ouvert une bouteille de Bandol domaine Tempier.

Une fois mon étagère nettoyée, avec un sentiment aigu du devoir accompli, et en attendant que les tamales fument, j'ai ouvert le dernier en date des calepins de Joe. Je suis resté perplexe devant une page de gribouillages presque incompréhensibles, avant de remarquer que mes yeux étaient pleins de larmes, et de me rappeler aussitôt le soir qui a suivi la mort de mon père, il y avait plus de quarante ans, quand ma mère avait passé presque toute la nuit à laver compulsivement ses nombreux services à vaisselle. Le nettoyage de mon étagère d'épices et de condiments présentait une similarité fragile, mais personne n'était mort. J'ai frissonné en résistant à la tentation de braquer une lampe-torche vers la table de pique-nique pour voir si mon corps y gisait. Il était maintenant minuit passé et je comptais sur le vin, qui frappait de plein fouet mon estomac vide, pour me ramener vers la terre ferme ou mon fauteuil en érable.

La prose de Joe était un code au nombre apparemment infini de variables. Les loups s'orthographiaient parfois « lou » ou simplement « lo », tandis que les ours devenaient « urs » ou « ors », mais tous les connecteurs linguistiques, les articles, verbes et adjectifs, tendaient vers la bouillie pure et simple. Edna Rathbone m'avait confié que, dans la cabane de Joe, se trouvaient un grand vase rempli de plumes d'oiseaux, des fleurs séchées, des insectes morts, des peaux de serpent, des os, des fragments de crâne de mammifère. Un garde forestier (doublé d'un parfait crétin) m'a dit qu'il avait suivi les traces de Joe jusqu'à un terrain d'une centaine de kilomètres carrés qui inclut les dunes de Grand Sable, le long du lac Supérieur, et dans un fourré il avait découvert une demi-douzaine de crânes de coyotes alignés sur une branche basse de bouleau. Ce garde se demandait si, à mon avis, il y avait de la sorcellerie dans l'air...

Plus loin, j'ai réussi à comprendre que Joe passait souvent ses nuits dans « le ciel ». J'ai d'abord pris le mot « amac » pour *hummock*, une sorte de tertre dans un marécage, puis j'ai pensé qu'il voulait parler d'un « hamac ». Je savais qu'il aimait grimper aux arbres, un exercice qui suscite quelques frayeurs chez nous tous, mais pas autant que ses séances de natation. Je savais aussi que mon vieux hamac avait disparu de ma cabane à bois.

Tout en mangeant mes *tamales* longtemps après minuit, j'ai pensé qu'une fois de plus j'étais peut-être victime de mon envie. Depuis ma jeunesse j'ai toujours eu le sentiment de rater quelque chose, sans doute parce que c'était la vérité. Mes lectures m'ont entraîné dans de lointaines contrées de la botanique, de l'anthropologie, de l'histoire, de la géographie, voire de la physique, pour citer quelques disciplines, et j'ai été confronté à des exposés si brillants que je me suis pris pour un simple d'esprit, ce qui était en effet le cas dans ces domaines. Ce constat n'a nullement entamé l'intensité de mon envie, laquelle jaillissait presque en sifflant hors de mes pores. J'hésitais néanmoins à franchir le pas habituel dans notre culture vouée aux actes de génie totalement déroutants. Par exemple, très tôt dans ma carrière de collectionneur de livres, alors que je n'avais pas encore trente ans, mon oncle qui était aussi mon mentor en ce domaine m'a mis en garde contre les comparaisons méprisantes et déplacées. Je rejetais alors Langston Hugues et Richard Wright au profit de Ralph Ellison, qui venait d'être publié. J'avais sagement acheté tout un carton contenant cinquante exemplaires de *L'Homme invisible*. Mon oncle m'a alors reproché de traiter la littérature comme une course en sac, ajoutant qu'il fallait se montrer humble devant toute œuvre valable. Naturellement, la communauté littéraire dans ce qu'elle a de pire – ce qu'elle est devenue aujourd'hui – traite bel et bien la littérature comme une course en sac, mais ce phénomène relève de la bêtise collective.

Ma plus grande faiblesse de caractère, douloureusement soulignée par le cas de Joe, était la pauvreté de mon imagination. Un jour qu'à peine âgé de trente ans je me trouvais à Barcelone, j'ai lancé une anthologie bilingue de la poésie espagnole par le balcon d'un excellent hôtel et vers les *Ramblas*, avant de jeter des coups d'œil furtifs pour voir si je n'avais pas blessé quelqu'un dans la masse des promeneurs qui arpentent en permanence ce boulevard. Je m'étais maintes fois rassuré en pensant que les trois imaginations les plus débridées de ma connaissance n'avaient rien fait de leur vie, mais j'ai arrêté d'y penser en comprenant que moi-même, sans grande imagination, je n'avais pas accompli grand-chose non plus. La poésie espagnole me faisait bouillonner de jalousie, car j'étais incapable de créer une seule métaphore. Même mauvaise.

Ann est arrivée vers quatre heures du matin, alors que je m'endormais enfin. Elle ressemblait un peu à une survivante de Treblinka, avec ses yeux rouges, ses cheveux tout aplatis, son énervement et son nez qui coulait comme d'habitude. Fatigué et de mauvaise humeur, je lui ai servi un calvados, puis je suis allé me recoucher dans ma chambre à l'étage, refusant de lui sacrifier mon confort comme un obséquieux sycophante. Alors que je montais l'escalier, elle a lâché qu'Edna lui avait appris au téléphone que Joe poursuivait les faveurs d'une gamine de quatorze ans. Cette brave Edna. J'ai chuchoté, à travers une somnolence feinte, que je lui en parlerais dès le lendemain matin. Avant de dormir et en écoutant le tambourinement de la douche, je me suis dit que Joe avait peut-être besoin de sa bête ou de son monstre trinitaire pour la raison expliquée par Claude Lévi-Strauss : la création de pareilles bêtes mythologiques était aussi indispensable que la construction d'un nid. Allons plus loin : pour reprendre les termes de mon *Darwinisme neuronal* mal digéré, les bêtes de Joe ressemblaient peut-être aux créations de nos religions primitives, à l'élaboration d'une carte des dieux. Je me suis aussi demandé si l'existence de monstres s'expliquait par des rémanences génétiques observables dans nos douze milliards de neurones. Nos monstres sont aujourd'hui très abstraits, mais plus tôt dans notre histoire collective ils étaient très réels. J'ai imaginé (histoire de changer...) quelques hommes des cavernes, près de Sarlat en France, essayant de se défendre contre un ours pesant une tonne. Dieu seul sait contre quoi ils ont dû se défendre deux millions d'années plus tôt, en Afrique.

Vers cinq heures du matin, peu après le point du jour, Ann a pris sur elle de me rejoindre dans ma chambre. Une décision en définitive comique, car je dormais à poings fermés et rêvais d'une soirée passée avec mon épouse à Palm Beach dans les années soixante-dix, quand nous étions allés voir sa tante après une semaine agréable à Key West (par chance, j'avais réussi à convaincre Tennessee Williams de signer presque tous ses livres). Cette tante était une vieille Républicaine méprisable qui faisait tourner en bourrique sa demi-douzaine de domestiques latino-américains. Elle s'est moquée des Démocrates pendant le dîner dans un de ces horribles restaurants chic qu'affectionnent souvent les riches et où l'on est incapable de faire la différence entre le veau et le poisson parce que tous les plats sont nappés de l'infecte « Sauce Spéciale du Chef Pierre ». Après une méchante querelle à propos du salaire minimum (la vieille pie touchait des pots-de-vin à Cincinnati), je suis sorti pour prendre une chambre au *Breakers* tout proche, parce que j'avais laissé la voiture à mon épouse. Seule restait disponible dans l'hôtel une suite au prix astronomique, mais j'étais trop furieux pour m'en soucier et j'ai commandé une bouteille de côte-rôtie que j'appréciais beaucoup. Bref, ma femme m'a découvert là et nous étions tous deux tellement énervés que nous avons fait l'amour comme jamais au cours de notre mariage. Allez donc y comprendre quelque chose, comme on dit.

J'étais donc plongé dans mon rêve splendide bien que distordu de cette orgie maritale et, quand je me suis réveillé, Ann m'a « couvert » pour un grand galop d'environ cinq secondes. Elle m'a murmuré que son geste tenait lieu de « mot de remerciement » pour toute ma bonté. Toujours absorbé dans mon demi-rêve où je confondais Ann et mon ancienne femme, je regardais les planches rugueuses du plafond en grimaçant quand une douleur m'a transpercé la prostate, telle une épingle à chapeau brûlante. Lorsque cette douleur a reflué, j'ai dérivé vers le sommeil, mais Ann a alors fondu en larmes. Je commençais à considérer ma cavalcade de cinq secondes comme la plus mauvaise affaire de ma vie, quand par un coup de chance inopiné une famille de corbeaux a atterri dans mon jardin. Je me suis aussitôt approché du banc situé sous mes fenêtres, car les corbeaux me rendent rarement visite et d'ordinaire vers cette heure à la mi-août. J'ai croassé doucement, ce qui ne les a guère inquiétés, car ils sont habitués à mes piteuses tentatives pour communiquer entre espèces différentes. Ann a d'abord été furieuse en constatant que je trouvais les corbeaux plus intéressants que sa souffrance, mais elle a fini par me rejoindre sur le banc. Il y avait un volatile très grand et barbu, une sorte de « *Ur*-corbeau », sans doute le plus gros que j'aie jamais vu, mais je ne fais pas vraiment confiance à ma mauvaise vue et cet oiseau se trouvait en partie dans l'ombre d'un bosquet de cèdres. La douzaine d'oiseaux se pavanaient, sautillaient, gloussaient, croassaient et sifflaient. Les geais bleus et les gros-becs du soir qui fréquentaient d'habitude la mangeoire à cette heure se sont envolés, hormis une courageuse femelle gros-bec. J'ai admiré son joli nez romain, qui m'a fait penser à celui d'Ann. Je me suis demandé tout du long si ce grand gaillard planqué dans les cèdres n'était pas l'oiseau de Joe. Je me suis tourné vers Ann, accoudée sur le rebord de la fenêtre en une posture qui faisait remonter la pointe de ses seins. Elle se tenait agenouillée sur le banc, ce qui accordait au lit inanimé un point de vue que j'aurais aimé partager. Encouragé par les corbeaux, j'ai annoncé que j'allais chercher une petite paire de jumelles que je garde sur la table de nuit pour observer les oiseaux et les quadrupèdes. J'ai donc pu admirer ses fesses dressées devant la fenêtre et j'ai failli céder au désir de m'écrier :

« Dieu soit loué ! »

Mon membre redevenait turgescent, un sujet de fierté pour le vieux chnoque, mais quand je me suis approché de la fenêtre, elle a éclaté de rire et l'a serré brièvement avant de descendre l'escalier.

Après seulement une heure de sommeil, il n'était plus question de dormir. Je me sentais éreinté en préparant un petit déjeuner pour Ann. Elle a fait remarquer qu'elle avait aussi peu dormi que moi et je me suis retenu de lui rétorquer que quarante années nous séparaient. Puisqu'elle ne semblait pas le remarquer, nous pourrions peut-être récidiver, même si à cet instant précis j'avais autant envie de faire l'amour que de subir une crise d'angoisse carabinée. En guise de petite plaisanterie, elle a évoqué l'hypothèse qu'elle était peut-être enceinte de moi ou de Joe et, là encore, je me suis retenu de lui rétorquer que j'avais subi une vasectomie. Je n'ai pas très bien compris pourquoi c'était tactiquement habile de ma part, mais tant dans l'immobilier que dans le commerce des livres rares on est tenté d'aiguiser sa ruse simplement pour ne pas perdre la main.

Comme nous roulions vers la maison de Dick Rathbone, Ann m'a encore énervé en qualifiant Joe de « noble ». J'ai ralenti afin de me lancer dans une de mes tirades mémorables, pour déclarer que le concept absurde du « noble sauvage » n'a pas grand-chose à voir avec l'état de Joe, car c'était une lésion cérébrale qui semblait le transformer en une sous-espèce de l'*Homo sapiens*. D'une voix perçante, elle m'a alors traité de « vieux connard fatigant ».

Dans la cour de Dick Rathbone était garée une énorme cabine de grumier sans remorque. Nous sommes entrés et l'on nous a présenté Henry, le père de Priscilla, un type d'âge mûr, manifestement d'origine canadienne française, et qui sentait la graisse, le diesel, l'écorce de pin. Malgré son apparence assez fruste, il partageait avec sa fille une certaine beauté.

C'était hélas un homme taciturne et j'ai dû rassembler une à une les pièces du puzzle, car Dick roupillait sur sa chaise de cuisine et n'était guère communicatif. Joe avait atteint sa cible, le comté de Trenary-Chatham, après une quarantaine d'heures de marche forcée, ce qui n'est pas mal du tout pour une centaine de kilomètres en terrain accidenté, en fait une performance quasi inaccessible sinon pour les champions de la gonflette les plus endurcis produits par notre belle civilisation. Henry, le père de Priscilla, avait découvert Joe endormi sous la véranda avec le chien que Joe avait caressé à l'arrière du pick-up, devant le cabinet du médecin de Marquette. Priscilla n'était pas revenue de Marquette, car sa tumeur grossissait de manière inquiétante et on l'avait envoyée à l'hôpital. Je n'ai pu m'empêcher d'être déçu au spectacle de la vague-lette de plaisir qui a traversé le visage d'Ann quand elle a appris que Joe n'avait donc pas revu Priscilla. La jalousie sexuelle s'épanouit même face à la mort de la concurrente malgré elle.

Bref, Henry a déclaré que Joe ne voulait pas partir, mais l'épouse de Henry a alors téléphoné de la chambre de Priscilla à l'hôpital, et nos deux tourtereaux ont pu se parler un moment, malgré l'état comateux d'une Priscilla abrutie de médicaments. Joe a alors compris la situation et Henry l'a raccompagné jusqu'ici, sauf qu'au croisement de la Piste d'Adam et de la Route 77, Joe lui a signifié qu'il voulait pisser, il a sauté du camion avant l'arrêt complet et a filé vers l'est à fond de train et à travers bois.

Quand Henry s'est levé pour partir, nous l'avons remercié et j'ai essayé de lui donner un billet de cent dol-lars pour son aller et retour, un argent qu'il a fièrement refusé. Il appartenait de toute évidence à une famille très affectueuse, car il nous a tous serrés dans ses bras, une accolade qui m'a bien sûr mis mal à l'aise. Vraiment bizarre d'embrasser un corps aussi puissant. Dehors sur la véranda, Henry a lancé : « Tout ça est vraiment trop injuste », une réplique trop dickensienne pour que je n'en aie pas la gorge serrée.

Le petit jour rougissait encore le ciel quand nous sommes partis à huit heures du matin. Edna nous a préparé un panier de victuailles et de l'eau. À la dernière minute, nous avons décidé d'emmener Marcia pour ses talents de traqueuse. Le principal problème était que Joe n'avait pas pris ses médicaments depuis deux jours et qu'il se trouvait ainsi dans un état dont nous ignorions tout. Ann s'est irritée lorsque nous avons fait halte au *Bayshore* pour que Dick achète une bouteille de whisky en cas d'urgence. Lorsqu'elle lui en a fait le reproche, il lui a répondu : « Occupe-toi donc de tes putains d'affaires », une réplique qu'il utilise seulement dans les circonstances les plus graves.

Puisque notre humeur collective n'était guère brillante (à l'exception de Marcia), j'ai pressenti que nous approchions du commencement de la fin, tout en me reprochant· intérieurement cette douteuse prémonition. J'ai donné un coup de volant pour éviter un écureuil ou un tamia, mais en vain car j'ai entendu le bruit sourd, à peine perceptible, de sa mort. Cet incident m'a déprimé davantage et Dick m'a alors demandé de m'arrêter pour prendre le volant. Je me suis assis derrière avec Ann et une Marcia ravie s'est installée à ma place auprès de Dick. Elle préférait l'illusion de monter la garde pour nous tous. J'ai évité de regarder Ann qui semblait toujours offusquée par la réplique sans appel de Dick concernant la bouteille de whisky. Alors, sans prévenir, je me suis endormi comme un enfant, pour me réveiller seulement quand Ann a repoussé ma tête qui gisait dans son giron ; mais à aucun moment je n'ai été assez conscient pour jouir de cette situation.

Dick avait garé mon 4X4 sur le chemin, à l'endroit le plus proche de la caverne de Joe, et il rangeait les provisions et l'eau dans son sac à dos. D'un œil encore somnolent, j'ai regardé Marcia filer dans les fourrés sur la piste de Joe pendant que Dick et Ann riaient de concert, moyennant quoi Ann avait sans doute mis fin à sa bouderie. Tous deux m'ont regardé comme s'ils se demandaient si j'allais les accompagner et je suis descendu de l'arrière de la voiture avec toute l'énergie d'un ver de terre à moitié noyé.

Après mes récentes chutes, j'avais eu la riche idée de prendre une canne de marche pour tâter le terrain devant moi, et j'ai donc pu rester à leur hauteur sans trop de problèmes, en me concentrant sur le cul d'Ann qui évoluait à quelques pas devant moi. Comment un organe aussi fonctionnel pouvait-il générer autant d'angoisses, me demandais-je en passant en revue les réponses biologiques habituelles. Je me suis rappelé avec amusement la phrase de Darwin, citée par Edelman : « Alors naît un doute : peut-on faire confiance à l'esprit de l'homme, qui, ainsi que je le crois sincèrement, s'est développé à partir d'un esprit aussi vil que celui de l'animal le plus vil, quand cet esprit tire d'aussi vastes conclusions ? » J'ai alors vu un Shakespeare lascif léchant une vile femme de chambre comme un chien errant, après avoir écrit son plus beau sonnet. Puis le libidineux Einstein, à l'hippocampe hypertrophié, abandonnant ses considérations cosmiques pour les plaisirs humides d'un lit adultère. Nous n'inclurons pas ici notre président attaqué de toutes parts, la cible des sarcasmes hautains de sommités indolentes et de congressistes corrompus.

Égaré dans mes rêveries, j'ai bien sûr percuté Ann lorsqu'elle s'est arrêtée pour renouer son lacet. Je l'ai aidée à se relever tandis qu'elle sifflait : « Espèce de sale con », puis je me suis félicité de l'avoir relevée si aisément. J'ai conservé une force appréciable grâce aux stupides exercices physiques par lesquels j'entame ma journée, le seul projet d'auto-amélioration que je n'aie pas abandonné. Je tiens à être longtemps encore capable d'ouvrir une bouteille de vin, un pot, de monter l'escalier qui mène à mon lit.

Quand nous avons atteint la caverne de Joe, Marcia nous attendait, puis elle a filé dans les broussailles et Dick en a conclu qu'elle savait où se trouvait Joe. J'ai été vaguement déçu, car j'envisageais de prendre un peu de repos sur une des peaux de daim que je comptais sortir de la caverne de Joe. Ann m'a tendu l'une de ces gourdes à jet d'eau, utilisée par les randonneurs, les joggers et autres cyclistes, mais je me suis étranglé en essayant de boire. Ann a filé derrière Dick et Marcia, tandis que je les suivais laborieusement, refusant de céder au désespoir du gamin lâché par ses copains. Mes battements de cœur devenaient erratiques, je n'arrivais plus à respirer, mais j'ai tenu bon et, tout le temps, j'entendais les buissons qu'ils écartaient sur leur passage.

Quand je suis arrivé sur la berge élevée, en surplomb de la rivière où Joe avait trouvé l'énorme crâne d'ours, j'ai entendu Marcia aboyer. Très en contrebas, Dick et Ann levaient les yeux vers deux très grands pins blancs et Marcia continuait d'aboyer, les pattes avant posées sur le tronc d'un des deux arbres. Incapable de rien voir à partir de ma berge, je les ai rejoints le plus vite possible. Ann s'est retournée en m'entendant et a levé la main vers le ciel. Je n'ai d'abord rien remarqué, puis parmi les frondaisons supérieures et entremêlées des deux arbres j'ai repéré un hamac. Il se trouvait à une vingtaine de mètres de haut et contenait manifestement Joe, même s'il ne bougeait pas. Dire que nous étions stupéfaits serait un euphémisme.

« Il est arboricole », déclarai-je assez stupidement.

Nous nous sommes assis pour réfléchir en silence. Au bout de quelques minutes déprimantes, Ann a pris plusieurs cachets dans un flacon tiré du sac à dos de Dick et elle a glissé sa petite gourde dans une poche latérale de son pantalon de marche.

« Ne tombe pas », a piteusement conseillé Dick.

Sans rien répondre, elle a entamé l'escalade de l'arbre.

C'était assez facile, mais je ne m'y serais pas risqué. Les pins blancs ont des branches bien espacées, mais quand Ann a atteint le hamac, nous avons clairement entendu le genre de gémissement déchirant qui accompagnait jadis les enterrements irlandais à Chicago ou dont témoignent les enregistrements sonores réalisés par les ethnologues lors des cérémonies des autochtones américains. Cette lamentation a fait rougir jusqu'à mes tripes, je me suis mis à grincer des dents et ma paume a frappé plusieurs fois le sol. Marcia s'est installée sur les genoux de Dick et elle a fermé les yeux. Dick gardait les yeux baissés vers les méandres de la rivière pour essayer d'y trouver un modeste réconfort. Inutile de tenter d'imaginer le malheureux cerveau blessé de Joe perdant complètement les pédales jusqu'à ce que ses vocalises atteignent un tel degré de folie que la forêt elle-même a refusé de les absorber. Je me suis mis à pleurer à chaudes larmes, chose que je n'avais pas faite depuis la disparition de mon père, quand j'ai attendu le lendemain matin et que j'ai aperçu sur son bureau sa mallette contenant sa riche collection de pierres. Alors j'avais pleuré. Et maintenant, de nouveau, j'étais en larmes.

Lorsque les gémissements ont enfin cessé, Dick s'est laissé aller en arrière pour s'allonger et Marcia s'est approchée de moi en agitant la queue. Ann est redescendue de l'arbre, elle a pris quelques provisions, puis elle est remontée sans un mot. J'ai partagé avec Dick un sandwich au rôti, bourré de tranches de radis noir cultivé par Edna et si piquant qu'il vous dégageait les sinus en moins de deux. Dick a sorti la bouteille de whisky et nous l'avons contemplée un moment comme si nous comprenions enfin à quoi servait réellement ce breuvage, puis chacun de nous en a bu une gorgée.

Ann est seulement redescendue en début de soirée. Elle était hagarde, vidée, et elle a lâché d'une voix sifflante : « Merci mon Dieu pour les produits pharmaceutiques. »

Il m'a aussi semblé que certaines illusions romantiques l'avaient quittée, du moins pour l'instant. Dick lui a préparé une tasse de café instantané, où elle a versé une bonne rasade de whisky. Elle était submergée d'un sentiment d'impuissance que nous partagions tous.

La fumée de notre feu de camp montait tout droit dans l'air immobile, telle une offrande vaporeuse qui entourait le hamac de Joe d'une brume soyeuse. Notre seul réconfort se réduisait à nos gorgées de whisky rationnées, sans parler du léger gargouillis de la rivière. Mon esprit a dérivé vers notre inefficacité collective ; mais, si tous les auteurs géniaux de mes bouquins sur le cerveau, ou au moins Edelman, Damasio, Slobodkin, Calvin *et alii*, avaient été là, ils n'auraient guère pu faire autre chose qu'améliorer le niveau de la conversation. Imaginez, si vous préférez, un cancérologue possèdant d'immenses connaissances sur le mélanome fatal, mais incapable de le soigner. Extrais-le avec ta pelle miniature, le scalpel.

L'homme perché dans l'arbre au-dessus de nous était aussi inaccessible que la lune qui donnait l'illusion d'être nichée tout là-haut dans les cimes confondues, à côté de lui. La lune avait constitué l'un de ses plus grands réconforts à en croire la fréquence de ses apparitions dans les calepins de Joe, lesquels témoignaient des efforts de son cerveau pour dresser sa nouvelle carte après la catastrophe invisible de sa blessure. Il fallait se figurer les corrélats neuronaux de ses perceptions, le combat de ces couches infiniment minces de tissus nerveux pour engranger la forêt et l'eau, les oiseaux et les mammifères qui l'attiraient, son intimité absolue et directe avec ses sens, sans le filtre de nos préoccupations habituelles. Et le peu d'identité qui lui restait, la plupart d'entre nous l'aurait considéré comme inexistant, ne justifiant peut-être pas de vivre ; pourtant, j'entretenais ce soupçon sans doute loufoque que Joe avait franchi une limite vers *un autre côté* de la perception qui nous était à tous inaccessible.

Juste avant la tombée de la nuit, Dick est monté dans l'arbre avec un cachet supplémentaire, peut-être une légère surdose, mais aussi une police d'assurance chimique nous garantissant que Joe ne subirait pas une crise majeure pendant la nuit. Il était impossible de ne pas souhaiter éviter ce gémissement qui serait devenu affreusement inquiétant dans l'obscurité, encore plus que durant l'après-midi, quand ce bruit décapait déjà l'esprit de tout le reste.

La vitesse à laquelle Dick a escaladé l'arbre trahissait son âge, c'est-à-dire le mien. Je me suis rappelé une réunion sinistre avec mon comptable, au printemps dernier, quand il m'a joyeusement annoncé que mon espérance de vie était maintenant de quatre-vingt-trois ans. Les charmes de la désuétude cossue, ai-je pensé en m'engageant sur la chaussée de Rush Street où un taxi qui roulait à vive allure a bien failli m'écraser. Cédant à une impulsion subite, j'ai pris une table chez *Gibson* et commandé une entrecôte ainsi qu'une grande bouteille de Pomerol, en me disant que je pouvais aussi bien abréger d'un mois ma fameuse espérance de vie. Ces pauvres Dick et Edna se contentaient de manger des tranches à rôtir second choix. Il y a quelques années, je leur ai envoyé vingt actions Ford Motor pour Noël ; mais ils me les ont retournées avec un mot de remerciement où ils m'expliquaient qu'il était « trop tard dans leur vie » pour posséder des actions, car ils ne désiraient pas devoir y penser. Cette année, je comptais leur faire livrer un pick-up jaune flambant neuf par un concessionnaire de Newberry et je doutais que Dick ait assez de cran pour le retourner à l'expéditeur, car je savais qu'il adorait les pick-up. Dick n'a jamais manifesté le moindre intérêt pour l'argent, en dehors du strict nécessaire indispensable à Edna et à lui-même. Une fois, il a même dépensé une semaine entière de son salaire pour m'acheter une canne à pêche, surtout parce qu'il détestait « la vieille badine » que j'avais utilisée jusque-là.

Elle me tournait le dos et j'entendais Ann manger une pomme tandis que Dick redescendait de l'arbre. Un craquement onctueux et des lèvres luisantes dans la lueur des flammes qui montaient vers les ténèbres. Dick a déroulé un accessoire de survie qu'il a qualifié de « couverture spatiale », destiné à protéger le dormeur contre l'humidité du sol, afin qu'Ann s'allonge dessus. Un peu plus tôt, il avait essayé de me convaincre de rentrer au chalet pour que je revienne les chercher le lendemain matin. Mais je doutais de ma capacité à me diriger pendant une heure de marche jusqu'à ma voiture, et puis je n'avais vraiment pas le cœur de m'en aller. À la place, je me suis rendu utile en amassant un grand tas de bois pour le feu, très fier de m'activer ainsi pendant que Dick roupillait.

J'avais envisagé une longue soirée de conversations autour du feu, mais nous avons bu une ultime rasade avant de quasiment nous endormir assis. Ann a tapoté les deux étroites bandes de « couverture spatiale » situées de part et d'autre de son corps et elle a suggéré que nous venions nous y « pelotonner », ajoutant aussitôt qu'il était hors de question que nos mains « de vieux chnoques » s'égarent sur elle. Dick a rétorqué en blaguant que « ça ne devrait pas être trop difficile », car Ann était « un peu trop maigrichonne » à son goût. Elle a fait une moue faussement irritée avant de se serrer contre moi comme si je constituais un choix nettement préférable, puis elle s'est aussitôt endormie.

J'ai levé les yeux vers la lune qui s'éloignait lentement du perchoir arboricole de Joe. Je me suis demandé s'il pouvait nous regarder comme un corbeau, c'est-à-dire avec curiosité mais en définitive avec l'impassibilité d'une espèce qui en observe une autre.

L'aube fut une surprise abrupte et désagréable. Tout l'orient du ciel s'embrasait d'un rouge sanglant, un vent violent et glacé venait de se lever du nord-ouest. Très peu de temps avant l'aube, Dick avait entendu ce vent et alimenté le feu. Nous avons levé les yeux et découvert le hamac vide qui claquait dans les bourrasques. Ann a comme de juste fondu en larmes, puis nous avons remarqué que Marcia aussi avait disparu. Dick est aussitôt parti au trot vers la caverne de Joe en me criant d'éteindre le feu. Ann a repoussé avec irritation mon bras consolateur posé sur ses épaules secouées de sanglots et elle a suivi Dick. J'ai regardé le feu rugissant attisé par le vent et j'ai rapidement fait bouillir de l'eau pour le café. Je me sentais très mal, j'avais le souffle court, mal aux os et à la gorge. Je me suis approché du feu pour cesser de trembler comme une feuille. J'ai versé la dose médicinale de whisky dans mon café en remarquant qu'à un certain moment de la nuit Marcia avait dévoré toute la nourriture.

L'idylle était manifestement terminée. Elle avait certes été brève. Il est souvent difficile d'allumer un feu et encore plus difficile de l'éteindre. Je n'avais aucun récipient pour transporter de l'eau, hormis une minuscule cafetière de camping, mais il y avait une grande quantité de sable juste en contrebas du rebord de la berge. J'en ai ramassé entre mes mains, non sans me casser un ongle contre une racine d'arbre. J'ai essayé de me distraire en pensant à l'opposition entre les griffes et les doigts. À un moment, j'ai eu la sensation désagréable d'être observé par une créature dissimulée dans la dense végétation de la berge opposée. Une fois dans ma vie j'avais vu un gros esturgeon et puis il y avait le corbeau apparemment gigantesque aperçu hier matin avec Ann près du chalet. Et maintenant, dans mon humeur froide et fielleuse, il ne me restait plus qu'à voir la troisième bête, la plus absurde de toutes, sortir en rampant du bosquet d'aulnes situé de l'autre côté de la rivière. Le souffle rauque, j'ai un moment observé la verdure avant de retrouver mon bon sens ou, plus exactement, j'ai tiré un trait sur mes perceptions douteuses pour aller éteindre le feu.

J'ai été raisonnablement malade pendant une semaine et, plus grave, Joe aussi. Je souffrais d'une violente angine de poitrine, mais les médicaments de Joe étaient devenus moins efficaces que durant l'été. Lorsque j'ai retrouvé les autres à la caverne de Joe ce matin-là, après avoir tout fait pour éteindre ce maudit feu en me contrefichant royalement que la planète entière s'embrase, Joe semblait décharné, malheureux, groggy, lointain et paumé. Il faisait griller une très grosse truite sur une planche plate, près d'un grand lit de braises, ce qui signifiait qu'il était descendu de son arbre au cours de la nuit. Dick s'est montré très curieux de cette truite, que nous avons mangée avec grand plaisir après l'avoir salée. Je donnais à Marcia un morceau de peau du poisson quand elle a tourné la tête vers notre camp de la nuit passée en grondant. Joe a alors émis quelques sons animaux que je n'avais jamais entendus, et Marcia a décrit un cercle avant de filer ventre à terre se réfugier dans la caverne. Ann a demandé sèchement à Joe de ne pas répéter ces sons animaux, Joe a alors pâli et il s'est mis à trembler comme s'il allait s'évanouir. Ses paupières papillonnaient, ses yeux se sont révulsés. Ann l'a serré contre elle en fondant en larmes.

Je me suis alors enfui en trébuchant vers la voiture, en proie à un total épuisement. Incroyable mais vrai, je n'ai pas eu le moindre problème de navigation pendant cette marche de une heure et j'ai pensé que, dans l'exacte mesure où j'avais renoncé à mes conflits intérieurs après ma crise d'angoisse, je commençais à mieux voir « l'extérieur », c'est-à-dire tous les événements qui se produisaient en dehors de mon esprit. Tout cela est bien sûr banal, évident, voire naïf, mais néanmoins passionnant.

J'ai passé une semaine entière au lit et convaincu un vieux médecin bougon de quitter Munising pour me rendre visite, deux cents kilomètres aller et retour. Guère impressionné par ma maladie, il m'a prescrit quelques antibiotiques et a eu le culot de me taquiner à propos de ma liaison désagréable avec une femme de Munising, quelques années plus tôt. Il m'a appris que la rouée chercheuse d'or était en fait sa nièce. Il faut faire très attention dans cette région, où presque tout le monde est parent de tout le monde.

« Pourquoi une fille baiserait-elle avec un vieux crétin, sinon pour son pognon ? » lâcha-t-il en m'administrant une piqûre.

L'état de Joe était plus préoccupant. Dick m'a rendu plusieurs visites pendant la semaine que j'ai passée au lit, entrant dans le chalet et empilant un tas de bois près de la cheminée. Il faisait un froid inhabituel pour la saison, un froid qui poussait la plupart des touristes à regagner leurs pénates prématurément ; voilà du moins ce qu'il m'a dit. Joe et Ann avaient passé trois jours dans sa cabane, n'en sortant que pour manger. Joe n'était pas vraiment guéri et Ann avait donné plusieurs coups de fil hystériques au médecin de Marquette, qui lui avait expédié un sédatif expérimental supplémentaire. De son côté, Dick avait parlé au médecin, lequel n'était guère optimiste car il avait épuisé toute la panoplie des médicaments possibles. Néanmoins, Joe avait disparu au milieu de la nuit et quand le nouveau médicament est arrivé le lendemain, Dick et Ann n'avaient pas réussi à le trouver à sa caverne. Un jour plus tard, il est revenu et il s'est aussitôt emparé du flacon des comprimés pour les jeter dans les bois. Ann et Dick ont ensuite passé une heure à quatre pattes à la recherche des fameux comprimés, mais c'est Marcia qui les a retrouvés. À force de cajoleries, Ann a convaincu Joe d'en ingérer un, après quoi il s'est transformé en un « zombie » somnolent durant plusieurs heures, un état pour lui inacceptable.

Le dernier jour de ma convalescence, sont tombées d'autres mauvaises nouvelles qui ont exigé mon intervention. Dick m'a annoncé avec excitation que le garde-chasse du ministère de l'Environnement était passé l'avertir qu'il avait découvert trois lignes de pêche illégales – car permettant de continuer à pêcher sans que vous ne soyez physiquement présent –, sur une portion de la Sucker River située à trois kilomètres de la caverne de Joe, dont il ne connaissait pas l'emplacement exact. Le garde-chasse avait attendu plusieurs heures sur place et quand Joe arriva et que le garde tenta de l'arrêter, notre ami s'enfuit à travers bois. Par ailleurs, des chasseurs d'ours traquaient un gros ours et, quand leurs chiens ont temporairement coincé la bête, elle portait un collier garni de clochettes. Cette fantaisie inoffensive constituait une violation de « l'intégrité de la vie sauvage », un délit beaucoup plus grave de toute évidence que le fait de tuer la bête, chose que les chasseurs avaient parfaitement le droit de faire. Les gars du ministère de l'Environnement étaient toujours en rogne à cause de l'affaire antérieure des colliers télémétriques manquants et ils tenaient Joe dans leur collimateur.

Ma première impulsion a été d'appeler mon cabinet juridique à Chicago, mais Dick m'a alors appris qu'il avait déjà contacté un avocat de Marquette spécialisé dans les problèmes de violation des règlements de chasse et de pêche. Comme Joe était déjà accusé de s'être soustrait à une arrestation, la situation était vraiment grave. Dick ne pouvant payer les honoraires de l'avocat, j'ai sorti une vieille boîte de mouches sèches où je conserve mon argent liquide et je lui ai donné une bonne liasse de billets de cent dollars. Dans le commerce des livres rares, presque toutes les transactions ont lieu en argent liquide et je trouve amusant de frauder le fisc sur de petites sommes quand j'ai versé des millions de dollars d'impôts au fil des ans, émargeant dans les barèmes les plus élevés depuis l'âge de trente ans. Malgré tout, Dick a refusé mon argent en déclarant qu'il espérait que j'étais suffisamment rétabli pour rencontrer l'avocat avec lui à la taverne en début de soirée.

J'entretenais cette vague conviction qu'on ne peut pas échapper à la merde dans la vie parce qu'on est soi-même assez merdeux. Je venais de passer une semaine merveilleuse grâce à une simple maladie, parfois inconfortable mais entièrement absoute de toute pensée torturante. Ma grosse pile d'ouvrages sur le cerveau prenait la poussière. Un zeste de savoir n'est pas tant dangereux qu'inutile. Aucune des inventions de Dieu ou de l'homme ne peut aider ce jeune homme. Il mord littéralement des bouchées de soleil, de lune et de terre, ce qui est métaphysiquement illégal.

Au lieu de gamberger, je contemplais le ciel rouge chaque matin par la fenêtre donnant à l'est, je me préparais des repas minimalistes, je me plongeais dans les œuvres complètes de Tchekhov, une édition de poche bon marché, publiée par *Ecco Press*. En effet, un livre de bonne qualité ne peut survivre à l'hiver ici et j'emporte avec moi tous les ouvrages bien reliés quand je ferme mon chalet à la mi-octobre.

Malheureusement, lors de la dernière nuit de ma modeste convalescence, j'ai été harcelé par des rêves d'animaux, qui incluaient mon pathétique clébard Charley, mais aussi d'immenses ours et loups déformés, d'étranges requins et des chiens de chasse errant dans ma cour où en effet ils s'arrêtent parfois pendant la saison de chasse.

J'aime bien ces chiens, d'habitude des *walkers*, très doux et dociles sauf lorsqu'ils traquent leur proie. Par bonheur, ce rêve ne signifiait rien.

En fin d'après-midi, tandis que je m'habillais avec une sobre élégance en vue du rendez-vous avec l'avocat, un fonctionnaire du ministère de l'Environnement est arrivé, une sorte de superviseur des gardes-chasses. Cet homme m'a aussitôt plu, car il a apprécié en connaisseur la construction unique de mon chalet en rondins. Mais ma sympathie s'est lentement refroidie, à mesure qu'il égrenait une série de clichés consternants. Il espérait que les infractions de Joe « feraient un tollé ». Il avait appris l'existence de l'avocat que nous avions contacté, de toute évidence un homme redoutable. Il a dit se sentir « dans son bon droit le plus strict », parce que « la loi est la loi » et que Joe l'avait enfreinte à maintes reprises. « Sous la pression de ses supérieurs hiérarchiques », il devait abattre l'ours portant les cloches de vache, car tous étaient certains que ces cloches et le collier portaient les empreintes de Joe. Je lui ai rétorqué qu'« une frappe préventive » contre l'ours était une idée scandaleuse, ce qui l'a plongé dans une brève contemplation, mais il a bientôt repris en déclarant que ses services devaient « régler une bonne fois pour toutes » l'affaire des colliers télémétriques manquants. Puis il m'a proposé un marché odieux : si Joe avouait le coup des cloches de vache et l'histoire des colliers télémétriques, il deviendrait inutile de tuer l'ours et Joe s'en tirerait avec une petite peine de prison à cause de ses lignes de pêche illégales. Un éclair rouge et brûlant m'a traversé le cerveau et j'ai rétorqué à ce minable que, si Joe passait rien que cinq minutes en prison, j'allais consacrer un gros million de dollars à la faillite politique et professionnelle de lui-même et de ses petits camarades. Il s'est levé pour partir, non sans déclarer sentencieusement qu'à son avis nous étions « dans une impasse ».

De temps à autre, comme beaucoup d'entre nous le savent, notre gouvernement devient très littéralement un instrument de torture. J'ai dû réfréner quelque peu mon ardeur guerrière, car j'ai toujours eu davantage confiance dans les services publics que la masse globale de nos concitoyens. Pour couronner ce bain de boue privé, j'ai perdu le fil d'un fantasme où Ann et moi étions enlacés dans un lit de l'hôtel *Europa* à Saint-Petersbourg, par une nuit de neige, avec mes Viagras qui sur la table de chevet brillaient comme des joyaux.

Mes divagations sexuelles suscitées par Ann se sont dissipées quand j'ai atteint la maison des Rathbone, où Ann et Edna pleurnichaient à la table de la cuisine. Elles étaient allées faire des courses à l'épicerie de Seney et Dick était supposé surveiller Joe, ce qu'il n'avait pas fait parce que Joe était dans le petit chalet réservé aux amis et que Dick le croyait très bien là-bas.

« Eh bien, m'ont-elles dit en chœur, attends de voir un peu l'étendue des dégâts. »

Dick venait d'emmener Joe en promenade sur la dune pour essayer de le calmer, car Edna avait réagi trop vivement en poussant un grand hurlement.

J'ai donc suivi ces deux vertueuses dames jusqu'au chalet des amis, guère enthousiaste à l'idée de découvrir quelque horreur répugnante. Ces dames ont été furieuses quand je me suis mis à rire si fort que j'en ai eu mal aux muscles du ventre. Joe avait entièrement mis en pièces une douzaine de livres sur les mammifères, les insectes, les oiseaux, les fleurs sauvages, les arbres, etc., puis recouvert les murs, le plafond et jusqu'au sol avec ces photos aux couleurs vives. Malheureusement, m'a informé Edna, Joe avait utilisé un truc appelé la *Colle Folle*, moyennant quoi son boulot de décoration intérieure était fait pour durer. Quand j'ai déclaré qu'à mon avis Joe avait très bon goût, Ann et Edna ont filé, et j'ai alors remarqué la présence de quelques photos osées d'Ann ainsi que d'autres, arrachées dans des magazines masculins, objectivement plus anatomiques qu'érotiques. Ainsi, la photo d'un castor voisinait avec celle d'une cousine très éloignée de cet animal. Bah, ai-je pensé, ça pourrait être pire. Une photo du cul d'Ann était entourée par des images de pâquerettes et de peintures indiennes. Inutile d'en tirer la moindre conclusion.

Nous avons pris un café en attendant le retour de Dick et de Joe, mais mon esprit restait prisonnier de ce collage aux dimensions d'une pièce, de cette invraisemblable profusion sauvage du monde naturel ainsi visuellement concentré. Pendant que ces dames continuaient de bavarder, j'ai pensé que quatre-vingt-dix-neuf virgule neuf pour cent d'entre nous n'ont pas la moindre idée de l'endroit où nous vivons, c'est-à-dire un agrandissement de l'univers décoré de Joe. Ni les livres ni la télévision ne parviennent réellement à extrapoler un monde qui se découvre à pied, ainsi que l'ont appris nos ancêtres. Une authentique compréhension implique tous les sens. Joe essayait simplement de s'entourer d'« objets bien-aimés », comme l'écrivait le poète autrichien Rilke. Mon esprit s'emballait en envisageant les possibilités innombrables offertes tant par le monde naturel que par la poésie. Je me suis alors demandé si quelque chose clochait chez moi. J'avais déjà été assis dans cette même cuisine plus de cinquante ans auparavant et maintenant Edna avait remplacé sa mère. Qui était donc cette Ann au si joli cou ? Une nouvelle fille en ville.

Dick et Joe, qui revenaient de la plage, sont entrés par la porte de derrière. Au-delà de leurs deux silhouettes et de la porte grillagée, le ciel s'embrasait dans le jour déclinant. En temps ordinaire je ne parierais pas un sou sur mes dons d'intuition, mais en regardant ces deux hommes j'ai pressenti le milieu de la fin.

Dick et l'avocat étaient assis, le dos tourné à la vitrine, dans le premier compartiment de la taverne. Comme je leur faisais face, je voyais par la vitrine la rue et le port pendant l'inévitable et ennuyeux pinaillage juridique. Durant quelques minutes nous avons parlé avec de vieux chasseurs d'ours installés tout près de nous, des hommes que nous connaissions depuis des décennies. Tout le monde en ville était maintenant au courant de l'ours au collier décoré de cloches de vache et ces vieux crapahuteurs trouvaient ça très rigolo, allant jusqu'à parler avec une grande admiration de l'individu capable d'un tel exploit. Ces hommes se contentaient de traquer l'ours avec leurs chiens, mais ils ne le tuaient jamais, car au fil des ans chacun avait tué son ours et, selon l'éthique de leur région (ils venaient du Tennessee), un homme a seulement droit à un ours dans toute son existence. L'un de ces chasseurs a alors évoqué un vieux biologiste animal d'Ely, dans le Minnesota, capable de placer des colliers télémétriques sur les ours sans les endormir, parce que les ours le connaissaient depuis très longtemps. Dick a ensuite évoqué l'un de ses amis qui avait perdu cinquante poulets à cause d'un vieil ours édenté qui se contentait d'avaler ces volatiles pour savourer leur chair discutable.

Nous commencions à peine d'explorer les ramifications juridiques des frasques de Joe quand j'ai vu Joe et Ann qui déambulaient sur le trottoir opposé, devant le supermarché *Bayshore*. Deux chasseurs corpulents venaient de faire le plein de leur pick-up et entraient dans le magasin, quand Joe s'est arrêté pour caresser les chiens de chasse attachés sur la plate-forme du pick-up, pas forcément une chose très maligne à faire, car les chiens attachés, incapables de s'éloigner, sont souvent de mauvaise humeur. Dick et l'avocat se sont retournés sur leur banquette pour voir ce que je regardais, au moment précis où les deux chasseurs sont ressortis du *Bayshore*. J'ai entendu l'un d'eux crier un ordre à Joe, qui s'est aussitôt retourné, très étonné, et le second a bousculé violemment Joe pour l'écarter de ses chiens. Joe a alors trébuché sur un tuyau de pompe à essence et s'est étalé sur le ciment. Ann a giflé le chasseur sans plus de manières et il l'a rudement repoussée.

Dick a crié « Bon dieu ! », nous nous sommes levés tous les trois et précipités hors de la taverne, suivis par les vieux chasseurs d'ours, mais alors que nous atteignions la chaussée, Joe se battait dans une flaque de boue avec un des chasseurs tandis que l'autre, agenouillé, bourrait Joe de coups. Ann lui a tiré les cheveux et à moitié arraché une oreille et le type a hurlé en portant la main à son oreille sanguinolente. Il a plongé sur Ann, mais Dick a alors atteint la scène de la bagarre pour lui décocher un bon coup de pied à la tempe. Le très gros chasseur écrasait le buste de Joe entre ses bras tandis qu'ils roulaient ensemble dans la flaque de boue, mais Joe lui a alors mordu le bout du nez, la seule partie accessible de l'anatomie de son adversaire. Le sang rouge contrastait étrangement avec la boue marron foncé. Il a lâché Joe en poussant un hurlement et tous deux se sont relevés. L'homme tâtait son visage couvert de sang. Ann et Dick ont ensuite entraîné Joe à l'écart et il a craché le bout du nez de son assaillant, un petit morceau de chair qui paraissait très bizarre sur le ciment.

Quelle panade, et c'est là un triste euphémisme. Un indélicat avait téléphoné à l'adjoint du shérif de la ville. D'habitude, on traite ici ce genre de rixe comme une affaire privée. Les deux chasseurs voulaient porter plainte, mais il y avait de nombreux témoins de la bousculade initiale et la xénophobie ordinaire avantageait Joe, qui vivait ici. Par ailleurs, nous avions un avocat sous la main.

Joe et Ann avaient descendu le talus herbeux jusqu'à la plage et le port. Joe a piqué une tête pour se laver de la boue et, lorsque je les ai rejoints, il était assis sur le sable à côté d'Ann. Marcia est alors arrivée avec trois chiens de la ville et Joe s'est mis à leur caresser la tête, comme au tout début du présent épisode. Il riait et, chose incroyable, semblait en pleine forme. Complètement dérouté, je me suis assis près d'eux en me disant que mon ami n'appartenait vraiment pas à ce monde-ci. Il aurait peut-être pu y trouver sa place il y a cinquante ans, ou à une époque encore plus éloignée.

Après la Fête du Travail, le temps s'est réchauffé. Un autre aspect de la xénophobie, c'est que partout dans le monde les autochtones croient dur comme fer que leur climat est particulièrement intéressant. Trois jours après la bagarre, Dick est venu m'annoncer plusieurs nouvelles qui comportaient peut-être des conséquences juridiques. Le ministère de l'Environnement venait d'avertir notre avocat qu'ils avaient légalement le droit d'interdire à Joe l'accès des forêts du Michigan et des terres fédérales où se déroulaient des expériences liées à la population animale. Notre avocat les a aussitôt désabusés de cette illusion, car personne n'avait déposé la moindre plainte, compte tenu de l'absence de toute preuve incriminant Joe pour les colliers télémétriques et l'histoire des cloches de vache ; par ailleurs, l'infraction des lignes de pêche était une broutille. Quand Dick avait tenté d'expliquer à Joe qu'il ne pouvait pas poser ses lignes de pêche n'importe où, Joe avait d'abord fait la sourde oreille avant de montrer sa bouche, comme pour dire :

« Il faut bien que je mange. »

Mais ce jour-là, vers midi, l'étau s'était resserré autour de Joe. Un bûcheron avait prévenu Dick qu'il venait de repérer un grand nombre de types de l'Environnement, armés, dans les parages de la caverne de Joe, une nouvelle qui a stupéfié ce dernier, car le même jour on a découvert le collier et les cloches de vache dans la boîte aux lettres de l'épouse du garde-chasse. Bizarrement, cette découverte n'a guère enchanté les hommes armés qui participaient à la battue...

Ann est passée hier pour me dire au revoir avant de retourner à East Lansing. Joe l'accompagnait, mais il a disparu avec Marcia pendant que nous prenions un café. Il avait l'air en forme, mais elle semblait épuisée, exaspérée. Elle ne supportait absolument pas la nouvelle décoration de leur cabane, mais il lui fallait de toute façon reprendre son travail universitaire. Joe passait des heures devant chaque photo collée, m'expliqua-t-elle, et il continuait même de les regarder quand il n'y avait plus assez de lumière pour qu'il puisse les voir. Se pouvait-il, me demanda-t-elle, qu'il y voie mieux qu'elle dans l'obscurité ? Je lui ai répondu que je n'en avais pas la moindre idée. J'ai senti que ses sentiments romantiques envers Joe se heurtaient à l'impossibilité où elle se trouvait d'imaginer le moindre avenir pour eux deux. Je n'ai certes pas évoqué le sujet d'une éventuelle grossesse, mais elle s'en est elle-même chargée avant de partir. Constatant son désespoir, j'ai eu la gentillesse de lui proposer de l'épouser si jamais elle tombait enceinte, afin de lui faciliter la vie avec ses parents. J'étais même prêt à lui offrir un voyage solitaire d'un an en Russie et en Europe, qu'elle soit enceinte ou pas : quelle splendide lune de miel! Son moral a remonté et elle a eu l'amabilité de m'inviter à lui rendre visite.

Joe est arrivé aujourd'hui à l'heure du dîner avec deux truites de rivière, une d'une livre et demie, l'autre de trois livres et digne d'être empaillée. Je conservais suffisamment la fibre du pêcheur pour sortir mes cartes topographiques et Joe m'a alors désigné un point situé pile au centre d'un marais de dix kilomètres carrés, certes pas très éloigné de chez moi, mais inaccessible à tout vieillard.

Pendant que je grillais les truites au-dessus d'un feu de bois, Joe et Marcia se sont baignés dans la rivière et j'ai remarqué que les jambes de Joe étaient encore plus mus-clées que celles des joueurs de basket professionnels que j'avais vus jadis. J'ai envisagé rêveusement que Dick accepte d'emmener Joe dans le nord de l'Ontario et que je paie une famille de Crees pour s'occuper de lui. La vie contemporaine dans la Péninsule Nord ne semblait plus possible. L'époque de liberté dont il avait besoin était bel et bien révolue dans les États-Unis d'Amérique.

Le début de soirée fut assez chaud, mais l'air sentait déjà l'automne. J'ai rendu ses carnets à Joe, mais quand il a fait mine de les jeter sur les braises encore brûlantes, je les lui ai repris. Quand il est parti pour la ville, en refusant qu'on l'y emmène en voiture, il m'a serré la main pour la première fois depuis son accident, un geste très civilisé. Ma gorge s'est serrée lorsque Marcia et lui se sont éloignés sur le chemin.

La nuit était tombée depuis longtemps quand Dick est arrivé en voiture pour m'annoncer que Joe avait disparu en mer. Un groupe de personnes âgées, souffrant de lésions cérébrales, et qui habitent ce qu'on appelle ironiquement notre « Centre de Soins limités », se promenaient sur la pointe des Gardes-Côtes quand ils ont vu Joe plonger dans le port. Marcia nageait déjà à la poursuite d'une bande d'oies facétieuses qui s'amusaient à rester à trois ou quatre mètres devant la chienne. L'accompagnateur du groupe ne s'était pas trop inquiété de voir Joe s'éloigner jusqu'à devenir invisible au bout d'une demi-heure. Lorsqu'il appela Dick, il faisait nuit noire et plusieurs bateaux partirent pour une recherche de pure forme, car tout le monde était convaincu que Joe avait fait demi-tour pour réintégrer sa forêt bien-aimée.

Il était environ onze heures lorsque Dick est arrivé. Je lui ai demandé pourquoi il semblait croire que Joe avait continué de nager vers le nord et le Canada.

« À cause des trente-trois dollars attachés avec un ruban rouge et posés sur la table dans sa cabane. »

Pas exactement une lettre de suicide, mais un signe allant dans ce sens.

Nous avons bu quelques whiskies jusqu'à deux heures du matin en nous demandant mutuellement pourquoi nous imaginions le pire, sans trouver grand-chose à répondre au-delà du sentiment partagé que Joe lui-même avait sans doute senti la trajectoire de sa vie toucher à son terme. Nous nous sommes reproché son raisonnement bancal, mais sans parvenir à une autre conclusion. Dick, vieil habitué des poissons et du gibier, a émis cette hypothèse fragile que Joe se trouvait à court d'habitat convenable.

« Mais c'est un être humain ! » ai-je rétorqué sans grande conviction.

Peut-être inspiré par le whisky, je me suis mis à improviser un pot-pourri tiré de mes livres sur le cerveau et de ma maigre expérience du sentiment absolu de déracinement éprouvé par de nombreux individus à peu près normaux, sans parler des victimes de lésions cérébrales sans ouverture crânienne. Joe, ai-je déclaré, avait perdu toute une vie de conditionnements et d'habitudes, au moment de percuter le hêtre avec sa moto. Après une petite année de soins médicaux inefficaces, sans que la communauté hospitalière n'y soit d'ailleurs pour rien (l'optimisme a ses limites, inconnues du monde de la finance), Joe est parti à pied pour dresser de nouvelles cartes du monde, ou plutôt du seul monde que ses sens toléraient. Et en définitive, ce monde n'a pas suffi à lui rendre la vie tolérable. J'ai lu qu'à New York les individus comparables à Joe vivent souvent dans les tunnels du métro, quand ils ne sont pas enfermés à l'hôpital psychiatrique de Bellevue.

Dick n'écoutait plus mes divagations pompeuses.

« Et merde ! » ai-je alors lâché.

Et nos larmes ont coulé.

« C'était un vrai sauvage, ce type », a déclaré Dick en nous servant ce qu'il a appelé « le dernier verre ».

Il s'est mis à évoquer nos propres frasques de jeunesse dans les bois, mais il s'est bientôt arrêté, frappé par cette évidence criante que nous avions toujours eu un billet de retour. Le destin ne nous avait fait subir aucune métamorphose irréversible. Assez comiquement, Dick a commencé de se masser le crâne comme s'il en interrogeait le contenu. Son geste nous a fait rire. Il a alors décidé de parcourir à pied et dans la nuit les huit kilomètres qui le séparaient de chez lui, car il ne voulait pas risquer de percuter un arbre, de bousiller son pick-up ainsi que son crâne. Dick dit toujours que, pour lui, marcher n'est pas beaucoup plus fatigant que dormir.

En allant me coucher, je me suis demandé avec angoisse qui allait devoir appeler Ann. Moi, pardi. Presque endormi mais encore conscient, j'ai regardé défiler les images des rêves qui montaient de ma matière grise : des chiens errants, le jour où mon épouse, après deux gin-fizz, avait grimpé dans un arbre du jardin. C'est absolument interdit ! lui avais-je crié. Les nuages roulaient. La lune brillait. Joe riait. Ann pleurait. Joe me serrait la main dans la sienne. Mon père mourait une nouvelle fois. Je regardais l'eau sans réussir à voir le fond.

Des pêcheurs de truites de lac ont trouvé Joe sur les hauts-fonds de Caribou le lendemain à midi, à une cinquantaine de kilomètres du port, une distance qu'on pouvait sans doute parcourir à la nage, ainsi que Joe venait de le prouver. L'un des pêcheurs a prétendu que Joe était « presque vivant » lorsqu'ils l'ont hissé à bord de leur bateau, mais les deux autres n'en étaient pas certains. J'ai aussitôt appelé Ann, qui m'a dit : « Non, c'est pas vrai », avant de raccrocher.

Nous sommes maintenant début octobre, cher coroner, et j'ai accompli ma tâche bien au-delà des exigences d'un quelconque devoir. Sa mère a été d'accord avec moi pour que son corps soit incinéré et j'irai avec Dick Rathbone et Ann jusqu'à sa caverne pour y répandre ses cendres. Ann est furieuse, bien sûr, de ne pas être enceinte. Nous croyons qu'en cette fin de saison, des touristes ravis ont embarqué Marcia, laquelle ne supportera jamais un collier à son cou et sera très heureuse d'être nourrie correctement. Comme le premier mammifère venu, j'essaie en permanence de penser à ce que je vais faire maintenant. Joe nous a laissés à nous-mêmes.

J'AI OUBLIÉ D'ALLER EN ESPAGNE

Titre original :
I forgot to Go to Spain

« *Il n'existe aucune route où les dieux vous offrent des fleurs.* »

YUANWU

Vous me connaissez sans me connaître, mais comment me connaîtriez-vous ? Je n'ai jamais eu le moindre goût pour les devinettes d'aucune sorte, ce qui explique en partie pourquoi j'ai écrit mes trois douzaines de *Biocompactes*, ces biographies indiscrètes, longues d'une centaine de pages, qui souillent librairies, magasins de journaux, boutiques de nouveautés des aéroports – j'ai même découvert un riche assortiment de mes œuvres dans un relais de camionneurs, près de Salinas, au Kansas. Marilyn Monroe et Fidel Castro se sont le mieux vendus, Linus Pauling et Robert Oppenheimer le moins bien. Une intelligence authentique n'a guère de temps à consacrer aux préoccupations vulgaires qui engendrent une biographie intéressante.

Il y a vingt ans, mon éditeur vendait trois dollars mes petites *Biocompactes* et elles coûtent aujourd'hui sept dollars tout rond, une somme modique en cette longue période faste de flambée boursière, sans parler du fait qu'entre 1979 et 1999 le salaire de ma documentaliste en chef est passé de douze mille dollars à cent mille dollars. C'est une bibliothécaire affreusement difforme qui vit dans l'Indiana. Je ne l'ai rencontrée qu'une fois, mais le spectacle de cette malheureuse m'a coupé l'appétit pendant plusieurs mois. Je viens de mentir. En réalité, il s'agit d'une femme de cinquante-deux ans, raisonnablement séduisante, qui n'est autre que ma sœur. Sa laideur métaphorique vient du fait qu'elle se prend pour ma conscience. En fait, elle se considère comme ma conscience depuis cette année lointaine où elle était une gamine précoce âgée de dix ans et moi un adolescent de treize ans qui apprenait lentement. Elle a manifesté très tôt une aigreur insupportable qui, depuis, n'a pas varié d'un iota. Elle se lime les ongles en écoutant du Schönberg ou du Stravinsky ou en faisant des mots croisés dans une douzaine de langues, tandis que je me débats avec le seul anglais et de vagues notions de langues étrangères. Aucun diagnostic officiel n'a jamais été établi, mais tous ceux qui la connaissent savent qu'elle souffre d'agoraphobie. Elle quitte seulement la maison de notre enfance pour s'installer sur la véranda qui en entoure la moitié du périmètre. Je ne réussis pas à le croire, mais elle soutient mordicus que son ordinateur et les haltes quotidiennes de divers coursiers suffisent à ses besoins. L'emploi de cette machine a suscité maintes querelles, bien que mon gagne-pain en dépende directement. Je suis même tenté d'employer l'expression de « ressource vitale ». Après avoir raté ma licence à Northwestern, j'ai dû me rabattre sur un diplôme de Lettres dans une autre université moins prestigieuse, que je ne nommerai pas pour des raisons qui apparaîtront bientôt. Mon échec en licence s'explique par la proximité d'Evanston et de Chicago ; mais autant avouer tout de suite que j'étais parfaitement incapable de me livrer à la moindre activité dite de « recherche » et que c'est toujours le cas aujourd'hui ; ainsi, ma sœur mérite jusqu'au dernier sou de son salaire énorme, calculé à partir d'un pourcentage de mes revenus annuels bruts, tout comme celui de mon frère cadet Thad, qui est supposé s'occuper de la gestion de mes affaires. Ma sœur Martha et moi supportons la présence de Thad comme d'autres traînent un boulet. Thad dirige notre petit bureau de Chicago, quand il serait plus pratique que ce bureau se situe à New York, près de ma maison d'édition, laquelle appartient comme de juste à un nabab allemand si excentrique qu'en comparaison les dernières frasques de Howard Hugues ressemblent au lugubre train-train d'une Mary Poppins.

Thad adore faire un aller et retour entre Chicago et New York au moins une fois par semaine, même si un seul voyage mensuel suffirait largement. Ni ma sœur ni moi ne sommes particulièrement vénaux, mais Thad est un filou. Il a par ailleurs une passion invétérée pour les vêtements, ce qui fait de New York une destination idéale. Il loue une limousine pour se rendre à l'aéroport, alors que je me suis toujours contenté d'un taxi. Comme tant d'êtres humains, Thad confond l'intelligence et la condescendance. Selon une disposition prise par ma sœur, la secrétaire de Thad touche une confortable prime annuelle pour nous avertir à l'avance de toutes les embrouilles financières ourdies par son employeur. Tous les chèques de notre petite entreprise doivent désormais être signés par deux d'entre nous. À une certaine époque, cette double signature concernait seulement les montants supérieurs à mille dollars, mais il y a quelques années Thad s'est débrouillé pour empocher un bonus de cent mille dollars grâce à une arnaque stupide. J'ai longtemps pensé que Thad était homo, mais ma sœur Martha le décrit simplement comme l'homme le plus narcissique que la Terre ait jamais porté.

Pourquoi supportons-nous ce monstre moderne, cette épine dans notre chair et notre esprit ? Parce qu'il fait par-

EN ROUTE VERS L'OUEST

tie de la famille, comme on dit. C'est notre petit frère et nous lui essuyons toujours le nez, nous lui laçons ses chaussures, nous lui conseillons sans la moindre ambiguïté possible de ne plus chier dans le bac à sable.

J'avais dix-huit ans, Martha quinze et Thad seulement douze, quand notre père, un botaniste, est mort sur un petit navire de recherches ancré au large des îles Galapagos, après que le bateau eut chaviré à cause de ballasts mal équilibrés. Six mois plus tard, notre mère, professeur d'histoire à l'Université de l'Indiana, s'est suicidée, absolument convaincue qu'elle avait une très grave tumeur au cerveau et qu'il était inutile de consulter un médecin. Une autopsie révéla ensuite qu'elle souffrait bel et bien de ce type de tumeur qui entraîne fatalement la mort. Quand sa cinglée de sœur est arrivée du New Jersey pour s'occuper de nous, j'ai très vite compris que je ne pourrais pas fréquenter l'université comme prévu. Ce printemps-là j'étais en terminale au lycée et l'on m'avait accepté à l'Université de Chicago, mais je ne pouvais vraiment pas abandonner ma sœur et mon frère aux mains de cette femme qui ressemblait à tous égards à Daffy Duck, le personnage de dessin animé. Je me suis donc inscrit tout près de chez moi, à l'Université de l'Indiana et je suis devenu adulte, peut-être prématurément.

Voilà. J'ai planté le décor, mais est-ce si sûr? «Que non», comme disent de nombreux habitants du Midwest. Même les plus sagaces d'entre nous font figure de balourds auprès des gens de l'Est ou de l'Ouest. Qui, davantage que moi, devrait être conscient de la nature essentiellement fallacieuse de l'entreprise biographique? J'avoue que je suis un peu nerveux parce que nous sommes fin avril et que je sens l'approche d'une dépression très banale, même si cette perspective ne va pas sans me déplaire, car mes dépressions passées m'ont toujours soulagé du travail. Dans mes deux petits appartements de Chicago et de New York, j'ai des rangées de néons qui émettent une lumière solaire artificielle. Ils réussissent presque à ragaillardir un malheureux en proie à son habituelle déprime printanière, mais pas tout à fait. Mon père aussi, bien qu'à son insu, souffrait de ce désordre affectif saisonnier, mais il avait découvert très tôt qu'il pouvait venir à bout de ces « coups de cafard », comme il les appelait, en allant simplement passer une semaine sous les tropiques. Il avait vraiment de la chance de travailler comme chercheur renommé en botanique pour Eli Lilly Co., une société qui finançait volontiers ses voyages, car certaines de ses découvertes dans le domaine de la botanique tropicale étaient très profitables à l'entreprise.

Pour être franc, j'ai subi dernièrement une humiliation terrible et d'une nature double. Ma sœur m'a envoyé l'un de ses innombrables fax, citant cette fois un poète nommé Gary Snyder, qui disait que toutes nos biographies sont essentiellement similaires et que seuls comptent nos rêves et nos visions. Elle a ajouté un « Ha ! » moqueur. J'avais bien sûr lu Snyder, mais pas depuis près de trente ans, quand je m'étais engagé dans cette entreprise délicate consistant à devenir un authentique écrivain professionnel. Si je passais une semaine entière à lire de la poésie, j'attrapais une attaque d'eczéma carabinée. En 1969, quand j'ai écrit et publié un livre que je surnomme aujourd'hui *Meurtroïde à Soho*, j'étais presque entièrement couvert d'un terrible eczéma et, lorsque je me suis rendu à une soirée organisée en mon honneur pour fêter la sortie de mon roman, les diverses pommades dont je m'étais enduit la peau collaient littéralement mes vêtements contre mon corps. *M.S.*, le sobriquet du livre, était un mélange vaguement avant-gardiste de poésie et de prose, la fausse autobiographie d'un jeune New-Yorkais qui, méprisé par la jeune femme qu'il aime, se jette du haut de l'Empire State Building, vêtu d'une grande cape orange bouddhiste. Ce fut un « succès d'estime », ce qui signifie qu'on a de bonnes critiques mais pas un sou. C'est triste à dire, mais il s'agissait presque d'une histoire vraie, d'où l'eczéma. Mon mariage avec la fille que j'aimais avait duré neuf jours seulement, avant d'être annulé à l'insistance de ses parents. Elle avait dix-huit ans, elle était en première année de fac ; j'en avais vingt-quatre, je terminais ma maîtrise et j'enseignais en première année avec un statut vaseux d'assistant. C'était mon étudiante, à dix-huit ans elle en faisait quinze. Il était légal à cette époque de faire l'amour à vos étudiantes. J'avais les cheveux très longs, je portais des pantalons pattes d'éph' en velours pour sortir le soir : j'ai du mal à l'avouer, comme tant de faits appartenant au passé de chacun.

Bref, j'étais au *Cajou* hier soir, où je dégustais ma raie au beurre noir bien-aimée après une douzaine d'huîtres, reconnaissant que mon penchant pour les poissons au beurre noir s'expliquait surtout par ma passion pour le beurre noir. Pas très loin de moi, une femme assise de guingois sur sa chaise se penchait en avant : elle avait une fesse toute comprimée contre le bois du siège et l'autre qui pendait à moitié dans le vide. Quelle secousse cérébrale... Manquant sa cible, ma fourchette m'a éraflé le menton. J'ai failli pleurer. C'était un clone du cul de Cindy. Si notre mariage n'avait pas été annulé, nous comptions changer son prénom, guère approprié pour une épouse d'artiste. Ce projet était l'un parmi d'autres qui, peut-être à juste titre, mettaient ses parents en rage.

Je ne pouvais bien sûr pas me suicider à cette époque, car qui alors se serait occupé de Martha et de Thad, ma sœur et mon frère ? Je devrais ajouter que ma mère n'avait rien révélé des responsabilités des uns et des autres dans sa lettre de suicide pourtant détaillée et d'une grammaire impeccable...

La fille au postérieur en poire d'Anjou s'est levée et a rajusté sa jupe avant d'aller aux toilettes. Son petit ami au teint plombé a souri comme une fouine qui vient de découvrir une poulette bien dodue. Pour éviter son regard, j'ai levé les yeux au plafond, où flamboyait l'image de Cindy en short de jardinage. Je l'avais remarquée à l'un de mes cours, à cause de sa séduction ; mais quand je l'ai vue en train de soigner les massifs de fleurs en bas de son dortoir, j'en suis resté comme deux ronds de flan. Agenouillée là, discutant avec un vieil Italien, un jardinier de la fac doublé d'un roublard à l'évidente lubricité, elle tripatouillait ses fleurs tandis que sa croupe se cambrait vers le ciel.

Voilà qui m'amène directement au second aspect de ma double humiliation. Le premier, l'allusion de ma sœur pour qui le travail de ma vie était vain sous prétexte que ce sont nos rêves et nos visions qui seuls comptent, et non les détails dérisoires de nos biographies, était déjà assez difficile à avaler, mais le second était encore plus pathétique. La veille, voyageant à bord d'un vol matinal d'*American Airlines* (j'ai cinq cent mille kilomètres de bonus !), j'ai ouvert la revue de la compagnie et je suis tombé pile sur un certain nombre de photos de Cindy dans un article intitulé *Une femme aux fleurs innombrables*, cent arpents de fleurs pour être exact sur une ferme au bord du Mississippi, juste au nord de LaCrosse, dans le Wisconsin. Elle avait maintenant cinquante ans, mais était toujours très belle, comme ces femmes de Palm Beach qui ont passé trop de temps au soleil. Elle avait été mariée plusieurs fois, « trois fois divorcée », selon la prose du magazine, « avec deux enfants adultes » au sexe indéterminé. Ce décompte des mariages incluait-il notre union-éclair de neuf jours ? Elle s'occupait en particulier de fleurs rares ou « d'héritage » ; elle-même et ses assistants avaient parcouru le monde entier pour collecter des graines de fleurs qui échappaient désormais aux lubies des jardiniers.

Lorsque j'ai quitté le restaurant après mon sorbet habituel, j'étais tellement chamboulé que j'ai failli déclarer au propriétaire que mon repas avait été « un triomphe de l'esprit humain », comme je l'avais claironné quelques semaines plus tôt à Mario Batali chez *Babbo*, où je dîne à l'extrémité du bar le mercredi soir quand je suis à New York. Mario m'a dévisagé en répétant :

« Un triomphe de l'esprit humain ? »

Ah, les menus détails de l'existence... Je crois mépriser l'ironie, mais il est si facile d'en être victime. L'ironie constitue une manière de nous protéger contre la vulgarité évidente et épuisante de notre culture. On pourrait dire qu'elle rend la vie plus supportable, mais sans l'améliorer. C'est une héroïne mentale. Parler d'« un triomphe de l'esprit humain » est tout bonnement le genre de chose qui vient à l'esprit quand on a écrit trois douzaines de *Biocompactes*. Si seulement c'était la vérité, mais quand on examine les choses de près, ça ne l'est pas, ou très rarement, dans la vie publique. La vie privée est une autre affaire, mais la séparation entre ces deux domaines est devenue très problématique. Prenez un exemplaire du *National Geographic* et soupesez-le. Lisez un article, par exemple *La Grèce : une nation en pleine mutation* et tâchez le lendemain de vous rappeler ce salmigondis inodore et sans saveur. Vous aurez le sentiment d'avoir regardé un programme de télévision et vous n'aurez pas tort. Votre petit cœur palpitant est une offrande bouillie.

Quel plaisir d'essayer de téléphoner à Cindy, quelle aventure inscrutable, non souillée par la moindre ironie. Bien sûr, elle n'était pas là. Son majordome m'a répondu que c'était le printemps (une évidence si facile à oublier en ville) et que Cindy était partie pour le Kansas, très occupée à examiner les fleurs sauvages du début de printemps. Pourquoi pas, ai-je pensé, en oubliant de laisser mon nom et mon numéro de téléphone.

Je me rappelle parfaitement cette soirée à Hinsdale, dans l'Illinois, quand son père et son frère adolescent m'ont jeté hors de leur belle maison. Comme je ne suis pas une mauviette, ils ont eu un certain mal. Sa mère la retenait et Cindy n'a pas pu prendre mon parti, à supposer qu'elle ait fait la moindre tentative dans ce sens. C'étaient des gens aisés et j'avais feint d'adopter des manières irréprochables. Mais son père croyait dur comme fer que j'appartenais au fameux groupe des « gauchistes de Chicago ». Quant à son frère, qui étudiait à Yale, c'était l'un de ces gros bras qui pratiquent l'aviron au point de devenir une impressionnante boule de muscles. Jamais je ne me suis senti davantage orphelin que lorsque je me suis retrouvé allongé à plat ventre dans leur jardin, le nez plongé dans un massif de fleurs que Cindy avait certainement plantées.

Pour un certain nombre de raisons, je me suis réveillé à l'aube en riant. Voilà qui tient davantage du triomphe de l'esprit humain pour un homme de cinquante-cinq ans. Je me suis alors rappelé un rêve de ma dix-huitième année :

le cagibi de notre vieille ferme de l'Indiana, lentement entourée par un quartier d'habitations neuves, contenait tout mon avenir non encore vécu, tout ce que je ne ferais pas. Même à cette époque précoce, j'ai pensé qu'il s'agissait peut-être d'un symptôme de vieillissement prématuré. Mes parents, bien sûr, ne tarderaient pas à disparaître, mais ils étaient toujours de ce monde et je ne pouvais mettre ce rêve sur le compte de leur absence. Mon rêve ne me fournissait aucun indice sur le contenu exact de cette vie non vécue, simplement elle se trouvait enfermée là dans le cagibi. La conclusion élémentaire que j'ai tirée de ce rêve récurrent au fil des années ultérieures, c'est que nous sommes en partie définis par ce que nous refusons, par toutes ces choses que notre tempérament décide d'exclure avant qu'elles n'aient l'occasion de se produire. Il y a des années, quand j'écrivais ma *Biocompacte* sur Barry Goldwater, j'ai rencontré une Allemande âgée de quatre-vingt-dix ans, qui habitait une caravane Airstream dans le désert de l'Arizona depuis 1946 et ce pour des motifs évidents. Selon mon rêve, elle aurait dû s'y installer plus tôt, disons en 1934 ou en 1935. C'était une botaniste et, à cause de raisons professionnelles, elle connaissait certains travaux de mon père concernant la génétique des plantes sauvages. Quand j'ai répondu à sa question sur mon propre métier, ses yeux ont congédié ma profession comme si je lui avais déclaré que je tenais un stand de barbe à papa dans les foires du comté.

Mais mon rire était surtout dû à ma longue promenade de la veille au soir, entre le restaurant *Cajou*, près de la Dix-neuvième Rue, jusqu'à la partie Est de la Soixante-douzième, où se trouve mon appartement new-yorkais, près du fleuve. Pour ceux qui connaissent ce quartier, j'habite à côté de la demeure de George Plimpton. Nous n'avons jamais été présentés l'un à l'autre, mais sur l'embarcadère nous échangeons souvent un signe de tête en regardant passer les remorqueurs et les autres bateaux.

Bref, lors de cette longue promenade, j'ai remarqué les limousines et les voitures qui chargeaient et déchargeaient de petits groupes de riches hommes d'affaires devant des restaurants de luxe. J'ignore ce que j'ai soudain trouvé si drôle chez ces membres de ma propre « classe », disons les gens qui gagnent plus de trois cent mille dollars par an, bien que la barre des cinq cent mille serait plus conforme à la réalité. Je ne parle pas d'argent hérité, mais de travail effectif; je parle d'individus en majorité blancs, et j'exclus les acteurs, les musiciens et les sportifs professionnels. Les individus qui entrent dans cette tranche supérieure des revenus sont certes assez bizarres, mais jusqu'à cette balade je ne peux pas dire qu'ils m'aient jamais semblé aussi comiques.

Curieusement, mon frère Thad souhaite ardemment devenir l'une de ces créatures, mais il ne sait tout bonnement pas comment y consacrer l'intégralité de son existence. De manière significative, Thad a flambé les cent mille dollars qu'il m'a volés, en boursicotant au jour le jour et en achetant dix pour cent des parts d'une jument à la vente de Keeneland, dans le Kentucky, cette année-là. Je ne supporte pas de décrire ces individus *in extenso*, ces membres de ma fraternité au sens large, mes pairs canins alpha qui, dans leurs meilleurs jours, montrent toujours les crocs du plus pur égoïsme. La patate autoréférentielle de base ne réussit jamais à décrire clairement sa *patatéité*. Et lors de cette longue promenade, j'ai repéré plus clairement que jamais les frères de mon frère, aussi lucidement qu'on identifie un diplomate dans un supermarché bas de gamme. Ces rigolos allaient « microgérer » (quel mot atroce) jusqu'à leurs pets d'après dîner.

Je riais en mettant en marche ma cafetière, invariablement préparée la veille au soir, et je riais encore à l'idée de

m'être levé à neuf heures et demie plutôt qu'à sept comme
à mon habitude. Je ne suis certainement pas un crétin
doté d'une pierre à la place du cœur. Simplement, je ne
sais pas très bien quoi faire en dehors de travailler. Il y a
quelques nuages intéressants derrière ma fenêtre, de très
jolis cumulus en cette tiède matinée. Comment font-ils
pour adhérer ensemble plutôt que de se désintégrer ? Un
coup de fil à ma sœur me permettrait d'obtenir aussitôt la
réponse à cette question, mais l'idée même d'une information utile me fait frissonner de dégoût. Tout en regardant
l'horloge marquer dix heures, je me suis interrogé sur la
part privée de mon existence, mais j'ai bientôt congédié
cette énigme en appelant mon marchand de vins préféré
pour lui commander une caisse du Gigondas que j'avais
beaucoup apprécié la veille au soir, ainsi qu'un paquet de
cigarettes, une drogue à laquelle je n'avais pas touché
depuis une bonne décennie. J'en avais assez d'être invariablement dans le bon camp sur tous les débats de société
qui animaient les éditoriaux du *New York Times*. J'étais en
pleine possession de mes sens, lesquels en toutes circonstances n'en font qu'à leur tête. Depuis quelques
années, la mode des crises du début, du milieu ou de la
fin de l'existence parmi les hommes blancs semblait toujours indiquer un Q.I. émotionnel minable, l'incapacité
de voir qu'il existe toujours un autre virage après celui
qu'on a sous les yeux. Les sociétés primitives fonction-
naient selon des cercles. À nous les virages.

Je savais pertinemment que j'essaierais d'appeler Cindy
avant que ma décision ne devienne un acte conscient.
Mon éclat de rire matinal a été une bouffée d'oxygène
après un coup de fil guère aisé et même si j'avais fait chou
blanc. Je me confronte à cette notion banale de « fermeture ». Cet hiver, à Chicago, j'ai cessé de fréquenter un
ancien mannequin, une femme intelligente et séduisante,

parce qu'elle employait sans cesse des mots de ce genre. Notre usage commun adopte par dizaines ces étrons verbaux et je n'ai aucune envie de leur faire la moindre publicité, même si le pire est sans doute cette « phase de guérison » qu'on appelle de ses vœux les plus chers quand des gamins se prennent dans le ventre des rafales d'armes automatiques. Un soir, au café *Le Select* de Montparnasse à Paris, je parlais avec un éminent traducteur qui m'a assuré que le français courant abondait aussi de ces nodules corrompus, qu'on remarquait d'habitude dans la bouche de personnes dévorées d'une sincérité idiote.

Le livreur du marchand de vins, Rico, est arrivé avec mon Gigondas et un haussement de sourcils à cause des cigarettes. Je connais Rico depuis des années, il constitue une véritable mine d'informations sur les pratiques culinaires bizarres disponibles dans la région de New York. Un soir de février, il est passé me chercher dans sa vieille Corolla et nous sommes allés à Queens manger un ragout de tête de chèvre dans un restaurant africain. J'ai reculé devant les yeux, mais pas Rico. Autrefois, il enseignait la biologie dans un lycée de Brooklyn, mais il a craqué lorsque sa femme l'a plaqué pour un entraîneur de football. En livrant son vin, Rico est convaincu d'apporter de la beauté dans la vie des gens. Je suis d'accord. Il est impossible de considérer d'un œil glacé ces authentiques New-Yorkais. L'un de mes chauffeurs de taxi préférés est un Inuit, une sorte d'Eskimo. Rico a mon âge, il se maintient en forme grâce à la manipulation quotidienne de ses caisses de vin. Il reconnaît qu'il pourrait très bien vivre avec l'assurance-vie que son père lui a laissée, mais il aime tout simplement parler de vin et en livrer. Nous avons bu un petit ballon de rouge avec nos cafés, une tradition française du milieu de matinée. Il m'a regardé avec plaisir fumer une cigarette et tousser. Lui aussi a toussé, par sympathie. Avant de partir, il m'a montré un Polaroïd discret de sa dernière conquête, une secrétaire assez rondelette mais séduisante qui travaillait au World Trade Center. Elle arrivait des Adirondacks et il lui avait préparé un dîner toscan assez sophistiqué, lequel avait parfaitement rempli son office. Pendant des années j'ai été légèrement jaloux de son énergie sexuelle, qu'il attribue au vin rouge, à l'ail, à l'épuisement physique inhérent à son emploi, à la lecture des classiques de l'érotisme, à son goût pour la musique brésilienne et au fait très simple que, contrairement à moi, il évite tout surmenage mental.

Après le départ de Rico, ce sont les Français et trois verres de leur vin qui m'ont donné une idée amusante. J'ai téléphoné aux jardins fleuris de Cindy et me suis présenté sous le nom de Jacques Tourtine, du Jardin des Plantes de Paris, un botaniste curieux de la disponibilité de certaines graines de fleurs sauvages. On m'a répondu qu'on allait me rappeler d'ici quelques minutes. Maintenant trop crispé pour rire, je me suis assis afin de surveiller l'aiguille des minutes de l'horloge de la cuisine. Pour des raisons spécieuses, je me limite strictement à une bouteille de vin par jour. Je ne suis pas du genre à sortir de mes gonds. Sept minutes plus tard, le téléphone a sonné et c'était Cindy sur son portable, dans la prairie d'herbes hautes, près de Wichita, dans le Kansas. J'ai commencé de parler en simulant un accent français, mais elle n'a pas été dupe plus de quelques secondes.

« Espèce de trouduc », a-t-elle dit en riant.

Les féministes qui nous décrivaient jadis comme des êtres « en manque » nous traitent aujourd'hui de « trouducs », ce qui est charmant.

La conversation a été agréable, même si ensuite mes vêtements étaient trempés de sueur dans la cuisine. Maintiens la température de ton appartement à dix-sept degrés, tu travailleras mieux. Oui, elle n'a pas pu éviter de remarquer mes innombrables *Biocompactes*. J'entendais le vent de la prairie sur son téléphone et la manière dont il modulait le son de sa voix m'a fait imaginer Cindy en mer pendant une tempête.

« Comment, au nom du Ciel, as-tu pu écrire sur Kissinger ? s'indigna-t-elle. Toi, qui étais un pacifiste tellement intransigeant.

— C'est mon gagne-pain, plaidai-je piteusement. Le bouquin s'est très bien vendu. On n'est pas forcé d'être d'accord avec quelqu'un pour écrire sur lui.

— Oh, quelles conneries », fit-elle. Jadis, elle ne jurait jamais. « Moi qui ai toujours cru que tu serais un noble poète, un poète noble et pauvre, vivant en Espagne. J'ai bien aimé ton Linus Pauling, mais quand j'ai feuilleté le Newt Gingrich, je me suis demandé comment un homme que j'ai aimé a bien pu sauter tête la première dans cette putain de porcherie.

— J'entretiens toujours mon frère et ma sœur. Contrairement à toi, je n'ai pas touché un héritage qui m'aurait dispensé de travailler.

— Moi non plus. Mon père a fait banqueroute. Par bonheur, mon dernier divorce m'a permis d'acheter une ferme. Et puis je me suis bien sortie du deuxième aussi. »

Je ne savais jamais comment prendre cette logique typiquement féminine qui permet à mes interlocutrices d'avoir toujours raison, même lorsqu'elles ont tort. En revanche, j'ai eu moins de mal à digérer le babil allègre qui a suivi, où elle me demandait comment moi, l'ancien poète et l'ancien auteur de fictions, je pouvais écrire une prose qui sonnait comme celle de n'importe quel animateur télé ou pisse-copie de bas étage, ou encore comme celle des articles du *National Geographic*. Autrefois, j'avais tellement d'imagination, je lui lisais les poèmes de Dylan

Thomas, de Lorca, de Yeats, et même parfois mes « trucs » merveilleux.

« Tu me casses les couilles, dis-je.

— Je suis désolée, mais un peu plus tôt dans la matinée je me suis embourbée et ensuite j'ai crevé. Il y a des silex coupants enfouis dans la boue et je ne trouve pas les fleurs que je cherche. Je suis en avance de quelques jours sur leur floraison. »

Malgré toutes ces circonstances atténuantes, ses paroles n'en demeuraient pas moins blessantes. Vous marchez sur un clou, puis vous tirez une balle dans la tête de votre voisin. Quand je lui ai demandé si je pouvais la voir le week-end suivant (nous étions déjà mercredi), il y a eu un silence assez long, puis elle a dit :

« Pourquoi pas ? »

J'ai alors inventé de toutes pièces un mensonge : je devais de toute façon me rendre à Minneapolis et je serais à LaCrosse vendredi à l'heure du dîner.

J'ai pris l'une de ces douches pathétiques, quand vous espérez qu'elle vous fera un bien invisible, en plus de détruire les bactéries nocives sur votre peau. C'était assez douloureux d'entendre l'un des premiers amours de votre vie ridiculiser votre style et vos sujets. Certes, la prose biographique a tendance à ressembler au football pratiqué jadis dans le Midwest : trois mètres et un nuage de poussière. Encore trois mètres et davantage de poussière. Plus blessante était sa vision de moi en poète pauvre et noble dans la campagne espagnole, menant sans doute un âne chargé de mes dérisoires biens terrestres. De fait, l'Espagne avait constitué mon obsession majeure à l'époque de notre mariage de neuf jours, mais lorsque j'ai enfin disposé des fonds et de la liberté nécessaires à ce voyage, j'ai oublié d'aller en Espagne.

En sortant de la douche, j'ai soudain soupçonné que le langage que j'utilisais pour me décrire à moi-même était peut-être radicalement inadéquat. Mieux, je pouvais sans doute étendre ce soupçon jusqu'au langage que j'utilisais pour décrire le monde. Mes outils verbaux sont dépassionnés, analogiques, légèrement ironiques, comme s'il existait un décor global immuable sur lequel je pouvais appliquer mes petites décalcomanies verbales. La métaphore, par exemple, est bannie de mes *Biocompactes*. La métaphore est généralement bannie de toute prose « commerciale » dans les médias au sens large. Déjà, à l'époque lointaine où j'ai obtenu ma maîtrise de Lettres désespérément dévaluée, la métaphore était de plus en plus fréquemment proscrite de nos livres de fiction. Aujourd'hui, quand je feuillette quelques romans dans une librairie, je remarque que c'est une règle presque universelle. Si la métaphore ne peut pas être enseignée, alors elle ne doit pas être très importante ; voilà au moins une conclusion logique. Pauvre Shakespeare, qui regardait peut-être son miroir quand il dit :

« Temps dévorant, émousse donc tes griffes de lion. »

Bah.

J'ai une batte de base-ball près de ma porte d'entrée, en cas de visite indésirable. Si mon voleur tient une arme à feu, je lui donnerai bien sûr mon argent et le reste, mais un simple couteau ne fait pas le poids contre la force de frappe d'une *Slugger* de Louisville. J'avais donc envie de briser un objet de valeur. Si seulement j'avais eu un vase Ming. À défaut d'autre chose, j'ai posé l'une de mes bouteilles de Gigondas sur un tabouret de cuisine et j'y suis allé de bon cœur avec ma batte, regardant la bouteille projeter son breuvage pourpre dans toute la pièce en formant des taches et des coulures irrégulières. C'est le moment idéal pour aller faire un tour dehors.

Lorsque j'ai atteint la rue, mon comportement enfantin m'a bien sûr fait rire, mais pourquoi devrais-je juger le moindre de mes gestes ? C'est aussi consternant que cette question posée par les amants, « c'était bon pour toi ? », après que le désir s'est enfui dans le vide. Je n'en aurai rien à secouer quand je nettoierai ce merdier.

Il faisait un temps plus que clément lorsque je me suis engagé dans la Première Avenue, aussi certain de ma halte prochaine que l'amiral Byrd l'était du Pôle (nord ou sud, je m'en tamponne le coquillard). Je voulais m'arrêter chez *Schaller et Webber* pour y savourer une tranche de fromage de tête à un dollar, une gâterie que je m'offre souvent. Le fromage de tête était l'une des rares passions gastronomiques de mon père. Deux rues plus loin, au-delà de la Quatre-vingt-sixième, j'arriverais au *Papaya King* pour déguster deux hot dogs à la moutarde. Je mangeais de la bouillie d'avoine tous les matins depuis sept mois afin de « combattre » le cholestérol et, à cet instant précis, plutôt que de contempler mon énième bol de bouillie d'avoine, j'aurais préféré gober une crotte de chien fumante. Je me souvenais parfaitement de mon rendez-vous avec mon éditeur, ce même éditeur que j'ai depuis trente ans et qui est maintenant le président de la maison d'édition. Je n'ai jamais oublié un rendez-vous de ma vie. Mais cette fois, j'allais le faire poireauter, sans doute au bar du *Four Seasons*, devant son club soda et sa rondelle de citron. Jadis, il commandait une tasse d'eau chaude, durant la brève période où ce breuvage enivrant a été à la mode à New York. J'y ai goûté une fois et j'ai conclu que ça ressemblait à du café sans café. Il a sans doute fallu une célébrité hors du commun pour lancer cette fadaise, même si son aire d'influence n'a apparemment pas franchi l'Hudson.

À deux doigts de me faire renverser par un taxi, j'ai bondi en arrière et me suis retrouvé sur le cul. Un Noir plus âgé que moi et bien habillé a secoué la tête comme si j'étais un enfant distrait. Cet accident évité de justesse avait perturbé un rouage de mon cerveau, car j'ai tenté de me rappeler une phrase lourde de sens, prononcée sur son lit de mort par le poète Jack Spicer : « C'est mon alphabet qui m'a fait ça. » Quelque chose de ce genre, mais trente ans s'étaient écoulés depuis l'année pathétique de ma maîtrise de Lettres, la seule période de ma vie où j'ai bu beaucoup trop. J'habitais une vieille maison avec deux autres écrivains en herbe et il était de rigueur de boire comme un trou, de fumer beaucoup d'herbe, même si j'ai toujours évité le LSD. Bref, l'un de mes camarades avait une impressionnante bibliothèque d'écrivains *« beat »* et il connaissait toutes les rumeurs qui les entouraient. J'étais attiré par l'œuvre de Spicer et sa mort relativement précoce, due à l'alcool, l'avait poussé à dire : « C'est mon alphabet qui m'a fait ça » ; tels furent du moins les mots dont je me suis souvenu aussitôt après avoir failli me faire occire par ce taxi. Ces dernières paroles me semblaient profondes. Toutes ses perceptions, la totalité de sa vision du monde s'étaient cristallisées dans cet alphabet privé qui l'avait conduit à cette mort précoce.

Seigneur, après toutes ces émotions j'avais une faim de loup et je tenais à prendre mon petit déjeuner tardif au *Papaya King.* J'ai pressé le pas, en faisant néanmoins bien attention avant de traverser la rue, j'ai fait halte chez *Schaller et Webber* pour ma tranche de fromage de tête soigneusement enveloppée et mes mains tremblantes ont ouvert le paquet. Une passante, une jeune femme très séduisante, a froncé les sourcils en me voyant mordre ma tranche à belles dents, mais elle semblait plus curieuse que dégoûtée. Dès qu'on a franchi le cap du demi-siècle, leur regard lévite au-dessus de votre tête comme si vous étiez un simple portier indigne de laisser la moindre trace sur leurs sens affinés. Je lisais beaucoup de revues et de journaux pour rester en contact avec le pouls plutôt erratique de la culture, mais j'étais incapable de me rappeler le moindre fait mémorable concernant les jeunes femmes de notre époque. J'en connaissais seulement deux, et pas très bien. Pour être franc, je fréquente une jeune femme en France lors des deux ou trois voyages éclair que je fais là-bas chaque année, fondamentalement pour interrompre ma vie routinière (même si d'habitude je travaille tous les jours dans ma chambre d'hôtel) et pour des raisons de liberté de choix gastronomique. Cette jeune femme de vingt-cinq ans, prénommée Sandrine, a la bonté d'accepter ma « bourse d'études » mensuelle d'environ mille dollars, destinée à l'aider dans ses tentatives artistiques. Je la décrirais comme une jeune personne intéressante plutôt que charmante. Elle trouve le pénis masculin « banal », un qualificatif désarmant. Elle vit, grâce à mon aide, tout près du Jardin des Plantes, ce qui explique pourquoi j'ai pu utiliser ce nom afin d'entrer en contact avec Cindy. Je suis tellement habitué aux mensonges quand je fais des interviews pour mes *Biocompactes*, que j'ai moi-même tendance à me mentir, sans parler des petites entourloupes futiles de ma prose. Pour être honnête, j'envoie à Sandrine pas loin de deux mille dollars par mois. Et pourquoi pas ? Elle a le plus joli derrière que j'aie jamais vu, même si j'ai toujours été beaucoup trop occupé pour avoir de nombreuses maîtresses. Sur la douzaine de femmes que j'ai connues au cours de ces trente dernières années, c'est elle qui fait l'amour le moins bien. Je doute de mes motivations avec Sandrine. Peut-être que son énergie médiocre et ses talents discutables au lit me rassurent ? Voilà une idée stimulante. Une fois que j'étais allongé sur elle, le nez entre ses ravissantes cuisses, je l'ai surprise en train de regarder une revue posée sur la table de nuit. Pourquoi la sexualité devrait-elle figurer sur la liste des défis désagréables de l'existence ?

Comment à mon âge faire voler en éclats le langage ? La rencontre de la batte de base-ball et de la bouteille de Gigondas avait été d'une facilité merveilleuse. Au comptoir du *Papaya King*, face à la rue, une très séduisante BCBG mange son hot-dog sans garniture. Elle a l'œil humide, l'émotion la submerge de toute évidence. J'ai envie de lui dire : « Ça ne peut pas être aussi grave », mais ça l'est sans doute. Elle a l'âge de ma sœur, mais ma sœur a indubitablement restreint le champ des expériences susceptibles de la faire souffrir.

Une brève visite à mon agence de voyages m'a beaucoup rapproché de Cindy. « Je le fais pour de bon », ai-je pensé. J'ai tellement aimé cette femme, même si le temps déforme et métamorphose la densité spécifique de cette émotion ancienne. Il est difficile d'estimer à sa juste valeur une chose qu'on ne peut identifier avec précision en dehors des signes élémentaires du frémissement, de la douleur, de la nostalgie. La première fois où j'ai amené Cindy à la maison, ma sœur s'est écriée :

« Mon dieu, mais c'est une gosse ! »

Voici ce qui s'est passé lors du neuvième et dernier jour de notre mariage. Nous sommes partis d'Iowa City en voiture pour rejoindre Chicago et annoncer notre mariage à ses parents. Lorsque nous avons atteint Joliet, ses plans ont changé et elle a décidé qu'il vaudrait mieux qu'elle annonce seule la nouvelle. Nous avons rejoint l'appartement d'un écrivain-enseignant très prometteur, chez qui nous devions loger. Il a disparu depuis lors. Aux dernières nouvelles (qui remontent à vingt ans), il enseignait l'anglais à Taïwan, son unique volume de poèmes était tellement mince qu'il a sans aucun doute quitté les étagères de notre nation. Bref, Cindy a pris un taxi devant l'appartement pour rejoindre la maison de ses parents et, après huit jours seulement de mariage, j'ai été libre de passer une nuit en ville tout seul. À cette époque, nous autres écrivains buvions beaucoup et entre deux bars nous tirions volontiers sur un joint. La soirée s'annonçait tranquille, car nous devions assister à une lecture de Stephen Spender, le poète anglais, que mon ami prétendait connaître ; mais à la petite réception qui précédait la lecture, Spender n'a pas semblé reconnaître mon ami. En fait, lorsque ce dernier a essayé de me présenter à Spender, le poète s'est aussitôt tourné vers une petite table couverte de verres de sherry, de tranches de fromage et de biscuits salés, et ma main tendue est restée un bon moment dans le vide. Je ne dirais pas que j'en ai été très bouleversé, car l'étude formelle de la littérature anglaise me bassinait depuis si longtemps que je mourais d'envie de filer vers un club de blues où Muddy Waters devait jouer ce soir-là. Nous avons donc battu en retraite vers la sortie de la salle de réception, et mon ami s'est soudain retourné pour crier à la foule :

« Mort aux connards ! »

À l'époque, j'ai trouvé ça très poétique plutôt qu'enfantin.

Debout à l'angle de la Quatre-vingt-sixième Rue et de la Troisième Avenue, je me suis rappelé ces vingt-quatre heures qui, si elles ne m'ont pas traumatisé à vie, m'ont du moins laissé un sentiment de honte indélébile. Trente années ne suffisent pas tout à fait pour m'assurer une remémoration agréable. J'ai cherché puissamment quelque excuse plausible. Le mieux que j'ai réussi à trouver, c'est le printemps, la sève qui monte ; d'ailleurs, j'ai souvent remarqué ma sensibilité à la lumière, comme chez les oiseaux migrateurs. Par exemple, immobile à ce carrefour animé, je viens de voir cinq femmes qui ont ajouté au moins une cuillerée de sang au fluide qui circule déjà dans mes reins. C'est le printemps. Ça n'aurait pas pu se passer en novembre.

Quoi qu'il en soit, après l'épisode Stephen Spender, nous voilà donc partis vers une succession de bars irlandais, lesquels abondent à Chicago. Mon ami prétendait être à demi irlandais, mais, comme tant de faux Irlandais du Midwest, il le prouvait en roulant les *r* comme un authentique Écossais. C'était bien sûr un sinistre crétin, mais il avait déjà publié quelques poèmes dans la *Paris Review, Sumac, Tri-Quarterly* et une demi-douzaine d'autres revues qui comptaient à cette époque. À mes yeux, il était un héros infaillible.

Nous avons écouté Muddy Waters et Otis Spann avec un ravissement auquel l'alcool n'était pas tout à fait étranger, avant d'aller dans une sorte de tripot clandestin où nous avons joué aux dés sans succès et dont nous nous sommes fait virer dès que nos poches ont été vides. À l'aube, nous préparions le petit déjeuner pour deux femmes objectivement très quelconques, à qui mon ami avait téléphoné vers trois heures du matin. Elles habitaient tout près, ces groupies de son cercle littéraire de Chicago. Quiconque n'est point totalement anonyme a tendance à attirer des suiveurs, et mon ami, en sa qualité de phare littéraire majeur à Chicago, en comptait une pléthore. Mais si ces deux femmes se sont trouvées convoquées au pied levé, c'était surtout parce que nous n'avions plus ni bière, ni vin, ni gnôle, ni rien. Fidèle à l'esprit de la soirée, vers quatre heures du matin il s'est entièrement déshabillé en espérant que les femmes l'imiteraient. Mais elles ne l'ont pas fait et l'une a même émis un commentaire désobligeant sur la forme tordue du pénis, sinon normal, de mon ami, ce qui l'a rendu morose et l'a entraîné dans une longue évocation des souffrances diverses et variées qui marquaient son existence, clôturant sa lamentation, comme toujours avec les écrivains, par les conditions scandaleusement humiliantes que lui imposaient ses éditeurs. La critique de bite fut assez impressionnée pour ôter son corsage et ses chaussures, mais elle parut alors oublier ce qu'elle faisait lorsqu'il se lança dans une attaque virulente dirigée contre Robert Lowell et « l'*establishment* littéraire de la Côte Est », incluant bien sûr dans sa diatribe l'anglais Stephen Spender.

L'autre femme, prénommée Rachel, fumait un énorme joint qu'elle venait de tirer de son sac avec force minauderies. Nous nous sommes installés sur l'escalier d'incendie afin d'échanger quelques caresses, mais par bonheur j'étais trop ivre pour commettre l'adultère en ce huitième jour de mon mariage, du moins selon les souvenirs que je garde de cette nuit-là. Des années plus tard, quand je suis tombé par hasard sur Rachel dans une librairie de Chicago, elle a évoqué notre nuit « magnifique » sur l'escalier de secours et j'ai pris la poudre d'escampette. Elle n'avait pas renoncé à mastiquer ses chewing-gums.

Je me suis réveillé sur le canapé à une heure de l'aprèsmidi, la main droite crispée autour de deux tranches de bacon ; puis, sur le chemin des toilettes j'ai vu par la porte de sa chambre que mon héros avait copieusement compissé son lit. On pourrait arguer qu'il appartenait à la prestigieuse tradition de Dylan Thomas et d'une kyrielle d'autres écrivains poivrots. Beaucoup d'eau a coulé sous les ponts avant que je ne réussisse à manger de nouveau du bacon. Naturellement, je souffrais d'une gueule de bois carabinée et le goût du chewing-gum de Rachel sur mes lèvres me faisait rissoler dans la culpabilité. Heureusement que j'ai cessé de boire comme un trou dès l'âge de trente ans, car les gueules de bois avaient tendance à me submerger d'une vertueuse colère, pas exactement l'émotion que vous souhaitez manifester lors de votre première rencontre avec vos beaux-parents. Pourtant, il y avait tant de raisons d'être en colère : le mégot qui barbotait dans le jaune d'œuf figé sur une assiette dans la cuisine, le « je vous emmerde » tracé dans la graisse brune figée au fond de la poêle, le tapuscrit de la *Rodentia Suite* de mon ami, qu'il nous avait lue à six heures du matin et qui n'arrivait pas à la cheville du chant d'un étourneau sur l'escalier de secours. L'eau de la douche était tiède. Le café, en poudre. Mes chaussures semblaient au bout du rouleau. Mon ami s'était endormi lorsque j'avais essayé de lire l'un de mes poèmes. J'avais même pris plaisir à le voir trébucher en rejoignant son lit. Je souffrais d'une légère diarrhée et j'avais réussi à me brûler la langue. J'ai envié mon ami qui, dès son réveil, a joyeusement descendu deux bières chaudes en s'envoyant une Dexedrine et un Darvon, avant d'annoncer sentencieusement qu'il ne croyait pas à la douleur.

J'approchais de Hinsdale dans ma Desoto pourrie et j'avais un peu la tremblote, quand j'ai pensé que je n'aurais pas dû porter mon pattes d'éph' en velours bleu et ma chemise à fleurs orange. Je me suis arrêté sur le parking d'un centre commercial à deux kilomètres environ de chez mes beaux-parents et j'ai enfoncé au bout d'une cigarette un petit morceau de hasch qu'un étudiant m'avait donné. J'ai brossé mes très longs cheveux en sentant la drogue calmer ma tremblote. Puis j'ai répété mentalement un certain nombre de réponses aux questions les plus évidentes, dont cette interrogation majeure : comment allais-je subvenir aux besoins de leur fille ? La réponse était facile, car après leur décès mon père et ma mère m'avaient laissé une somme rondelette. L'âge de Cindy, dix-huit ans, posait un problème plus épineux, qui m'avait déjà valu les taquineries de mes copains de la fac. « Dans l'Indiana, de nombreuses filles se marient à dix-huit ans », paraissait un peu léger.

Je marchais de plus en plus vite en me rappelant cette lamentable histoire. Vu l'absence de tout idéal élevé, le comique de la situation vous sautait au visage. J'ai néanmoins fait attention aux taxis en traversant la Cinquième Avenue vers Central Park, marchant toujours d'un pas rapide, mais dépassé par un jogger d'au moins soixante-dix ans, dont les coudes montaient et descendaient avec la régularité des ailes d'une mouette, et qui m'a souri avec la bonhomie du spécialiste, son cul osseux tressautant en rythme autour du pivot de ses hanches.

Une fois encore, comment mon langage pourrait-il décrire l'imposante véranda de Hinsdale dont je gravissais les marches parmi le bourdonnement des abeilles qui butinaient les lilas du jardin en ce tiède printemps ? J'avais mal aux cheveux, la bouche aussi sèche que la semelle de mes chaussures. Mon cœur cognait comme une caisse claire. La porte s'est ouverte avant que je n'aie eu le temps de l'atteindre ; le frère musculeux de Cindy, rentré au bercail pour les vacances de printemps, m'a dévisagé comme si j'étais une nouvelle espèce de rongeur.

Ils étaient tous les quatre assis à une immense table de salle à manger, vieux chêne et kitsch victorien. On aurait dit que Cindy et sa mère venaient de fuir une maison en feu, tant elles avaient les yeux rouges et larmoyants, le visage tout gonflé à force de se le frotter ; celui du père évoquait un nuage rose menaçant, et le frère arborait une patine de snobisme scandalisé.

Pour couronner le tout, le rusé papa tenait deux douzaines de photos de ma virée nocturne en ville, depuis notre départ tumultueux de la lecture de Spender, jusqu'aux pubs irlandais, le tripot clandestin, puis mon ami et moi bras dessus bras dessous avec deux femmes. Sans oublier, surpris à travers la fenêtre de l'escalier de secours, mon hôte au pantalon baissé et au dérisoire pénis recourbé, ainsi qu'un cliché de moi-même sur l'escalier extérieur tandis que ma compagne pressait contre les barreaux de fer son gros cul nu comme la main.

Je savais évidemment que notre gouvernement avait espionné les Sept de Chicago, mais tout ça me semblait parfaitement irréel. J'avais aussi lu Chandler et Hammett, mais ces photos, qu'on m'a lancées avec mépris, et dont certaines sont tombées sur mes cuisses, me dépassaient complètement. Pour cette famille de la petite bourgeoisie, elles prouvaient apparemment que j'étais indigne d'épouser Cindy, mais ils se trompaient du tout au tout : n'avais-je pas élevé mon frère et ma sœur durant les cinq dernières années ?

Les sanglots ont commencé. Cindy refusait de me regarder. Son père a réellement dit :

« Espèce d'infect petit freluquet. »

Même à cette époque lointaine, en 1969, *freluquet* était un archaïsme. Le père soufflait comme un bœuf quand il a ajouté :

« Sale hippie répugnant ! »

Le frère s'y est mis :

« Tu as violé ma petite sœur ! »

Puis il a fait le tour de la table pour se poster derrière moi, ce qui a encore ajouté à mon inconfort.

« L'un de tes copains l'a sautée quand elle avait douze ans », ai-je courageusement riposté, bien que Cindy m'ait confié qu'elle avait alors coopéré par pure « curiosité scientifique », en vraie biologiste débutante.

Cette goutte d'eau a fait déborder le vase. Un bras m'a aussitôt serré le cou pour m'arracher à ma chaise, le frérot m'étouffait d'une clef implacable, le papa a rapidement contourné la table, mais il s'est vautré sur le cul en essayant de me flanquer un coup de pied, tandis que Cindy et sa chère maman rivalisaient de hurlantes surnaturelles et stridentes. On m'a traîné dehors, puis jeté du haut de la véranda et j'ai partiellement atterri sur un massif de chèvrefeuille qui a un peu amorti ma chute. Pour faire bonne mesure, une abeille m'a alors piqué. Je dois porter au crédit de Cindy qu'elle a tenté de rejoindre mon corps allongé tandis que j'essayais de retrouver mon souffle, mais son père l'a saisie par le bras. À moins que ce n'ait été sa mère...

Je suis rentré chez moi à Bloomington, dans l'Indiana, en oubliant ma valise restée chez mon ami l'écrivain. Il a mis un mois à m'expédier cette valise par UPS, bien que je lui aie envoyé à trois reprises la somme nécessaire. L'un de mes poèmes avait disparu et trois de mes vers furent plus tard publiés sous le nom de mon héros adulé dans la *Partisan Review*. Entre-temps, j'ai passé deux jours à l'hôpital en souffrant de la crise d'eczéma la plus virulente que j'aie jamais connue. D'une certaine manière et pour des raisons que je révélerai plus tard, toute cette expérience a constitué une préparation valable pour écrire sur les grands de ce monde.

Au zoo des enfants de Central Park, j'ai été attiré comme toujours par le bassin des phoques et par les pingouins qui tuaient le temps sur fond d'Antarctique bidon. Ils se dandinaient çà et là en attendant leur pitance. Dans les zoos, je pense toujours au « désespoir tranquille » de Thoreau. Ce jour-là, j'ai souffert de concert avec les pingouins. Au moins les phoques semblaient capables de s'amuser. J'évitais l'ours polaire, dont le comportement semblait tellement mécanique et autiste qu'on l'aurait cru manipulé par un fil invisible.

J'ai continué à traverser le parc vers le *west side*, un quartier qui déborde parfois d'une autosatisfaction fongoïde, mais qui est moins provincial que l'*east side* et sa ridicule aura autoproclamée de nombril du monde de l'art et de la finance. Comme les hot dogs n'avaient pas comblé mon creux, j'ai déjeuné brièvement dans un restaurant sino-cubain que j'affectionne. Tout en savourant mes délicieuses queues de bœuf à l'ail, j'ai reconnu en mon for intérieur mes propres bidonnages dans cette petite *autobiocompacte* : je voyage certes en première classe, mais grâce à mes bons kilométriques accumulés. La *business class* suffit pour l'Europe. Sandrine, ma maîtresse française, m'a coûté trois mille dollars le mois dernier, à cause de problèmes médicaux non spécifiés, dont j'ai fortement douté.

Et puis, j'ai bel et bien baisé cette femme sur l'escalier de secours, il y a tant d'années, en partie parce que mon érection m'a stupéfié, après tout l'alcool ingurgité ce soir-là. L'une des photos le prouvait sans l'ombre d'un doute. Comment ai-je pu faire une chose pareille, le huitième jour de mon mariage avec mon seul et véritable amour ? Je l'ignore encore. Je me suis senti déraciné, pris au piège de la nuit de Chicago. J'étais « un crétin garanti pur jus », comme dit une chanson *country* entendue à la radio. Mon eczéma ne se manifeste pas seulement quand je réfléchis à l'art et à la littérature, mais aussi lorsque j'ai fini une *Biocompacte*. Voilà. La vérité rend libre, paraît-il, mais libre de quoi ? J'ai éclaté de rire en pensant à mon désormais ex-éditeur qui faisait toujours le pied de grue au *Four Seasons*. Voilà un authentique freluquet. Mais il ne méritait pas que je pense à lui, tandis que je contemplais le puissant Hudson avant de retourner chez moi, pour réparer les dégâts occasionnés par l'explosion voluptueuse de ma bouteille de Gigondas.

Sur le chemin du retour vers mon appartement, j'ai décidé de faire halte chez mon marchand de vins afin de voir si Rico avait des projets pour le dîner. Il me restait à peine trente-six heures avant de partir rejoindre Cindy, et je ne voulais surtout pas tourner en rond comme l'ours en cage et risquer de changer d'avis. Rico m'avait beaucoup aidé en 1994, ma « meilleure » année, quand j'avais gagné plus de neuf cent mille dollars et que j'avais renoncé à acheter des bordeaux et des bourgognes pour m'intéresser aux côtes-du-rhône, moins onéreux. L'épargne est un sédatif plaisant. Les dépenses sont un excitant. Quant à ma sœur, c'est une énigme qui aime créer des énigmes, quitte à me soumettre les bizarreries les plus incongrues. Elle a calculé que la fortune de Bill Gates remplirait soixante-dix-sept mille mallettes de billets de cent dollars étroitement serrés et sortant tout droit de chez l'imprimeur. Elle a effectué tant de recherches pour moi et mes biographies, y compris une cinquantaine de sujets écartés d'un commun accord entre moi et mon éditeur, qu'elle a développé un cynisme extravagant, certes pas une vertu prisée des lectrices de la presse féminine ordinaire. Parfois, ce cynisme a des effets correcteurs bénéfiques. Lorsque je m'identifie trop à un sujet, elle m'envoie un fax avec « Donaldson » écrit au centre d'une page sinon vide, faisant ainsi allusion à ce présentateur de la télévision qui se croit l'égal de n'importe quel malheureux chef d'État. Son principal défaut est sans doute qu'elle considère toute activité humaine comme relevant de l'escroquerie. Il y a plusieurs années, elle m'a convaincu ainsi que mon éditeur, que j'appellerai désormais « Don », d'écrire ma première *Biocompacte* sur une célébrité littéraire, Gabriel García Marquez, certes un grand romancier. J'éprouve une véritable phobie pour l'adjectif « grand », mais Don est assez aimable pour saupoudrer libéralement ce mot sur mes manuscrits avant publication.

Bref, j'ai pris l'avion pour Mexico et je suis descendu au *Camino Real* où, le premier soir, j'ai regardé deux femmes splendides jouer au tennis sur un court en terre battue aménagé sur le toit du bâtiment. Le lendemain matin, les dix minutes que j'ai passées dans l'appartement de cet auteur furent agrémentées d'une délicieuse tasse de chocolat brûlant, servie par son imposante épouse, tandis que j'observais le grand homme feuilleter deux douzaines de mes *Biocompactes* que Don lui avait envoyées. Levant enfin les yeux au-dessus de mes œuvres, il m'a demandé avec un sourire :

« Cela vous dérangerait-il que j'en fasse don aux pauvres ? »

Je l'ai salué et je suis parti.

Chez le marchand de vins, j'ai la permission d'utiliser l'entrée de service, un privilège dont je suis très fier. Rico et un vendeur mijotaient sur une plaque chauffante le boudin blanc et le boudin noir que ledit vendeur, de retour de France, avait réussi à passer en fraude à la douane. J'ai goûté à chacun avec une moutarde piquante et un verre de Crozes Hermitage tout simple. Rico avait des projets de dîner avec sa nouvelle conquête, mais il lui a téléphoné pour savoir si elle n'avait pas une amie disponible, et notre soirée à quatre fut ainsi arrangée.

De retour à mon appartement après cette longue promenade de trois heures, j'ai examiné avec plaisir les dégâts occasionnés par l'explosion de ma bouteille de Gigondas, mais non sans me rappeler l'avertissement de ma sœur : « Si jamais tu as une voie d'eau, tu couleras dans la journée. »

C'était un peu angoissant, mais j'ai été requinqué par les trois messages de Don sur le répondeur :

« Mais putain, où es-tu passé ? » aboyait-il lors de son troisième et dernier message.

C'est l'un des inconvénients de la Première classe : les aboiements étouffés des arrogants. Ils forment le langage cryptique du succès, ces aboiements. Leur sabir incluait jadis les beuglantes, jusqu'à ce que le comble du succès bannisse l'alcool.

Certaines taches de vin sur le mur frisaient l'art. Une bonne chose, car la bombe de nettoyant et le papier toilette restaient passablement impuissants. Demeuraient donc çà et là quelques Rorschachs violets : deltas de rivière, chattes, nuages, doigts effilés, stalagmites. Mon balai qui rassemblait les éclats de verre a émis un tintement musical. J'ai envoyé un fax au bureau de Don pour lui dire que je venais de subir une violente crise de malaria, après quoi j'ai débranché le téléphone. J'ai repoussé l'idée d'une seconde cigarette. Le paquet était posé sur le comptoir de la cuisine comme une sentinelle solitaire (ainsi que l'écrirait un jeune écrivain), ce qui prélude forcément à un écureuil en prière.

Sous la douche j'ai aboyé dans le dialecte de ma classe, une classe réduite mais néanmoins identifiable. Mon rire en rentrant chez moi la veille au soir venait des allures décidées d'hommes entrant dans les restaurants ou en sortant, de ces airs importants et nonchalants, de ces luxueux vêtements faussement négligés, des cravates et des chemises à cent dollars, de cette étrange assurance des puissants doutant d'eux-mêmes. Je suppose que, selon l'antique terminologie marxiste, nous sommes royalement payés parce que nous sommes les outils complaisants de la classe encore supérieure, celle qui possède la salle de bal. On peut éprouver parfois une certaine sympathie pour ces âmes souvent malheureuses qui ont touché de gros héritages. Le destin en a ainsi décidé, qui transforme parfois en victimes les bénéficiaires de cette manne. Mais ma propre classe ne mérite pas un zeste, pas un gramme ni un iota de sympathie. Nous sommes les aboyeurs qui ne doivent rien à personne, les chiens de compagnie, les toutous de concours. J'ai montré les dents face au miroir embué. Comment ose-t-il me renvoyer l'image d'un homme exactement aussi vieux que je le suis ? Ce miroir mal élevé m'a regardé sans vergogne appliquer le goudron de pin, cet onguent bitumineux que j'utilise idéalement dès les premières démangeaisons de l'eczéma, toujours dans la région génitale, à l'entrejambe pour être exact. J'ai entendu le vrombissement magique du fax.

« Personne n'est irremplaçable. Toi pas plus qu'un autre. Don. »

Les aboyeurs sont souvent des butors.

J'ai fait une longue sieste incroyablement suave, qui s'est achevée en fin d'après-midi sur le bref rêve d'une visite à ma grand-mère, la mère de mon père, la dernière rescapée de mes grands-parents. Cindy m'accompagnait, juste avant notre mariage, car je tenais à ce qu'elle rencontre la vieille Ida, que je révérais. Cindy, beaucoup plus intéressée par la flore locale que par cette dame âgée, avait rejoint un petit ruisseau sur les terres de la ferme située dans le sud de l'Indiana. Assis dans la cuisine avec Ida, je regardais Cindy par la fenêtre.

« Elle me semble trop jeune. Comment sont ses parents ? » s'enquit Ida.

Incapable d'avouer que je ne les connaissais pas, j'ai répondu :

« Ils sont très bien. »

Pendant toute ma jeunesse, cette femme avait été beaucoup plus maternelle que ma propre mère qui tenait à finir sa thèse de doctorat alors qu'elle frisait la quarantaine. L'été, je me voyais souvent excommunié vers la ferme, loin de Bloomington, sous prétexte que j'étais un « trublion », c'est-à-dire que je troublais la concentration de ma mère absorbée dans ses travaux d'écriture sur « l'Age d'Or ». Bizarrement, j'étais un bagarreur et mes bagarres en appelaient d'autres, car lorsqu'on gagne sans arrêt, alors tout le monde désire vous envoyer au tapis. Ma période « pugiliste » couvre ma jeunesse, entre dix et quatorze ans. Ma sœur était encore plus révoltée, refusant d'avoir des amies à moins qu'elles ne soient noires. Quant au petit Thad, il décida de ne jamais ôter le pouce de sa bouche, si bien que ma mère gémissait à cause des honoraires de l'orthodontiste. Le mari d'Ida, mon grand-père, était un homme lointain, bien plus âgé qu'elle, un ancien professeur de sciences au lycée, qui avait hérité de ses parents cette modeste ferme. La seule activité agréable que nous partagions consistait à pêcher tous les deux dans un petit lac éloigné de quelques kilomètres. Lui qui était d'habitude taciturne, la pêche le rendait loquace. Il buvait de la bière bon marché et nous restions sur la rive de ce lac jusqu'à ce que nous ayons pêché assez de poiscailles pour la friture du dîner.

« Bon, ne t'avise pas de tomber dans un trou dont tu ne pourras pas ressortir », m'avait dit Ida pendant que par la fenêtre je regardais Cindy s'éloigner du ruisseau et gravir la pente de la colline en tenant quelque chose entre ses mains.

Dès qu'elle s'est approchée de nous, j'ai compris que c'était un grand serpent noir qu'elle avait gentiment caressé pour obtenir sa soumission. Je me suis retourné vers Ida avant que Cindy n'ait pu remarquer mon regard par la fenêtre. Ida aussi observait Cindy avec un sourire. Elle a décidé que c'était l'heure de prier et nous sommes allés au salon pour nous agenouiller, les bras posés sur le canapé, puis elle a demandé à Dieu de bénir l'union de son petit-fils avec cette jeune fille. Ses prières et ses lectures de la Bible ont scandé ma jeunesse et, curieusement, je ne les ai jamais considérées avec ironie. J'ai été stupéfié par le refus de James Joyce de prier avec sa mère. Pourquoi pas ? Pendant qu'Ida priait, nous avons entendu Cindy nous appeler sur la véranda :

« Venez voir ce que j'ai trouvé. »

Malheureusement, lorsque nous avons atteint la véranda, Ralph, le vieux chat bougon d'Ida, manifestait violemment sa colère. Plutôt qu'à un matou, il ressemblait à un chien de garde et il se pavanait sur la véranda en émettant des grondements gutturaux. Cindy, terrifiée, reculait, et le gros serpent s'agitait maintenant entre ses bras. Ralph a fait mine de bondir, j'ai tenté de le chasser d'un coup de pied, mais je l'ai raté. Alors Cindy a dégringolé les marches pour lancer le serpent affolé dans un massif de lilas, où Ralph l'a bientôt cloué au sol avec un sens du drame qui aurait convenu à un combat féroce contre un python. Ralph a entraîné le malheureux serpent à l'écart pour s'offrir un bon gueuleton, pendant que Cindy pleurait de honte. Ida, qui était luthérienne et non une fanatique intransigeante, a insisté pour que Cindy boive un whisky afin de se calmer les nerfs.

Cet incident a marqué la première querelle de notre liaison amoureuse. Elle détestait les chats, ces tueurs nonchalants, alors que je les aimais bien, même si je n'en ai jamais eu. L'argument de notre deuxième querelle fut le suivant : pour notre lune de miel, elle désirait se rendre à l'exposition florale de Covent Garden, en Angleterre, alors que je voulais passer un mois à Barcelone et à Séville, sans parler de Grenade où j'avais l'intention de me rendre sur les lieux de l'assassinat du grand Federico Garcia Lorca.

Le rêve de ma sieste avait inclus la scène où ce brave Ralph emportait le serpent dans sa gueule. Pendant que je me préparais en vue du dîner, j'ai pensé que je ne pouvais tout de même pas m'attendre à ce que le grand gauchiste Marquez ait été impressionné par ma *Biocompacte* sur Henry Kissinger. Ensuite, j'ai eu du mal à imaginer quelques douzaines de Mexicains pauvres assis dans un parc, en train de lire mes *Biocompactes* en langue étrangère. Non, le problème de cette rencontre ratée avec l'écrivain célèbre, c'était que je n'étais même pas allé en Espagne, et les rapports difficiles que le Mexique entretenait avec l'Espagne m'avaient turlupiné depuis mon arrivée à Mexico, la veille. Cet après-midi-là, lorsque je me suis rendu à l'aéroport de Mexico, je tremblais littéralement comme une feuille en voyant s'afficher des vols à destination de Madrid et de Barcelone. J'étais libre, pourquoi ne pas partir pour une de ces villes ?

En repensant à mon angoisse d'alors, j'ai allumé ma seconde cigarette de la journée. À cinquante-cinq ans, j'étais toujours capable de vivre dangereusement, mais pas vraiment aussi dangereusement que notre oppossum moyen de l'Indiana qui n'a pas encore appris à reconnaître les phares des voitures.

Nous nous sommes tous retrouvés à l'appartement de Rico, dans l'East Village, un quartier peu sûr quand j'y avais vécu, entre 1969 et 1972, peu de temps après avoir décroché mon baptême de l'air à partir de cette maudite véranda, ainsi que ma maîtrise universitaire, deux expériences en définitive similaires. La maîtrise de Lettres a remplacé la licence d'anglais en tant que le plus prestigieux des diplômes inutiles. Aujourd'hui, l'East Village a été au moins en partie « civilisé » et, à ma descente de taxi à l'angle de l'Avenue A et de la Troisième Rue, je me suis rappelé le scandale relatif au poème de W.H. Auden, intitulé *The Platonic Blow*, écrit ici dans les années soixante. Il s'agissait d'un poème assez évocateur sur les pipes gay et à cette époque les flics mouraient d'envie de porter plainte, mais le bureau du maire les tenait fermement sous sa coupe. J'ai essayé en vain de trouver une autre occasion où un poème avait éveillé autant d'intérêt en Amérique.

L'appartement de Rico est très spacieux et un peu bizarre, meublé de splendeurs italiennes du dix-neuvième siècle, qu'il a fait transporter, de la maison de feu ses parents, à Queens. Mais la cuisine est aussi fabuleuse que celle de ma sœur dans l'Indiana. Rico est un cuisinier traditionnel, à la Angelo Pellegrine, toujours à la recherche des racines de ce qu'il croit « authentique ». Il collectionne les livres de cuisine régionale du dix-neuvième siècle et il a laissé passer des douzaines de toquades culinaires sans apparemment les remarquer. Rico cède de temps à autre à des crises de mauvaise humeur, mais dernièrement elles visaient surtout le maire Guiliani qui, selon Rico, est un cousin au troisième degré ; « *Guiliani ha sempre ragioni* », hurle Rico, en écho à cette célèbre maxime selon laquelle Mussolini avait toujours raison.

Les femmes étaient déjà là, toutes deux frisant la trentaine. Gretchen, la secrétaire qui travaillait au World Trade Center, assez forte et à moitié italienne, venait de Troy, dans l'État de New York. Donna, mon rencard, était aussi terne que possible, affublée de lunettes à verres épais et d'un ensemble en velours assez ample qui dissimulait entièrement ses formes.

« Tout corps étranger en contact avec mes yeux m'est insupportable, donc je ne porte pas de verres de contact », m'informa-t-elle en me serrant la main et en anticipant ainsi sur une question que je ne comptais certes pas lui poser.

J'ai appris avec stupéfaction qu'elle étudiait en deuxième année au Séminaire Théologique situé près de Columbia, où elle avait une piaule « miteuse » au tout début de Harlem. Voilà bien le genre de déclaration qui me faisait loucher nerveusement vers mon compte en banque. Et puis j'ai bientôt appris que Gretchen et Donna étaient des filles brillantes, issues de familles relativement pauvres, et que leurs pères travaillaient dans les chemins de fer. Elles étaient amies depuis le jardin d'enfants, mais elles avaient la délicatesse de bannir entre elles ce langage codé qu'emploient volontiers les amies de longue date. Et toutes deux avaient divorcé après un bref mariage. Elles ont trouvé très drôle ma propre idylle de neuf jours, mais je n'ai pas révélé que dès le lendemain j'allais prendre l'avion pour retrouver Cindy. Selon les cri-

tères imposés par les magazines, Gretchen et Donna
étaient assez laides, mais ce soir-là je les ai trouvées très
séduisantes. Ma passion des belles femmes, des actrices et
des mannequins s'est épuisée d'elle-même quand j'ai
atteint l'âge de cinquante ans : un jour, touchant un faux
sein, je me suis mis à reculer d'effroi. Compte tenu de
notre culture, je ne reprochais certes pas aux femmes leur
goût pour la chirurgie esthétique, mais ces prothèses
mammaires me mettaient mal à l'aise. Une féministe rencontrée chez *Elaine* m'a un jour demandé combien
d'hommes, à mon avis, se précipiteraient chez les détail-
lants s'ils pouvaient acheter une grosse queue en parfait
état de fonctionnement. Le sang m'est alors monté au
visage, mais grâce à mon teint mat personne n'a rien
remarqué.

Je suis allé à la cuisine pour ouvrir une bouteille de
Lynch-Bages que j'avais apportée et, à mon retour au
salon, Rico montrait à Donna et à Gretchen sa collection
complète de mes *Biocompactes*, ainsi que mon premier
livre, celui que je surnomme *Meurtroïde à Soho*. Ma peau
s'est aussitôt couverte de sueur. Gretchen s'est retournée
vers moi pour me dire :

« Vous êtes un sacré érudit. »

Donna a senti mon malaise et s'est dispensée de tout
commentaire, frôlant les reliures de *William Paley*, puis de
Warren Buffett, avant de prendre *Linus Pauling* sur l'étagère. Gretchen a lu à voix haute un extrait de la quatrième
de couverture :

« Superbement écrit... Le résultat d'une enquête minutieuse. Emportez-le lors de votre prochain voyage
d'affaires. »

Donna cherchait *Meurtroïde...*, que Rico avait découvert au Strand, un gigantesque magasin de livres d'occasion, peu de temps après notre rencontre, il y a dix ans.

Donna a trouvé une page où la prose était interrompue par de la poésie et où les pieds de mon héros devenaient si lourds qu'il ne parvenait plus à les hisser sur un trottoir, réussissant seulement à descendre l'escalier de la taverne du *Lionhead*, où il regrettait les hirondelles de sa ferme de l'Indiana.

« Je préfère vraiment la poésie aux biographies », déclara Donna en jetant aux orties mes trente dernières années. « Vous êtes certainement une exception, mais toute cette sincérité feinte me casse les pieds, cette fascination pour les gens célèbres et les détails les plus futiles de leur existence. En réalité, c'est juste un cosmétique, un engrais pour le fascisme à la Walt Disney qui caractérise notre époque, vous ne croyez pas ?

— Merde alors, et comment, dit Rico. La plupart des politiciens sont constitués de cent kilos de pus contenus dans un sac de cinq kilos. Et leur pus fuit partout où ils vont. »

J'ai servi le Lynch-Bages en affectant une humeur pensive. Aucun bon mot saisissant ne me venait à l'esprit. Rico essayait manifestement de détendre l'atmosphère, mais la soirée s'annonçait plutôt morne.

« Bien sûr, mon père disait qu'on n'a pas le droit de toiser un poseur de rails quand on n'en a pas posé soi-même. Je vis à New York depuis un an seulement et j'ai déjà la langue très acérée. Il y a ici des centaines de milliers de gens brillants qui chaque année peuvent résumer leurs exploits en disant que tous les jours ils ont pris une douche et lu le *New York Times*. »

Une fois ces fortes paroles prononcées, Donna s'est confortablement installée à côté de moi sur le canapé. Elle n'était pas aussi caustique que ma sœur, mais pas loin. Elle a pris une crevette dans le bol apporté par Rico, puis entrepris de la décortiquer.

« Vous baiseriez avec Guiliani pour un million de dollars ? plaisantai-je piteusement.

— Bien sûr que oui, dit-elle en hurlant presque de rire. Pour vous, ce serait l'équivalent de dix cents, et les hommes méprisent les pièces de dix cents. Il n'y a aucune nature à New York ; la chose qui s'en approche le plus, c'est l'orgasme. »

Elle a gobé sa crevette et fermé les yeux en la mastiquant avec plaisir, les paupières agrandies par ses verres. J'ai regardé avec attendrissement ses chaussures tout éraflées. Rico et Gretchen, assis dans leurs fauteuils respectifs, se demandaient s'ils devaient mettre un peu d'huile dans les rouages. Je savais très bien que je n'avais pas la moindre pièce de dix cents dans ma poche, car je jette d'habitude toute ma menue monnaie sur le trottoir à l'intention des clochards et des enfants. Donna a descendu son verre d'un trait et j'ai fini le mien. Nous avons tous remarqué le tic-tac de l'horloge murale. Rico s'est raclé la gorge avant d'annoncer qu'il était l'heure de sortir dîner. Quand Donna s'est levée, elle m'a serré affectueusement la cuisse et m'a tendu la main.

« Si vous me trouvez insupportable, dit-elle, je peux très bien rentrer chez moi. »

J'ai réfléchi quelques secondes, avant de répondre :

« Je vous adore. Et mon devoir de chrétien m'impose de vous nourrir. Je désire que vous persévériez dans l'existence en faisant passer d'aussi sales quarts d'heure aux connards de mon espèce.

— Elle rompt toujours la glace au marteau-piqueur », expliqua Gretchen en serrant si fort le cul de Rico qu'il en a grimacé.

Au restaurant italien sur Delancy, Rico et moi avons persévéré dans notre « obsession de la tête » en commandant chacun une demi-tête de veau rôtie à l'ail. Les filles ont pris du poulet et du veau. Le voisinage périlleux de Donna a continué de me perturber, mais je me suis contenté d'une légère pique qui a néanmoins fait mouche. Donna a levé les yeux au-dessus de sa tranche de pain qu'elle tartinait d'une généreuse quantité de beurre, légèrement supérieure à celle que je m'octroie lors des grandes occasions.

« Vous avez vingt fois plus de chances de mourir d'un excès de beurre que d'être assassiné », lâcha-t-elle.

Là encore, j'ai remarqué une ressemblance saisissante avec le type d'informations rassemblées par ma sœur. J'ai baissé les yeux vers ma propre tranche de pain beurré, laquelle présentait le charme inouï de n'évoquer aucune arme de poing. La repartie de Donna a suscité une brève querelle avec Rico, qui doutait de ces statistiques relatives au beurre. Un New-Yorkais met aussitôt en doute ce qu'on lui dit, alors qu'en bon pécore de l'Indiana, qui considère le mensonge comme un péché, je crois invariablement.

« D'accord, maintenant je vais comptabiliser les acides translipidiques », dit Donna. Elle a posé dans son assiette un pilon rôti, pour fouiller dans son sac. « Zut, j'ai oublié de prendre mon lithium. »

Nous avons tous admiré le plafond pendant que Donna avalait son cachet, puis j'ai fait signe au garçon de nous apporter une troisième bouteille de la même vieille cuvée de Barolo hors de prix.

« Nous mangeons tellement mieux que Dietrich Bonhœffer dans sa prison allemande », dis-je tout à trac.

Je cherchais depuis un moment le nom d'un théologien, écartant celui, trop évident, de Paul Tillich, que certains de ses fans avaient traîné dans la boue en apprenant qu'il avait fricoté avec quelques femmes, comme Krishnamurti et presque tous les gens célèbres. Après une vingtaine d'années d'indifférence, l'adultère est devenu presque aussi fascinant que l'argent.

Donna a mordu à l'appât. Elle s'est lancée dans une grande dissertation sur Dietrich Bonhœffer, sans oublier Barth et Simone Weil. Rico et Gretchen ont entamé leur propre conversation. Nous avons pris deux grappas avec nos cafés et nous nous sommes retrouvés très à l'aise, bien que fatigués. Quand j'ai demandé au garçon de nous appeler un taxi, il a répondu que son « cousin » accoudé au bar situé devant le restaurant mettait sa voiture à notre disposition. Pourquoi pas? Je suis allé au comptoir pour régler l'addition et complimenter le chef qui, sa soirée enfin terminée, était installé là, couvert de sueur, devant un énorme verre de whisky. J'ai souvent songé à ouvrir un restaurant qui n'accueillerait que quatre personnes en même temps. Comme le cousin n'avait pas vraiment envie de nous conduire jusqu'à Columbia, nous sommes convenus de cent dollars, une somme selon moi inférieure au prix de chacune des bouteilles de Barolo. Quand je me pique de considérations économiques, je trouve toujours des comparaisons stupides.

Déposer Rico et Gretchen a été le plus facile, puis j'ai décidé d'effectuer le long trajet jusqu'à chez Donna, avant de me faire ramener en dernier. Un gentleman doit raccompagner sa cavalière jusqu'à la porte de la donzelle. Ce genre de choses. Je me suis mis à somnoler en réaction à la vitesse vertigineuse de la voiture dans les rues endormies, mais à plusieurs croisements dans le *west side* j'ai entendu le hurlement des alarmes de voitures, qui rivalisent sans doute avec la consommation excessive de beurre comme cause des maladies du cœur à Manhattan. Donna babillait toujours sur Bonhœffer et Simone Weil, mais selon un rythme légèrement ralenti, comme si le lithium faisait enfin son effet. Compte tenu de la nature théologique de son monologue, j'ai été stupéfié lorsqu'elle m'a légèrement pincé le pénis pour voir si je dormais, du moins selon ses dires. J'ai passé mon bras autour de ses épaules et elle s'est pelotonnée contre moi. Le vin créait sa propre magie douteuse, sans parler de la grappa. Ma sœur me répète volontiers que je suis seulement un poivrot prospère, mais j'ai appris facilement à accepter ce défaut de mon caractère.

Le désastre a frappé sans prévenir dès que nous avons atteint la chambre de Donna, mais ce mot est un peu fort pour qualifier un banal désagrément. Après avoir gravi deux volées de marches incroyablement délabrées et regardé Donna faire jouer trois verrous avec trois clefs différentes sur sa porte blindée, j'ai cru entendre un cri dans la rue. J'ai rejoint la fenêtre de sa chambre juste à temps pour voir mon chauffeur démarrer sur les chapeaux de roues. Peut-être reviendrait-il me chercher, peut-être pas. Deux jeunes Noirs jouaient au ballon dans la rue, sans doute la menace qui avait fait déguerpir ledit cousin. Ayant déjà empoché mes cent dollars, il n'avait rien à perdre.

« Ne t'inquiète pas, je te porterai jusque chez toi », a blagué Donna.

La grappa m'est remontée dans la gorge. Et merde, j'ai envie d'être à la maison, au fond de mon lit. La chambre, plus grande que je ne m'y attendais, exhibait un mur entier couvert de livres, il y avait un réchaud à deux plaques chauffantes, des affiches, des gravures, quelques bouts de tissus accrochés çà et là, un fauteuil et un bureau qui croulait sous les dossiers. Bref, d'un sinistre consommé quand on a dépassé l'âge de trente ans. La salle de bains se trouvait de l'autre côté du couloir et, quand je suis allé pisser, j'ai entendu des gémissements. Lorsque je suis revenu dans la chambre, Donna m'a expliqué en riant que ces gémissements venaient d'un tout petit homo qui avait un faible pour les grands Noirs baraqués. C'était assez suggestif pour que je sente tout à coup mes modestes hémorroïdes se manifester. Cet homo, qui étudiait la théologie comme Donna, était l'un de ses bons amis. Elle m'a servi un peu de schnapps à la menthe, puis elle a pris son téléphone portable pour m'aider à résoudre mon problème. Mon regard n'avait pas encore fait le tour de la pièce et l'air a sifflé entre mes dents lorsque j'ai remarqué l'affiche de la corrida de Séville au-dessus du lit étroit. Seigneur, moi qui croyais que plus personne ne s'intéressait aujourd'hui à ces affiches qui m'évoquaient mes années d'étudiant.

Donna a pris un peignoir et une chemise de nuit avant de rejoindre la salle de bains, laissant la porte ouverte, sans doute pour me permettre d'entendre les gémissements en provenance du couloir. Que va donc devenir ce vieux bébé de cinquante-cinq ans, aux pieds gelés et à l'estomac rempli des pouvoirs incertains d'une tête de veau, tandis qu'une étudiante en théologie légèrement fêlée procède à ses ablutions nocturnes de l'autre côté du couloir ? Don, mon éditeur, aurait donné cinquante dollars au chauffeur en guise d'avance, puis les cinquante autres une fois arrivé à bon port. Des considérations caustiques sur la crédulité des habitants du Midwest ont accompagné mes relents de grappa. Mais puisque ce n'était pas tout à fait le Kosovo, j'ai pris mon courage à deux mains et gardé les yeux fixés sur l'affiche de Séville.

À dix-neuf ans, l'année que je désirais passer en Espagne devait se diviser en parties égales entre Séville et Barcelone. J'envisageais même de réussir, à force de baratin, à passer une nuit dans la cellule de prison de Miguel Hernandez, où qu'elle soit. Les murs lugubres devaient m'inculquer l'esprit de sa poésie. J'ai consacré à ces deux villes les recherches les plus fouillées de toute mon existence et, assis dans le logement monacal de Donna, il m'est peu à peu apparu que j'avais possédé exactement la même affiche de corridas à Séville. J'avais aussi envisagé de suivre à pied la rive du Guadalquivir entre Séville et Cordoba, toutefois sans la compagnie amicale d'un âne, une idée qui déjà dans les années soixante semblait vieillote. J'aurais bien sûr habité à Triana, le quartier chaud de Séville, sans doute avec une belle gitane. Par les tièdes après-midi de printemps, elle aurait dormi nue, légèrement enveloppée dans sa mantille, une rose pâle dans les cheveux. Je me souviens aussi avoir dévoré *Un romantique en Espagne*, de Théophile Gautier, convaincu de la véracité de chaque mot, même si un professeur d'espagnol m'avait révélé qu'il s'agissait en grande partie d'un ouvrage d'imagination. Et puis, j'ai rendu à moitié fou les camarades avec qui je cohabitais, à force de jouer de la musique classique espagnole et du flamenco. Par un vote de deux voix contre une, mes goûts musicaux furent bientôt cantonnés dans ma chambre, exilés loin du salon qui nous servait aussi de salle à manger.

Le retour de Donna a interrompu ma rêverie et, cédant à une impulsion subite, je me suis emparé de son portable. Je voulais appeler Sean ou Michael, de vieux portiers de l'hôtel *Carlyle*, pour qu'ils m'envoient une voiture. Pendant plusieurs années, avant d'acheter mon appartement, j'étais descendu à cet hôtel et j'y avais encore passé un mois l'an dernier, pendant que je faisais décorer à neuf mon appartement. Le destin a voulu que la batterie du portable de Donna fût à plat.

« Tu es allée en Espagne ? demandai-je en montrant l'affiche.

— Bien sûr. Tout le monde est allé en Espagne. J'y étais avec le Corps des Auxiliaires Féminins de l'Armée. » Elle m'a massé les épaules et le cou, ce qui m'a un peu détendu, puis elle a passé la main dans mes cheveux, qu'elle a qualifiés de « tout floconneux », et mes muscles se sont de nouveau contractés. « Les hommes de ton espèce tiennent à ce que tout marche comme sur des roulettes, mais en ce moment ce n'est pas le cas, dit-elle avec perspicacité.

— Je ne suis jamais allé en Espagne, fis-je d'une voix plaintive.

— Alors vas-y demain. » Elle a repris son massage.

« Demain je dois aller dans le Wisconsin.

— Ce n'est certes pas le même endroit. » Elle m'a entraîné vers le lit. « Tu n'as qu'à dormir. Il faut que je lise pendant un moment. »

En retirant mon veston, ma cravate et mes chaussures, je me suis senti gêné comme un enfant. Je me suis allongé sur le lit tandis qu'elle s'installait au bureau et se mettait à lire. Elle s'est versé un petit verre de schnapps en disant qu'elle se sentait trop pompette pour étudier l'épistémologie. Lorsqu'elle a éteint la lumière du bureau, il n'est plus resté qu'une petite veilleuse près des plaques chauffantes. Elle s'est allongée à côté de moi et m'a repoussé vers le mur.

« Tu deviens moins rigolo que le macchabée moyen. Ce n'est pas moi qui me suis tirée avec cette putain de bagnole. Sois drôle ou dors.

— Tu pourrais me donner le sein, suggérai-je en plaisantant à moitié.

— Non mais tu te fous de moi, dit-elle en hurlant de rire. Combien de fois as-tu déjà utilisé cette réplique ?

— Jamais », dis-je avec sincérité.

Appuyée sur son coude elle m'a regardé, puis elle a ouvert son peignoir ainsi que sa chemise de nuit pour approcher un sein de mes lèvres. Quelle jeune femme sensible... Elle avait la peau étonnamment douce. Elle m'avait dit être d'origine tchèque et irlandaise et j'étais émerveillé : l'adjectif « satiné », tellement rebattu, était ici un euphémisme. Soudain excité, je me suis activé le long de son corps avec une énergie que je réserve d'ordinaire à un bon repas français. Cette femme m'en faisait voir de toutes les couleurs et elle n'était pas en reste. Quel homme n'est pas fier d'amener rapidement une femme à un orgasme tonitruant, par quelque moyen que ce soit, un menton éraflé, un nez irrité, une langue agile, même le front s'il le faut. Je ne me rappelais pas avoir manifesté une telle passion, jusqu'au moment où elle s'est redressée pour m'enlever mon pantalon.

« Tu as baisé avec une pinède, récemment ? fit-elle en reniflant.

— Argh, bafouillai-je en me souvenant de mon onguent. C'est une crème à la sève de pin que j'utilise contre l'eczéma. » J'ai bondi sur mes pieds, rejoint la porte et ouvert celle de la salle de bains en toute hâte. Je n'étais pas seul. Un Noir très grand et très musclé ainsi qu'un tout petit et très mince homme blanc se regardaient dans la glace. Au moins portaient-ils des strings colorés. J'ai caché mon érection derrière ma main.

« Je suis avec Donna, dis-je. Excusez-moi.

— Tiens donc ? Pas en ce moment. Donna, il est avec toi ? lança-t-il.

— D'une certaine façon », cria-t-elle en retour.

Ils m'ont laissé laver au savon mon onguent au pin. C'était trop d'émotions pour moi. Elle a fait une vague tentative pour redresser la situation et ma nouille désormais parfaitement ramollie, puis elle a renoncé et a promptement sombré dans les bras de Morphée, en émettant de petits ronronnements réguliers. Quant à moi, dormeur au sommeil léger qui garde toujours un carnet à portée de la main sur la table de nuit pour y noter des phrases aussi importantes que « au fil des ans, Castro a diminué sa consommation de cigares », j'ai redouté une longue nuit d'insomnie, mais à mon tour j'ai rapidement sombré.

Le réveil posé à côté de la veilleuse annonçait trois heures et demie du matin quand quelqu'un a essayé d'ouvrir notre porte.

« Casse-toi, connard ! » ai-je rugi d'une voix enflée par la brusque décharge d'adrénaline.

« Mon héros... », a chuchoté Donna.

Alors nous nous y sommes mis avec une passion tranquille. Ça n'a pas été une partie de jambes en l'air comparable à un match de boxe en quinze rounds, comme l'a écrit Norman Mailer à l'époque où j'étais en fac, mais un bon combat en trois rounds aboutissant à une victoire commune. Les muscles de mon visage se sont distendus pour dessiner le plus large sourire que je me rappelais avoir jamais eu. En bas dans la rue, une superbe alarme de voiture s'est jointe à notre extase partagée. Bizarrement, j'ai articulé « oumgawah » d'après un vieux dessin animé.

Je me suis réveillé en entendant Donna dire « *a priori* » avant d'articuler une expression allemande. Elle était plongée dans ses bouquins, assise au bureau à côté de son voisin gay, prénommé Frank. Voyant que j'avais ouvert les yeux, Frank m'a salué. Il m'a apporté un café et un beignet nappé de sucre glacé, la texture exacte de mon visage.

J'ai bu mon délicieux café et ce beignet peu diététique était tout aussi bon. Ils discutaient d'un « dialogue » qu'ils allaient présenter à un cours de philosophie. Sur le rebord de la fenêtre, quelques petits piafs, crasseux mais joyeux, mangeaient dans un bol de graines posé là par Donna, *alter ego* féminin de saint François. Si Frank n'avait pas été là, j'aurais volontiers lancé une remarque désinvolte, par exemple que je classais cette nuit dans le *top ten* de toute mon existence, mais je méprise profondément le fascisme anal des listes que ma coupable profession affectionne. Je me suis habillé rapidement en écoutant leur Hegel, Schlegel, Heidegger et Leibniz. Quand j'ai été prêt, Donna s'est levée pour m'accorder une caresse polie, puis un baiser langoureux.

« Aimerais-tu aller en Espagne ? lui ai-je demandé.

— Non. Mais vas-y, toi. Et si tu veux, appelle-moi à ton retour. » Elle a fouillé parmi ses livres et m'a donné une biographie de John Muir par Frederick Turner, au moins trois fois plus épaisse que mes propres productions. « Ça va te plaire », dit-elle en ouvrant la porte.

J'ai pris un taxi sur West End Avenue et je me suis arrêté à mon agence de voyages sur le chemin de la maison pour repousser légèrement l'heure de mon vol. J'avais suffisamment d'expérience pour savoir que ma présente euphorie allait disparaître en milieu de matinée et qu'une bonne gueule de bois risquait de la remplacer. J'avais besoin d'une longue sieste avant de me rendre à l'aéroport de LaGuardia.

À l'appartement, le concierge avait placé sur le comptoir un paquet envoyé par Cindy et une note : « Vos

murs ont-ils eu un accident ? » Les taches de vin me plaisaient toujours autant. Le paquet de Cindy contenait un
livre intitulé *La Botanique humaniste* et un mot où elle me
demandait de le lire pour que je ne lui pose pas de question oiseuse. Quelle amabilité... Une leçon à potasser...
Lorsque j'ai appelé Don pour procéder à une évaluation
des dégâts, il s'est montré très inquiet de ma crise de
malaria, dont j'avais tout oublié ; puis il m'a rappelé que je
devais lui remettre dans trois semaines ma *Biocompacte* sur
Eisner. Michael Eisner est, bien sûr, le président de Disney. Ma sœur m'avait envoyé l'habituel gros dossier de
documentation scrupuleusement classée, mais je n'avais
pas entamé la rédaction du livre. Je n'avais jamais dépassé
une échéance et j'ai rapidement calculé qu'il me faudrait
donc pondre cinq pages par jour pendant vingt jours. Un
jeu d'enfant, à condition de pouvoir trouver une première
phrase flamboyante. Peu après sa naissance, Eisner se mit
à respirer. Une partie de mon boulot professionnel
consiste à me souvenir des paroles des gens. Je me sers
parfois de pense-bête visuels. Par exemple, au dîner pendant le bavardage théologique de Donna, je coupais la
langue de veau quand elle a déclaré qu'il fallait vouloir de
son plein gré sans savoir ce qu'on voulait, une phrase dont
la signification m'échappait. Ensuite, après ma première
bouchée de langue tout imprégnée de son arôme aillé, elle
a ajouté que les meilleurs exemples de la race humaine ont
souvent le cœur brisé. Cette sentence avait provoqué un
coup d'œil inquiet de Rico, qui savourait une joue.

Je me suis approché de la fenêtre de devant, d'où j'aper-
çois une tranche de fleuve. Ma dernière nuit me faisait
l'effet d'une réussite étonnante de la vie elle-même et, en
ma qualité de participant pas tout à fait volontaire, je me
suis demandé si je ne profiterais pas davantage de cette vie
au cas où je renoncerais à la débiter en sections de cinq

pages. Voilà trente ans que je cédais à l'urgence d'accomplir une chose, avant d'en entreprendre une autre. À quoi bon travailler trop vite et trop dur ? Ma seule perspective était la perpétuation de ce même rythme. Je me suis rappelé un cours où j'avais appris que le mot *Thursday* – jeudi – était lié à Thor, une divinité nordique. La chaise installée devant mon bureau, dans l'angle de la pièce, était peut-être une chaise électrique, mais l'évaluation des plaintes relatives à un boulot se fonde à juste titre sur l'argent que le plaignant reçoit pour faire ce boulot. Comment pouvais-je me plaindre ? Moi qui suis surtout perdu. Les écrivains sont seulement des gens qui, plus que tout, écrivent. L'essentiel de cette dernière phrase, presque tristement, est l'expression « plus que tout ». Je doute que la plupart des plombiers pratiquent, plus que tout, la plomberie, ou les fermiers les travaux de la ferme, et vous pouvez ajouter quelques douzaines d'autres professions. Ils laissent de la place pour autre chose, telle est du moins ma conviction. Peut-être que le vrai piège, c'est quand nous appelons ça « l'art » de l'écriture, si bien que n'importe quel branleur risque de se sentir haussé vers ce domaine mystérieux.

Ces pensées tenaillantes auraient pu générer une migraine si je n'avais pas eu faim, une préoccupation qui prévaut sur toutes les autres chez les hommes et les animaux. Je me suis vite préparé une omelette au fromage en me souvenant des prières de ma grand-mère pour que je devienne pasteur luthérien, mais les pasteurs n'en ont jamais fini d'être pasteurs, et cette similitude avec les écrivains m'a gâché toute une bouchée d'omelette.

J'ai jeté un coup d'œil au dossier Eisner en envisageant de lui offrir un enterrement de première classe dans l'East River. Selon tous les témoignages que je réunis malgré moi, les hommes de mon âge s'inquiètent de leur métier comme je m'en inquiète présentement, mais aussi de leurs enfants adultes, que je n'ai pas, de leur santé et de la santé de leurs épouses, sans oublier la fin imminente de l'histoire. Aucun de ces soucis ne filtre lors des vols diurnes à destination d'importantes réunions, mais sur les vols de nuit et après un ou deux verres, cela prend des allures de torrent bouillonnant, ou, encore mieux, de flaque de boue nauséabonde. On évoque rarement l'hypothèse de tomber soudain raide mort, mais elle est tout aussi présente que le sol lointain qui défile sous l'avion avec une évidence tangible. Comme toujours, la meilleure réaction est peut-être : « S'il vous plaît, apprenez-moi une chose que j'ignore. »

Comme pour me prouver le contraire, mon voisin sur le vol de Minneapolis était un as casse-couille de l'informatique, qui venait de passer trois jours dans les musées de New York. Je me débattais avec mon pensum, *La Botanique humaniste*, en jetant des coups d'œil jaloux vers le grand livre d'art posé, certes inélégamment, sur ses genoux. C'était, ai-je bientôt appris, le père divorcé d'une fille de douze ans obsédée par l'art. Constatant son incapacité à « communiquer » à ce niveau, il venait de passer un mois entier à visiter le musée Walker de sa propre ville, l'Institut d'Art de Chicago, et maintenant il venait de « couvrir » New York. Il pensait fortement acheter un matériel de peinture pour « tenter sa chance ».

Ces confidences étaient assez curieuses pour que je désire prolonger notre conversation, mais j'en étais seulement à la page neuf de *La Botanique humaniste* et il m'en restait six cents. Il n'y avait manifestement aucun *Que Sais-je* disponible sur ce sujet. On croirait volontiers qu'ayant eu un père botaniste, j'allais absorber sans mal ce pensum, mais ce n'était pas le cas. Un jour que j'avais ouvert distraitement un livre dans sa bibliothèque, il en tomba une photo d'Ava Gardner découpée dans une revue. J'avais environ quatorze ans à l'époque et j'ai été passablement surpris, même si Ava était beaucoup plus séduisante que ma mère.

Je me débattais avec cette idée que la racine, la tige et la feuille d'une plante épanouie étaient appelées des « organes », butant sur le fait que ce terme d'organe était une invention relativement récente, quand un très Gros homme d'affaires (physiquement gros), de l'autre côté de la travée centrale, a refermé son ordinateur portable pour évoquer de très Grosses affaires en compagnie d'un Gros associé et avec une Grosse voix au moment précis où le Gros pilote (je l'avais vu) a annoncé que nous survolions la Grosse ville de Chicago (« venteuse, pulpeuse, coléreuse ») légèrement au sud. Je me suis rappelé qu'avant sa Grosse dégringolade économique, les patrons de General Motors mesuraient généralement plus d'un mètre quatre-vingt-dix. J'avais aussi perçu un amour de la Grosseur à Detroit au début de ma carrière, quand je préparais une *Biocompacte* sur Henry Ford II, surnommé « Hank Deux » dans la Grosse ville de Detroit. Nous allions bientôt survoler le Gros Mississippi. Aux prises avec « les feuilles alternées, aux veines pennées, du sassafras », je me suis demandé combien de fois j'avais vu de Gros Texans rubiconds monter dans un avion avec leurs Grosses voix. Un jour, l'un d'eux avait insisté pour que je change de place avec lui afin d'être à côté d'un Gros ami, mais je n'avais pas quitté mon siège 3B habituel, à son immense écœurement.

Toutes ces pensées dessinaient des fleurs minuscules que je trouvais très intéressantes. J'ai bu un verre d'infect et sirupeux cabernet californien qui, selon l'hôtesse de l'air, était le meilleur vin disponible à bord. Une barre de chocolat aux amandes digne d'accompagner un Whopper au *Burger King* du coin.

J'ai feuilleté l'intégralité de mon livre sans y découvrir la moindre photo d'Ava Gardner. Une hôtesse à la croupe appétissante s'est penchée pour ramasser une serviette jetée par terre, sans doute le meilleur moment du vol. Très loin derrière moi, un bébé pleurait, musique infiniment plus douce que les aboiements de rottweiler du Gros homme d'affaires. J'ai soudain eu la nostalgie de la petite France, de mes petites promenades, des petits cafés, des petites baguettes, et même de la petite Sandrine qui avait pourtant de Gros besoins d'argent. Pourquoi si peu de femmes aussi splendides que Sandrine possédaient-elles l'énergie sexuelle d'une Donna ? En tout cas, je n'en avais jamais rencontré une seule gratifiée simultanément de ces deux miracles.

Lorsque nous avons atterri à Minneapolis avant le dîner, j'ai remarqué avec plaisir que je n'y avais jamais mis les pieds, même si contrairement à Barcelone ou Séville cette constatation ne s'accompagnait d'aucune émotion violente. Comme d'habitude je me préparais à quitter l'avion au plus vite quand une femme accompagnée de deux jeunes enfants, dont l'un en larmes, s'est ruée devant moi. Au bord de la crise de nerfs, elle portait une multitude de paquets et j'ai donc pris dans mes bras l'enfant qu'elle traînait vers la sortie. L'hôtesse de l'air à la croupe avenante m'a remercié et, l'espace d'un instant, je me suis senti submergé d'une chaude bouffée de fierté, comme dans ma jeunesse quand je lisais les récits édifiants du *Reader's Digest*. Ce gamin était un petit corniaud tout dodu, aussi lourd que ma mallette eisnérienne et le sac léger, rempli de vêtements, que je tenais dans mon autre main.

J'ai atteint la porte de l'aéroport et transmis avec soulagement le sapajou gigoteur à son géniteur renfrogné.

J'ai vécu un bref instant d'inquiétude quand je suis monté dans ma voiture de location et que j'ai répété mentalement, ainsi que je le fais toujours, ce que j'allais maintenant accomplir. Cindy demain, près de LaCrosse, à l'heure du dîner. Lire le livre. J'avais noté quelque part l'adresse d'une bonne table, fournie par Rico, pour y dîner ce soir. Rico avait une peur bleue des avions, mais il avait traversé l'Amérique en voiture pendant ses vacances. Il m'avait proposé plusieurs fois de me joindre à lui, mais je n'avais apparemment jamais le temps à cause de mes *Biocompactes* en cours. Ses carnets de voyage regorgeaient d'informations inestimables sur les restaurants de tout le continent américain.

Après avoir répété ce que j'appelle mon « plan d'action », relativement succinct pour une fois, j'essaie d'habitude de m'initier au fonctionnement de la voiture, de préférence à l'arrêt plutôt que lorsqu'elle roule. La clef serrée dans la main droite, j'étais incapable de trouver l'endroit adéquat où la glisser. D'autres clients sur le parking des voitures de location démarraient sans plus attendre, dont le Gros homme d'affaires et son Gros ami qui avaient loué une Grosse Lincoln marron. Brancher une prise de courant constitue la limite ultime de mes capacités techniques. J'ai ouvert la boîte à gants, à la recherche du manuel d'utilisation du véhicule, un document rédigé en cinq langues, dont le japonais. Il faisait très chaud dans la voiture, mais je ne pouvais ni abaisser les vitres ni mettre la climatisation, et je n'ai pas eu la présence d'esprit d'ouvrir la portière. Des larmes de frustration m'ont empli les yeux, le tableau de bord est devenu un fouillis mystérieux de gadgets high tech brouillé par les émanations de mes glandes lacrymales. Peut-être devrais-je prendre quelques jours de vacances, mais vu le laps de temps ainsi réduit qu'il me resterait avant l'échéance, cette décision augmenterait mon quota eisnérien, de cinq pages par jour, à six, ou sept, voire treize, jusqu'au moment où je serais contraint de pondre mes cent pages en une seule journée.

Enfin, un employé noir à l'uniforme impeccable a ouvert ma portière pour me lancer cette réplique mémorable :

« Ces bagnoles japonaises sont vraiment de l'hébreu. »

Puis il m'a montré l'endroit où glisser ma clef de contact. J'ai essayé de refiler vingt dollars à mon sauveur, mais il a refusé avant de s'éloigner en riant.

À l'hôtel, il y avait une plaque dans ma chambre annonçant que Gorbatchev avait dormi ici. Je me suis senti tout guilleret pendant une brève fraction de seconde, avant de m'interroger sur les rares choses auxquelles nous pouvons encore croire de nos jours. Afin d'éviter d'autres voies d'eau indésirables, je me suis allongé sur le lit et plongé dans *La Botanique humaniste*. Sans que je m'en sois jamais douté, les aoxines, les baragouinines et les cytokinines étaient des hormones et des substances régulatrices essentielles à la croissance cellulaire des plantes. Quelle divine nouvelle... Je me suis endormi.

Coïncidence, lorsque je me suis réveillé une demi-heure plus tard, j'ai entendu un bref cri d'enfant dans le couloir. Pourquoi n'étais-je pas devenu père ? Élever mon frère et ma sœur entre douze et quinze ans m'avait sans doute suffi. La sœur de ma mère n'avait pas été d'une grande efficacité ; un an après son arrivée, nous lui avons gentiment demandé de rentrer chez elle. Elle avait été mariée deux fois, la seconde fois et la plus longue avec un docker italien et elle avait transféré toutes ses émotions, aussi limitées soient-elles, vers la cuisine. Elle avait tous les mauvais côtés de sa sœur, ma mère, et aucune de ses qualités, telles que l'humour et l'indulgence. Pour moi, la goutte d'eau qui a fait déborder le vase, ç'a été quand elle a abattu sa spatule en bois sur le crâne de Thad, sous prétexte qu'il avait mangé de la pâte à tarte crue, puis elle a enfoncé le clou en l'accusant de passer tout son temps à se masturber au-dessus de ses *Playboy* et de ses *Penthouse* au lieu de travailler. Le pauvre Thad s'est tordu les mains de honte, avant de fondre en larmes. Nous étions tous réunis dans la cuisine à ce moment-là et ma sœur, qui a toujours eu un faible pour les jurons, s'est écriée :

« Ferme ta gueule, espèce de sale conne ! »

Impossible, dès lors, de faire machine arrière : elle a pris ses cliques et ses claques dès le lendemain et nous n'avons plus jamais entendu parler d'elle, même si je lui envoie régulièrement une carte de vœux à Noël.

J'ai examiné la liste des vins disponibles dans les chambres d'hôtel et j'ai eu le plaisir de commander un bon Pomerol. J'ai trouvé le nom du restaurant et le concierge m'a réservé une table une demi-heure avant la fermeture de l'établissement. J'avais donc le temps de travailler un peu. Je devais choisir entre Eisner et la botanique, mais la sauvage Cindy a fait pencher la balance de son côté, si bien que son livre a atterri sur le bureau avec un bruit sourd. Le devoir, même déprimant, est le devoir. Le vin est arrivé presque aussitôt, mais un tire-bouchon était un objet inconnu de la jeune femme tout ébaubie qui l'a apporté. J'ai donc pris la situation en main. C'était une nouvelle employée, elle ignorait qui était Gorbatchev et je le lui ai donc appris, ajoutant une description de sa tache de naissance qui ressemblait à une tache de vin sur un mur pâle. Ensuite, dix minutes de lecture concentrée m'ont donné mal à la tête, si bien que j'ai appelé Donna. Mais son répondeur expliquait qu'il était hors de question de la déranger actuellement, sauf en cas de force majeure. Je me suis rappelé un vers terrifiant des poèmes figurant en post-scriptum du *Docteur Jivago* de Pasternak, qui disait à peu près qu'un grand volume était nécessaire pour remplir une vie. Comme le jour de la mort de Kennedy, je me rappelais parfaitement ce que j'avais fait le jour où j'ai lu ce vers pour la première fois. C'était par une chaude soirée estivale dans l'Indiana et j'écoutais les chants d'amour très rauques de mille cigales. Mon père m'a appris que les engoulevents mangeaient les cigales, mais sur le moment je n'avais pas jugé cette information très importante. Aujourd'hui si, curieusement. Peut-être que mon coup de fil à Cindy et cette nuit passée avec Donna avaient ouvert une fenêtre qu'en temps normal j'aurais seulement pu essayer d'entrebâiller avec un pied-de-biche.

J'ai atteint la page cinquante de *La Botanique humaniste* et l'analyse de l'œuvre de Carolus Linnaeus, quand j'ai été interrompu par l'heure du dîner et la vision saisissante d'une ancienne petite amie originaire de Rye, dans l'État de New York, une fervente catholique et une diplômée de Sarah Lawrence (*magnum cum laude* à une époque où cette mention avait encore un sens) : de fait, mes talents étaient limités par une souffrance excessivement refoulée et par une éducation médiocre. Cette jeune femme vous faisait claquer des dents mentalement. Elle avait interrompu sa thèse dans le département de psychologie de l'Université de New York, afin de m'aider à mettre au point une série de livres sur le confort mental, destinés à mon éditeur. Elle exerçait ses dons de psychologue avec tact et délicatesse, mais c'était plus fort qu'elle. Pourquoi, chaque matin, prenais-je un café après m'être rasé, et pas le contraire? Pourquoi fumais-je seulement quand j'écrivais? J'étais le seul à savoir qu'elle consommait de l'héroïne par intermittence, un sujet que New York préfère taire lorsqu'il s'agit de ses sommités. Elle a même enquêté sur les rapports d'accidents liés au décès de mon père, ouvrant des dossiers que je préférais ignorer : le capitaine équatorien du bateau, qui s'était saoulé au rhum, n'avait pas réussi à équilibrer les ballasts du navire de recherche. Les deux seuls survivants, en dehors du capitaine, avaient dormi sur le pont. Dans le cas de ma mère, on signalait seulement qu'il y avait eu une augmentation de cinq cents pour cent des cancers du cerveau depuis la Seconde Guerre mondiale, chez les individus originaires des zones industrielles du New Jersey.

J'avais néanmoins aimé cette jeune femme pour son humour atemporel et mélancolique. Son père travaillait comme actuaire dans une compagnie d'assurances; il était affreusement dépressif et je soupçonne que je venais pour elle en seconde position sur sa liste des êtres à réconforter, car elle avait échoué avec le premier. Notre ultime querelle a commencé, au-dessus de ses splendides macaroni au fromage (du cheddar anglais à douze dollars la livre, de chez *Dean & Deluca*), lorsque j'ai émis l'hypothèse que sa série de manuels de psychologie destinés au grand public risquait de faire grimper le taux de suicides et, à défaut, de donner un bon coup de fouet à l'industrie pharmaceutique. Elle a alors jeté par la fenêtre de notre appartement de la Dixième rue Ouest ma *Biocompacte* préférée de l'époque : Linus Pauling.

Mais comment briser la glace qui étreint notre cœur ? « *Fay ce que voudras** » ne suffit pas et il s'en faut de beaucoup. Autrefois j'établissais des listes de règles inutiles, elles étaient inutiles car je les avais déjà suivies avant de les noter par écrit. Une autre petite amie, pédiatre à Chicago, m'a dit qu'on devrait graver sur ma tombe : « Il a fait son boulot. »

Sur le bref trajet du restaurant recommandé par Rico (*D'Amico Cucina*), je me suis rappelé avec amusement que ma petite amie psy méprisait le potentiel de changement chez l'être humain, au point d'en être elle-même victime. Un dimanche matin, je lui avais causé une grande déception quand elle avait exigé que je choisisse l'activité préférée de toute mon existence et que j'y consacre ma journée entière, plutôt que de travailler. Bêcher le jardin de ma grand-mère dans sa ferme de l'Indiana, lui ai-je alors répondu. Comme c'était évidemment impossible, elle m'a demandé quelle était l'activité qui figurait ensuite sur ma liste. Voici ma réponse : baiser ma première femme, Cindy, en levrette dans un champ de maïs par un après-midi de juillet. Elle a proposé que nous allions faire un tour en voiture à la campagne pour essayer, mais je lui ai alors fait remarquer que c'était la fin mai et que le maïs ne serait pas assez haut. Et comme de juste, dans sa série de bouquins sur la santé mentale, également publiés par Don, figurait un chapitre sur la prévention de la dépression, intitulé : « Choisissez vos activités préférées et faites-les. »

Au restaurant j'ai commandé une vieille bouteille de Barbaresco ainsi qu'une assiette de *prosciutto* et de figues d'importation en guise de hors-d'œuvre. Voyant que je lisais un livre, le serveur s'est renfrogné et je lui ai donné raison en mon for intérieur. Un examen trop scrupuleux

---

* En français dans le texte. (*N.d.T.*)

de l'existence paraît aussi être une mauvaise idée quand on est confronté à une gastronomie de choix. Je me suis demandé où se trouvait le Mississippi, ce couteau liquide qui coupe notre pays en deux, pour que je puisse y jeter ce maudit bouquin. Je savais que John Berryman, poète jadis célèbre dans le monde de la poésie, avait sauté d'un pont de cette ville, moyennant quoi l'élément aqueux constituait sans doute une tombe idéale pour mon livre. J'ai lu, sur la page de garde, « Cindy McLauglen, 1977 », année de publication du livre, avec cette note additionnelle, « rendez-le-moi, s'il vous plaît ». Et me voilà à cinquante-cinq ans, riche d'environ deux millions de dollars, en train d'apprendre ma leçon. Le premier petit malin venu mentirait en disant qu'il est parti pour l'aéroport avant la livraison du livre, ou une craque du même tonneau.

Ce fut durant mes *pasta*, une simple mais parfaite *putanesca*, que j'ai vécu une sorte d'épiphanie. Cette saleté de bouquin posé sur la table à côté de ma salade de *radichio* me faisait souffrir à cause du nombre impressionnant de ses pages. Depuis l'apogée de la vie de mon père, les années trente, quarante et cinquante, nous avons assisté au triomphe progressif du processus sur le contenu. Par exemple, mes *Biocompactes* sont certes bourrées de faits, mais sans excès, au point qu'elles en manquent même, et j'ai compris depuis belle lurette que leur succès tient à leur présentation extérieure. Ce n'est certes pas une remarque profonde, il s'agit même là d'une évidence compréhensible par quiconque possède un Q.I. à trois chiffres, mais l'engouement provoqué par les ordinateurs se fonde lui aussi sur le processus. La nation et ses citoyens en ont ras-le-bol d'apprendre, ils se tournent donc vers le processus comme ces centaines de profs de fac dont les étudiants, nos futurs enseignants, sont presque tous incapables de passer un examen requérant un minimum de connaissances. Et voilà pourquoi ils arrivent souvent en dernière position, loin derrière ceux de la vingtaine des pays occidentaux.

Franchement, je n'en avais rien à secouer de tout ça, sauf dans la mesure où je pouvais en tirer des conclusions intéressantes sur le cœur secret de ma propre vie. Il était néanmoins évident que ma sœur détenait tous les contenus et que j'incarnais simplement le processus, tandis que mon frère Thad s'occupait seulement de l'emballage dudit processus.

Manifestement, mes lèvres s'agitaient avec fureur, car le serveur s'est approché de moi. Il a jeté un coup d'œil inquiet sur l'illustration de la page 109, une section longitudinale du méristème apical de la tige du frêne. Observé à quelques pas de distance, ce dessin pouvait présenter un aspect sexuel, comme ces coupes des organes génitaux féminins en cours de biologie. Il m'a annoncé que ma côte de veau était presque prête et je lui ai demandé où se trouvait le Mississippi, car je croyais avoir traversé la rivière Minnesota en venant de l'aéroport. Ma question l'a stupéfié.

« Tout autour de nous, monsieur », dit-il.

J'ai acquiescé.

De retour à l'hôtel, j'ai allumé la télévision et remarqué que toutes ces chaînes manquaient décidément de contenu, puis j'ai mis une station de radio qui diffusait une musique classique évocatrice d'émotions inconnues de moi. À la fac, je croyais au moins avoir des émotions similaires quand j'écoutais le grand Carlos Montoya. Une bouffée de colère, certes très brève, m'a submergé à la pensée que Cindy m'obligeait à étudier en vingt-quatre heures tout un cours de biologie. La veille, vers la même heure compte tenu des fuseaux horaires, Donna humait mon onguent bitumineux à la sève de pin. J'ai pensé à son périnée dans la pénombre créée par les lumières de la ville. Notre sexualité a bien sûr un contenu, mais elle s'écrit invariablement en termes de processus. « Et alors je... et puis elle... » J'ai réfléchi à tout ça et je me suis rappelé le monologue de Molly Bloom, puis la voix sentencieuse de ma mère disant : « L'exception confirme la règle. »

Avec l'aide d'un excitant et d'une cafetière j'ai lu jusqu'à cinq heures du matin et j'ai fini *La Botanique humaniste*, même si j'ai seulement parcouru les derniers chapitres. J'aurais raté le plus élémentaire contrôle des connaissances, mais une fois ce bouquin terminé, je l'ai serré contre moi et j'ai basculé sur le côté comme si nous venions de lutter l'un contre l'autre. J'y ai renoncé depuis quelques années, mais à l'époque où je prenais mon travail plus au sérieux, je faisais parfois des conférences sur la nature de mon succès devant un parterre d'étudiants en journalisme. Je leur disais que vous deviez laisser vos humeurs au vestiaire avant de vous mettre au turbin. Si vous placez toutes vos humeurs dans un carton à chaussures et que vous mettez ce carton sur une balance, vous obtiendrez seulement le poids du carton à chaussures. Les humeurs ne sont que de vulgaires caprices émotionnels qui font le lit de la paresse. Il me fallait garder en tête toutes ces sottises calvinistes afin de finir mon livre et de pouvoir affronter l'aube avec un sourire modérément triomphant. Ce que j'avais tenté d'apprendre à ces étudiants, c'était le mode d'emploi le plus foireux du bonheur.

Le moment le plus excitant de la soirée, ç'a été quand Donna m'a rappelé. Notre conversation a été brève, car elle étudiait, mais elle a bel et bien déclaré qu'elle était d'accord pour me revoir. J'aurais bien sûr dû me contenter de ça, mais il y avait dans sa voix une sorte de taquinerie sexuelle qui m'a inquiété. Je lui ai dit que je n'étais pas très versatile, que je ne faisais jamais l'amour à quelqu'un que je n'aimais pas. Triste mais vrai, pensais-je autrefois, mais plus maintenant. Il m'est impossible de considérer mon comportement sexuel autrement qu'en termes comiques, même si j'y trouve des motifs d'émerveillement. À une certaine époque j'adulais D.H. Lawrence et il me suffirait sans doute de le relire pour retrouver cette même vénération, mais Henry Miller sonnait plus juste.

Soyons francs : j'ai un peu menti pour des raisons de clarté. Encore un mensonge ! Existe-t-il une chaîne de mensonges qui nous encercle et nous ligote ? On sait mieux qui on est au réveil qu'à l'heure du coucher, quand l'aptitude à l'enjolivement est à son apogée. La supercherie autobiographique ne diffère pas de la supercherie biographique. Donna et Rico, le vin et la nourriture sont vrais. Tout comme Cindy, que je vais revoir dans six heures pour la première fois depuis la véranda au chèvrefeuille, le joint de hasch dans la Desoto minable. Lorsqu'un homme, un individu, m'annonce qu'il s'est séparé de sa première femme pour en épouser une autre, je me le tiens pour dit, il serait impoli de ma part d'aller y voir de plus près ; mais il s'agit pourtant de l'événement le plus bouleversant dans l'existence de cet homme. Il voit ses deux enfants, souvent, puis moins souvent, puis souvent pas du tout, et le plus grand amour de sa vie, sa première femme, s'est à jamais envolé. Voilà la vraie entropie. La plus grande part du contenu émotionnel de son existence s'est fatalement évaporée à cause d'une incompatibilité mutuelle et grandissante. On disait même parfois :

« Nous avons tous deux évolué, mais pas dans le même sens. »

La nécessité absolument inévitable du divorce ne diminue en rien son impact.

Me voici en train d'éviter le mur de derrière, situé à quatre mètres environ du bout du lit. Comme je n'ai jamais vraiment été marié, que sais-je de tout ça ? Neuf jours, huit en réalité, ne font pas le poids devant un tas de haricots gelés, comme disait ma grand-mère.

Je recommence. Je me suis réveillé à onze heures, en nage, car la lumière du soleil entrait à flots par la fenêtre orientée au sud-ouest, mon cerveau un tourbillon de rêves floraux et de grosses plantes vertes qui s'ouvraient pour exhiber leurs intestins de plantes vertes ; j'avais l'œil sec mais la couille brûlante. J'avais fumé la moitié du paquet de cigarettes auparavant glissé dans ma mallette, j'avais bu deux bières et trois petites bouteilles de vin, trouvées dans le. minibar dissimulé sous le poste de télévision. J'avais manipulé la télécommande pour mater trois films porno à neuf dollars pièce, mais aucun n'a excité la lubricité de mon lombric. Et tout ce temps, j'ai poursuivi ma lecture moyennement studieuse. Je n'avais pas connu une nuit comparable depuis sept ans, depuis l'âge de quarante-huit ans, quand je m'étais installé dans une discrète clinique de l'Arizona pour y prendre un mois de repos. Avant cette crise, je n'arrivais plus à bosser sans descendre entre trois et cinq bouteilles de vin par jour, mais longtemps avant j'avais renoncé à la cocaïne parce qu'un médecin m'avait annoncé de but en blanc qu'à ce train-là j'allais casser ma pipe en moins de deux. Pour sauver ma vie et au mépris de toute mode, j'avais sombré dans la religion, récitant mes prières matin et soir, comme jadis avec ma grand-mère.

Tout vient après coup. Ce matin-là j'ai croassé avec une timide érection pointée vers Donna dans un autre fuseau horaire, et en souffrant d'un décalage horaire très personnel : je m'étais levé à onze heures au lieu de sept. Un serpent mue et ne se reconnaît plus. La nature de la conscience est telle qu'on peut perdre plusieurs peaux en même temps. En pareils moments je m'essaie à la fiction, j'écris quelques poèmes, une dizaine de jours de gamberges littéraires avant de me rendre chez le dermatologue qui pour rien au monde ne me prescrirait un remède aussi primitif que cet onguent bitumineux à la sève de pin, dont m'a jadis parlé une jeune femme à Coconut Grove : sous les tropiques elle avait contracté un empoisonnement au contact d'un poisson, failli perdre un doigt dans l'affaire, puis découvert le fameux onguent chez *St. Bart* grâce à un marin français qui lui avait joué « un mauvais tour ». Dieu seul sait ce que cela veut dire... Nous autres xénophobes avons appris à soupçonner les habitants du Vieux Monde de sodomie compulsive...

Après ma cinquième tasse de café, j'ai somnolé dans un fauteuil, les pieds calés sur mon bagage. Le langage avec lequel je me parle s'est enfui si loin au fond de moi qu'il y a disparu. Concentre-toi ou applique-toi. Mets-toi au boulot. Il n'y a rien de pire que de faire le fanfaron. Toute notre éducation s'entoure d'impératifs « virils » qui laissent sur la touche notre sensibilité. Et ce langage devient franchement absurde quand un commentateur sportif vante « ce bon vieux football américain qui envoie tant de colosses au tapis ». À Bloomington, nous entendions les rugissements du stade à des kilomètres à la ronde. Mais à un niveau plus insidieux, il y a le langage culturel de la patience, du courage, du cran, du travail têtu, de la richesse, de l'obstination, du boulot entamé de bonne heure et poursuivi tard dans la nuit. Moyennant quoi j'ai économisé deux millions de dollars, une cagnotte qui selon un article du *Wall Street Journal* ne me suffira pas, car j'aurai besoin de cinq millions pour me garantir « une retraite agréable ». Cela m'a fait regretter l'argent bien réel que, gamin, je gagnais en distribuant des journaux, pédalant sur mon vélo parmi les rues verglacées de février, ou encore les vingt-cinq cents de l'heure qu'on m'allouait pour bêcher des jardins.

Bref, j'étais donc assis en essayant de trouver la fameuse phrase qui allait tout déclencher. J'ai rapidement renoncé à la chercher davantage, préférant descendre mes affaires à la réception, l'esprit toujours obnubilé par les tourbillons floraux. Je me suis alors rappelé avoir entendu à la télé un truc sur les « parcs d'obscurité », des zones dépourvues de toute lumière ambiante pour que les gens puissent voir les étoiles ; après le tremblement de terre de Los Angeles, beaucoup d'habitants qui n'avaient jamais vécu une panne d'électricité furent très angoissés, voire paniqués par la vision de la Voie Lactée, cette brumeuse écharpe stellaire que j'aimais dans ma jeunesse, mais que je n'ai pas souvent revue depuis.

D'importants hommes d'affaires s'agitaient à la réception, avec des culs qui peut-être fuyaient. Deux d'entre eux se sont serré la main en manifestant cette vigueur démesurée qui explique l'état présent de notre nation. J'ai remarqué avec plaisir qu'en l'absence de tout langage intérieur mon esprit réussissait à me diriger vers la sortie et à enregistrer les conseils donnés par deux portiers querelleurs qui n'étaient pas d'accord sur le chemin que je devais suivre. Lorsque l'employé du parking a arrêté devant moi ma voiture de location, j'ai été ravi qu'il laisse le moteur tourner, ce qui m'évitait de répéter l'épreuve insupportable de la clef de contact. Les voitures de l'avenir démarreront quand vous sortirez votre bite et chuchoterez « Bingo ».

Je me sentais étrangement excité à l'idée d'avoir perdu mon babil intérieur. Je me suis dirigé vers l'autoroute de Port Douglas, ralentissant pour éviter deux descendants très ivres des premiers habitants de l'Amérique qui traversaient au mépris du feu vert. Mon cerveau tournoyait au milieu de longs extraits de l'histoire américaine, le legs douteux de ma mère, dont le répertoire des injustices subies soumettait à rude épreuve la patience de ses interlocuteurs. À cause d'elle, j'ai tendance à éviter de penser à l'histoire, mais peut-être ferais-je mieux de l'oublier et d'agir à ma guise. Pourquoi repousser ce qu'on vous a offert? Mieux vaut le laisser glisser. Mon immersion nocturne dans la botanique témoignait sans doute d'une hésitation à pénétrer dans le royaume de mon père. Je me suis demandé combien de fois il avait vu Ava Gardner dans *La Comtesse aux pieds nus*, ce film absurde; mais la séquence où Ava en déshabillé vaporeux marche pieds nus sur le sol de marbre est certes émoustillante.

Roulant vers Port Douglas, j'ai longé le « Parc de l'Œil de Porc », un nom vraiment enchanteur. J'espérais découvrir tout seul pourquoi on avait baptisé ce parc ainsi, sa verdure étant du meilleur effet dans un monde dépourvu d'humains, coloré par les éclaboussures pastel des arbres en fleurs. Il existait un rapport évident entre toute cette verdure et le livre que j'avais lu la nuit précédente, mais je devais mettre un certain temps à le comprendre.

J'ai franchi le premier de plusieurs ponts qui allaient et venaient entre le Minnesota et le Wisconsin, enjambant le puissant Mississippi qui semblait voué à l'excès et au désordre. J'ai fait halte sur une aire destinée aux touristes afin de regarder ses eaux, en me rappelant le vers de T.S. Eliot où il compare le fleuve à « un grand Dieu brun ». J'ai ressenti le vertige habituel, mais la question ressassée, « est-ce que je me jette du pont ? », ne s'est pas présentée. J'ai vaguement discerné une chanson enfouie au fond de mon cœur, comme si des décisions inconscientes mais bénéfiques s'y prenaient à mon insu.

Maintenant que j'étais dans le Wisconsin, je me suis rappelé que, lors de la petite heure que Michael Eisner avait bien voulu me consacrer, il m'avait confié que sa femme et lui, alors jeunes mariés, avaient campé dans le nord du Wisconsin et qu'un ours avait alors attaqué leur tente. Cela ne collait guère avec la carrière d'un homme qui possédait un bureau aussi majestueux, d'où il dirigeait une gigantesque entreprise, mais c'était sans aucun doute vrai. Mike face à face avec un ours dans l'obscurité. « À douze ans, Henry Kissinger fut poussé dans une flaque de boue par un copain et il prit la décision de ne plus jamais ressortir de chez lui ; et si cette mesure se révélait trop difficile à respecter, alors il éviterait au moins le voisinage des flaques de boue. Une jour, en buvant une coupe de champagne très loin au-dessus de la ville de New York, il avait raconté cette anecdote à Bob MacNamara, qui avait éclaté de rire. Tout de même, avait ajouté Kissinger, n'est-il pas vrai que les villes équipées d'un système d'égouts efficace n'ont pas de flaques de boue ? »

Les faits suffisent parfois à nous couper la chique, pensai-je en roulant vers le sud sur la Route 35 du Wisconsin, une petite route délicieuse qui longe le fleuve. « Ils se sont agenouillés au crépuscule devant une Asiatique nue aux cuisses ouvertes et ils lui ont demandé pardon pour le Viêt-nam. » Possible, mais peu probable. Peut-être que je pourrais vomir assez d'inanités pour faire monter le niveau du fleuve, maintenant situé sur ma droite, où des péniches naviguaient vers le sud.

Près du pont entre Nelson et Wabasha, je me suis arrêté dans un parc de vie sauvage pour marcher jusqu'au fleuve, ou du moins l'un de ses bras. Il y avait des hordes de moustiques, mais juste assez de brise en ce milieu de journée pour les tenir à distance. Le sentier était boueux à cause d'une récente averse et il est très vite devenu évident que mes mocassins de chez Bally n'étaient pas les chaussures idéales pour cette petite balade. Un gros serpent noir qui sinuait dans les herbes m'a rappelé le malheureux serpent de Cindy qui, voilà tant d'années, avait régalé un matou, les joues de Cindy couvertes de larmes et ses mains toutes tremblantes serrées autour du petit verre de whisky que la vieille Ida lui avait servi pour la calmer. Elle pleurait parfois pendant que nous faisions l'amour, parce que c'était, m'expliquait-elle, « trop rigolo ».

Ce sentier environné de broussailles aboutissait à un banc de boue et au fleuve. À mon arrivée, deux jeunes pêcheurs âgés d'environ douze ans se sont retournés d'un air inquiet, comme si j'étais un flic en goguette, pour autant qu'il ne s'agisse pas là d'une contradiction dans les termes. Je leur ai adressé un signe et un sourire, avant de leur poser la question rituelle :

« Ça mord ? »

Ils avaient attrapé deux perches à petite bouche, d'une taille décente, et j'ai aussitôt imaginé ces poissons dans une poêle à frire. J'ai aperçu, sortant d'un sac à dos posé sur la berge, un exemplaire du catalogue secret de Victoria, mais j'ai fait comme si je n'avais rien vu, car il s'agit là d'un livre érotique beaucoup plus troublant aujourd'hui que du temps de ma jeunesse.

Ensuite, j'ai avancé vers l'amont sur le banc de boue et l'un des deux garçons m'a crié : « Arrêtez ! » mais trop tard. Mon pied s'est enfoncé dans la boue, aussitôt suivi par ma jambe, qui a disparu jusqu'au genou. Mon autre pied tenait encore bon, mais à cause de ma position inconfortable je me suis alors affalé sur le cul. J'ai tendu un bras et les garçons m'ont hissé vers eux non sans effort, mais ma chaussure gauche avait disparu. Ils voulaient essayer de retrouver mon mocassin, mais je me suis écrié :

« Qu'elle aille se faire foutre ! »

Nous avons tous ri.

Lors de mon retour peu glorieux vers la voiture, je me suis dit que cette chaussure perdue me laissait comme seul choix une paire de chaussons poilus, mais à Winona j'ai trouvé un « surplus de l'armée » où j'ai acheté des chaussettes et des bottes de combat destinées aux Marines ; à la caisse du magasin, on m'a indiqué un restaurant tout proche où manger du poisson frit. À Manhattan ou à Chicago, il est difficile de trouver du poisson frit simplement, comme à la campagne. Il suffit alors de le colorer en rose avec du Tabasco et de le faire descendre avec une ou deux bières.

Je me suis campé, les jambes écartées au-dessus d'une fissure du trottoir, à la manière d'un Marine, puisque je portais des bottes de combat flambant neuves conçues pour les Marines. Je me rappelais mon entretien avec Colin Powell avant d'écrire ma *Biocompacte* sur ce général de l'armée américaine, il y a plusieurs années de cela, et je me suis interrogé comme autrefois sur l'évolution des clichés entourant l'armée : cette fière posture, si raide et crispée qu'on s'attend à ce que les papiers en désordre sur une table se rangent d'eux-mêmes. Les froissements d'uniformes amidonnés dans les salles du Pentagone, ces intérieurs militaires d'une laideur si absolue qu'on se demandait si nous avions le droit de gagner une seule partie de scrabble international. À l'époque, il semblait évident qu'une phalange d'officiers en route vers leur déjeuner ressemblait comme deux gouttes d'eau à une bande de chimpanzés courroucés dans la lointaine Gambie. Ces nobles pensées n'ont pas entamé le souci qui m'a soudain tenaillé en découvrant l'enseigne du restaurant, qui annonçait simplement : « Poisson frit. » J'avais déjà vécu une expérience similiaire et désagréable dans le Kansas, où je n'avais jamais réussi à découvrir quelle sorte de poisson était disponible.

« Vous savez bien, m'avait alors dit la serveuse, du poisson-poisson. »

Lorsque je lui ai répondu que l'océan contenait d'innombrables espèces de poissons, elle m'a cloué le bec en rétorquant :

« Ici, c'est le Kansas. »

Le poisson-chat était comme ci comme ça, mais papa disait toujours :

« Un biscuit salé est un festin pour l'affamé. »

Je me mordais les doigts d'avoir faxé à ma sœur, à Bloomington, pour l'avertir que je passerais le week-end chez Cindy, près de LaCrosse, et de lui avoir donné le numéro de téléphone de mon hôtesse. Même si cette hypothèse semblait improbable, Don pourrait néanmoins m'y contacter. Pour ne rien vous cacher, c'est Don qui m'a expédié dans cette maison de repos, il y a des années, aux frais de la maison d'édition. Il m'a dit que j'étais sa poule aux œufs d'or et qu'il tenait à ce que je continue à lui pondre de jolis œufs d'or : pas vraiment flatteur. Il avait lui-même fait plusieurs séjours dans cette clinique et il me répétait volontiers que les employés mexicains le surnommaient « El don Don ». Mon boss a l'habitude irritante de répéter plusieurs fois les mêmes histoires, en sachant très bien qu'il est riche et puissant et que personne ne lui fera la moindre remarque ; de même, il reçoit des coups de téléphone quand vous avez un entretien important avec lui, et c'est bien sûr lui qui décide de cette « importance ».

J'ai dormi dans la voiture, sur le parking du restaurant, rissolant tel un poulet au four, jusqu'à ce qu'un aimable vieillard tapote à la vitre pour voir si je vivais toujours. Durant ce somme, j'avais pris la décision de réclamer un mois de délai supplémentaire pour rendre mon manuscript sur Eisner. Je me suis demandé comment je pouvais bien recevoir un ordre en dormant, surtout en l'absence de tout rêve. Don est un vrai tueur sur le chapitre des délais ; la fois où j'ai fait une sorte de dépression nerveuse alors que j'écrivais mon Donald Trump, Don a engagé un nègre pour rédiger presque tout le texte à ma place.

Franchement, je n'ai jamais été un fana des vacances, mais maintenant je me sentais prêt à en prendre. Assez tôt dans ma carrière et grâce aux droits d'auteur impressionnants gagnés avec mes trois premières *Biocompactes*, je me suis mis au tennis et au ski, mais j'ai bientôt renoncé à ces activités tout simplement trop banales en comparaison de ma formation universitaire, même si ma sensibilité littéraire fondait comme neige au soleil de mes travaux biographiques. J'ai skié à Stowe, Vail et Aspen ; j'ai fréquenté de luxueuses écoles de tennis en Californie, au Texas et en Floride. J'allais oublier quelques jours de pêche en haute mer au large de Key West. La compagnie d'autres vacanciers a quelque chose de presque obscène. Les longues et innombrables soirées passées avec des gens qui veulent épuiser leur corps et leur esprit en cherchant à s'amuser à tout prix : danser avec une femme qui transpire dans son chandail norvégien tricoté à la main, manger une cuisine compliquée, hors de prix et médiocre, gravement entachée des dernières lubies gastronomiques, et tout cet équipement affreusement cher, les skis à sept cents dollars et les raquettes de tennis à quatre cents dollars, quand du matériel de supermarché bas de gamme aurait davantage convenu au niveau de mes compétentes... À Aspen, on entendait sans arrêt les hurlantes des Texans. Un jour, à Little Neil, une célébrité a chié dans son fuseau après une mauvaise chute à ski et tous ses amis se sont fait la malle. Je lui ai prêté mon parka pour qu'elle se le noue autour de la taille, mais le soir même dans un bar elle a feint de ne pas me reconnaître et je n'ai jamais récupéré mon parka... Mieux vaut en rire qu'en pleurer, avais-je alors pensé en mangeant des *scaloppini* aux câpres trop vinaigrés, puis quelques framboises congelées et avariées. Je ne dois surtout pas oublier de préciser que Don a joué sur « les cinquante terrains de golf les plus célèbres du monde ».

La vie est le travail, voilà ce que j'ai pensé, ou « fait », en l'absence de toute alternative vraiment séduisante. Sandrine a été atterrée quand nous avons eu une petite querelle à Paris et que j'ai passé trois jours à effectuer des aller et retour en train entre Paris et Marseille, dans le seul but de travailler. Le train met quatre heures et demie dans chaque sens et j'étais trop furieux et énervé pour bosser dans une chambre d'hôtel alors que je payais déjà le loyer faramineux d'un appartement. Une adorable employée des chemins de fer français m'apportait du café, du vin, des œufs durs, et je noircissais victorieusement des calepins entiers avec une prose parfaite consacrée à Warren Buffett.

Installé dans ma voiture sur le parking torride du restaurant, près d'une bouche d'aération qui diffusait des odeurs puissantes mais désagréables de poisson frit, j'ai pensé : « Je t'emmerde, Don, je décroche. » J'ai fait crisser les pneus de ma voiture en quittant le parking, le cœur pas tout à fait léger, mais nettement moins lourd que d'habitude.

Cindy était beaucoup trop bronzée, noueuse, musclée, et elle parlait beaucoup plus vite qu'autrefois. Nous étions tous les deux dans le jardin semblable à une jungle, derrière sa ferme qu'on avait seulement repeinte à moitié. J'avais été accueilli à la porte par une jeune femme massive dont j'ai reconnu la voix, déjà entendue au téléphone ; puis, dans le jardin cette même jeune femme nous avait servi à chacun un petit verre d'un médiocre sherry. Je me doutais déjà depuis un moment que cette femme était peut-être la compagne de Cindy, en plus de son assistante, mais je me trompe souvent en ce domaine. J'ai été ravi de voir Cindy verser son sherry dans l'herbe et décider que mon arrivée méritait un martini ; mais lorsque à mon tour je me suis débarrassé de mon sherry, Cindy m'a reproché de l'avoir versé sur une plante que cet alcool risquait d'abîmer. Au moins, je n'avais pas encore posé de question idiote sur la botanique, mais j'avais bien failli. En effet, les champs situés derrière la maison étaient décevants, contrairement aux photos de fleurs somptueuses du magazine de la compagnie aérienne. Réponse facile : il était trop tôt dans l'année pour voir des fleurs (même si *La Botanique humaniste* ne s'attardait pas sur ce sujet), mais ma perspicacité ne suffisait pas à me mettre vraiment en confiance. Quand Cindy a gravi les marches pour entrer dans la maison devant moi, je n'ai pas pu m'empêcher de remarquer que son cul manquait en quelque sorte de contenu, l'alternative antinomique de l'embonpoint de l'âge mûr.

Installé au salon, nous avons savouré deux martinis en deux heures, un rythme adéquat mais guère précipité. À aucun moment, je ne me suis remis de la nouvelle qu'elle m'a annoncée dès que nous nous sommes assis : elle m'avait réservé une chambre dans un motel de LaCrosse, à une vingtaine de kilomètres de là. Je me suis concentré pour essayer de comprendre ce que j'attendais au juste de notre rencontre. Ensuite, elle a décliné ma proposition de bêcher pendant deux ou trois jours, sous prétexte que les plantes en fleur étaient trop petites pour être traitées par un « non-professionnel ». En revanche, j'étais cordialement invité à suivre son « atelier de fleurs sauvages » vers la fin juin, au tarif de sept cents dollars les cinq jours, repas végétariens compris. Elle a trouvé très drôle que j'aie passé toute la nuit dernière à lire le livre qu'elle m'avait envoyé.

« Pose donc une question idiote, si tu en es toujours capable, m'a-t-elle taquiné.

— Pourquoi y a-t-il autant de plantes dans le monde ? On dirait que Dieu n'a pas réussi à se décider.

— Toutes tes horreurs poussiéreuses sur Dieu, tu les tiens de cette affreuse vieille dame, ta grand-mère », dit-elle en riant.

J'ai bien failli prendre la mouche, mais il était trop tôt dans la soirée pour se fâcher, et puis je n'avais rien mangé. Quand je lui ai suggéré de me raconter sincèrement sa vie, elle a refusé, mais au cours de notre conversation les confidences se sont multipliées. Elle avait eu deux « vrais » mariages, sans compter le nôtre, et deux maris morts, sous-entendant que c'était une bonne chose, car ces deux hommes avaient manqué de qualités. Aucun des deux n'avait été une « âme-sœur » comme jadis moi pour elle, ce qui m'a réchauffé le cœur pendant une ou deux minutes. Son premier mari, qu'elle avait épousé peu après l'université, avait quarante ans. Deux enfants naquirent, qui tout deux avaient bien réussi, mais pendant leur adolescence son mari, qui avait plus de cinquante ans, s'est complètement laissé aller, quoi que cela veuille dire. Il était expert-comptable, associé dans une entreprise de Chicago, mais il perdit son emploi après avoir trempé dans un scandale de fausses factures au bénéfice d'une entreprise semi-criminelle. Il se mit à boire excessivement, à maltraiter ses enfants ainsi que Cindy, et elle le quitta. Il décéda à soixante-deux ans, mais auparavant, alors qu'elle n'en avait pas encore quarante, elle épousa un type riche et ils s'installèrent à Santa Barbara. Il frisait la cinquantaine lors de leur mariage, et quelques années plus tard les enfants de Cindy partirent pour l'université (Northwestern et Oberlin). Les hormones « en folie » de son mari le transformèrent alors en un coureur de jupons effréné et il entraîna la pauvre Cindy dans toutes sortes d'« humiliations ». Bien sûr intrigué, j'ai donné quelques coups de sonde, mais elle refusait catégoriquement d'en dire plus. Elle a terminé son récit en déclarant que de très nombreux hommes « perdent les pédales » après la cinquantaine, ajoutant avec un faible sourire, « sauf mon invité d'aujourd'hui ».

C'était maintenant mon tour et, malgré le coup de fouet des martinis, je n'étais guère enthousiaste. Sans doute parce que je ne sentais nullement chez elle cette chaleur à laquelle je m'étais attendu. J'ai feint d'être blasé et très riche, mais quelques minutes après le début de mon laïus je me suis aperçu que je n'étais pas très loin de la vérité. J'ai menti comme un arracheur de dents pour décrire avec tact ma liaison avec une étudiante en théologie, dont j'étais quasiment amoureux. Jamais je n'aurais dit une chose pareille, si Cindy m'avait laissé l'ombre d'un espoir. Des gouttes de sueur perlaient sur mon crâne tandis que je décrivais les plaisirs délicieux de mon existence, dont ma longue liaison avec Sandrine, ma maîtresse française, une femme « dans la force de l'âge ». Pour accorder davantage de vraisemblance à mon récit, j'y ai inclus quelques menus détails sur la lassitude sexuelle de Sandrine et les sommes exorbitantes qu'elle me coûtait.

N'en jetez plus, la cour est pleine, comme on dit. Alors qu'elle terminait son second martini, Cindy a été scandalisée. J'aurais dû me souvenir qu'un seul verre de bière la mettait jadis d'une humeur exécrable. Comment pouvais-je gaspiller autant d'argent pour une « traînée paresseuse », alors que sa propre association à but non lucratif consacrée aux fleurs rares cherchait désespérément des fonds ? D'autant que, sans appoint financier, certaines fleurs allaient inéluctablement disparaître de la face de la Terre, laissant ainsi un trou béant dans la création. Voilà qui, si je ne m'abuse, s'appelle tendre le bâton pour se faire battre. J'entendais presque les fleurs rares bêler leur supplique dans la nuit américaine. Cinq minutes de lamentations plus tard, j'ai promis de me débarrasser de Sandrine, pas une mauvaise idée, pour donner à Cindy une fraction non négligeable des économies ainsi réalisées, pas forcément une bonne idée.

Miss Mastoc nous a conviés à dîner et, sur le chemin de la table de la cuisine (celle de la salle à manger était encombrée de papiers divers et de livres innombrables, qui envahissaient aussi le salon), l'idée m'a traversé l'esprit que Cindy m'avait uniquement demandé de venir parce qu'elle cherchait de l'argent et qu'elle était vaguement curieuse de découvrir ce que j'étais devenu. Non seulement ma présence nocturne chez elle était hors de question, mais je soupçonnais que pour rien au monde elle ne coucherait avec un autre homme en cette vie.

Pour ajouter encore à ma confusion, on m'a servi une énorme platée de *pasta primavera*, un plat que je déteste. Assis devant le formica rosâtre de la table, je me suis battu comme un beau diable pour en manger la moitié. Comme si ça ne suffisait pas, on m'a ensuite présenté un bol contenant des légumes coupés à la va-vite, et un verre de picrate californien sans doute sorti d'une bouteille à capsule en plastique. Bouquet de rutabaga et de sirop d'érable, léger arrière-goût d'aulne et d'algue.

Pour la première fois depuis plusieurs décennies, je me suis senti soulagé quand Don a appelé. Comment pouvait-il être aussi aimable malgré lui ? Je suis allé dans l'entrée avec le téléphone portable, en déplorant la crudité amère de la vie non cuite. Don aime manifester sa puissance en téléphonant aux heures les plus indues, mais sa voix était plus séduisante que les *pasta primavera*, sans parler de la perspective d'abandonner Sandrine au profit de l'idéologie florale. Tout en parlant à Don, je regardais la photo encadrée d'une rose en forme de vulve, ce qui a ajouté à ma perplexité.

Don m'appelait pour m'avertir de la présence d'une « fenêtre ouverte » permettant une publication anticipée et une campagne publicitaire moins onéreuse, moyennant quoi il me restait seize jours pour en finir avec Eisner, au lieu des vingt prévus. Le temps ne vole pas, il bondit. Pour éviter une querelle, j'ai répondu que j'allais faire de mon mieux, mais « mon mieux » n'a pas suffi à Don. Lui, qui ignorait les tergiversations et les cajoleries, s'est contenté de me dire :

« Au turf, fiston. »

Quel drôle de zigoto était-il, pour s'attarder dans son bureau de Manhattan un vendredi soir à neuf heures ? Je lui ai piteusement répondu que j'avais des problèmes familiaux et il m'a dit que je mentais parce qu'il venait de parler à mon frère et à ma sœur en cherchant à me joindre, et que tous deux semblaient en pleine forme. Je lui ai alors révélé que j'étais en compagnie de ma seule et unique épouse (il connaissait l'histoire) et que nous envisagions de reprendre notre liaison. Il m'a répondu que, puisqu'elle avait déjà attendu trente ans, elle pouvait bien se passer de moi encore deux semaines. Et il a raccroché. J'avais les oreilles qui tintaient, je me suis demandé comment on pouvait vomir cinquante kilos de sa vie. Mon regard s'est embrumé, mon cœur a flanché.

Je suis retourné dans la cuisine et j'ai bien failli prendre la porte, une décision courageuse, mais j'ai soudain pensé que c'était la porte de derrière et que, dans mon état présent, je ne réussirais sans doute pas à traverser toute cette dense végétation pour rejoindre ma voiture garée devant la ferme. Cindy et Miss Mastoc m'ont considéré avec une évidente compassion, car elles avaient entendu la moitié de ma conversation déprimante avec Don. Je me suis assis en essayant de trouver un mot d'esprit sur l'esclavage luxueux, mais je ne pouvais pas faire confiance à ma voix pour qu'elle soit aussi virile que mes bottes de combat. J'ai planté ma fourchette dans mes *pasta primavera* refroidies, agglutinées dans mon assiette. Cindy a tendu la main au-dessus de la table pour tapoter la mienne.

À ce moment précis, un homme de grande taille est arrivé du jardin, l'air sale et défait. J'ai pensé qu'il s'agissait d'un ouvrier de la ferme. Il a posé la main sur la tête de Miss Mastoc, puis il s'est penché pour embrasser Cindy sur la bouche et mêler brièvement leurs deux langues en une intimité que j'ai mis un certain temps à reconnaître, même si Cindy a alors passé la main à l'intérieur de la cuisse de l'homme. Il m'a tendu la main et je l'ai serrée en donnant au visiteur un peu plus de trente-cinq ans. Il a parlé de problèmes d'irrigation en engloutissant ses *pasta*. Je n'arrivais plus à avaler une seule bouchée, tant j'avais l'estomac noué par cette compréhension nouvelle de la situation. Curieusement, je me suis mis à penser à Shelley en train de se noyer dans le lac de Côme. Je me suis brusquement levé en disant que je ne me sentais pas bien, puis je suis allé sans plus de cérémonie vers la porte de devant.

Cindy m'a rattrapé près de ma voiture. Je m'étais arrêté, suffoqué par la beauté du crépuscule, par le fleuve qui coulait vers le sud entre deux grandes collines vertes virant au noir. J'étais le vilain petit cochon qui macérait dans la vallée et se sentait parfaitement irréel, sans toutefois s'envoler dans le ciel. Cindy m'a embrassé légèrement sur la joue en me disant de lui téléphoner. J'ai regardé son visage plongé dans la pénombre et essayé de réfléchir aux trente années qui me séparaient d'une proximité comparable avec cette femme, mais elles s'étaient envolées.

Malgré ma souffrance romantique et ma confusion idiote, j'ai mangé un énorme cheeseburger au bar du *Best Western*, mon motel en bordure du fleuve qui m'a procuré une consolation inespérée. Installé sur la pelouse, les autres clients contemplaient le fleuve, en fait un bras secondaire du Mississippi, ainsi que la serveuse me l'a appris. Elle était vulgaire, potelée et brusque, mais elle me plaisait bien. Je me sentais si fragile que je me suis contenté de deux bières. Pas question de sangloter au-dessus de mes frites ni de laisser à la femme de chambre un oreiller trempé de larmes.

J'étais debout et sur la route à l'aube, juste après cinq heures du matin. J'avais téléphoné des messages à Thad et Martha, mon frère et ma sœur bien-aimés. J'ai atteint Chicago pour déjeuner dans l'un des restaurants huppés de Thad et j'ai fait une vague tentative pour le virer. Il m'a répondu qu'il m'avait senti « extrêmement nerveux », avant de me rappeler que, conformément à son contrat d'embauche, il lui restait cinq ans garantis à un minimum de cent mille dollars par an. Voilà bien le genre de chose que je ne lis jamais, car je fais confiance à mon avocat pour qu'il le lise à ma place, même si j'écoute toujours mon avocat d'une oreille distraite. Après une affreuse mixture de blanc de poulet et de fruits indéterminés, Thad a annoncé pompeusement qu'il était en partie propriétaire de cet établissement et que ce déjeuner m'était donc offert. Je lui ai rétorqué que la merde de chien aussi était gratuite, ce qu'il a paru ne pas entendre, absorbé qu'il était dans la contemplation béate du restaurant bondé de gens qui parlaient d'eux-mêmes avec davantage de volubilité qu'à New York. Lorsque nous avons pris congé dans la rue, Thad m'a donné l'accolade, un geste très inhabituel chez lui, en me disant que, si jamais je voulais apprendre comment on devient un raté, je n'avais qu'à l'appeler. Quelles paroles étonnantes de sa part... Nous avons échangé un sourire gêné. Une fille absolument ravissante s'est alors approchée de nous et elle a embrassé mon frère. Elle semblait beaucoup trop jeune pour être en compagnie d'un adulte. Thad n'a pas pris la peine de nous présenter et, lorsqu'ils sont montés dans sa Porsche confortablement garée à côté d'une bouche d'incendie, j'ai eu droit à un aperçu de la petite culotte bleue de la donzelle. C'était une forme de succès beaucoup plus palpable que la mienne.

La rivière Chicago ne faisait vraiment pas le poids en comparaison du Mississippi, un fleuve pour lequel j'avais désormais un léger faible, car il constituait la première présence notable dans le monde naturel que j'aie remarquée depuis un certain temps. Toute cette eau ruisselant sur la peau de la Terre depuis le Minnesota... Dommage qu'elle soit opaque, car sinon avec un équipement de plongée on pourrait marcher lentement vers le sud au fond du fleuve, en saluant au passage les poissons et la coque des bateaux. Sur l'Interstate 65 j'ai croisé un semi-remorque du même bleu que la petite culotte de la copine de Thad. Un autre coup au cœur et le goût putrescent de la papaye sur le poulet infect du déjeuner récent. Le baiser échangé par Cindy et son ouvrier agricole m'a rappelé l'une des phrases préférées de mon père : on découvre ce qu'est la réalité quand, penché pour regarder par un trou de serrure, on se fait botter le train à l'improviste. J'étais en classe de troisième et il tentait de lutter contre mon désœuvrement dû au mal d'amour. Je ne mangeais presque plus et ne travaillais pas davantage, parce que notre lycée accueillait une jeune Portugaise nommée Leila qui était venue avec une guitare à notre cours de géographie pour nous chanter des chansons d'amour de son pays natal. Dire que j'ai été ébloui serait un euphémisme. J'étais au deuxième rang (personne ne s'asseyait jamais au premier rang, sauf les crétins des deux sexes) et Leila, vêtue d'une minijupe, trônait sur un tabouret élevé, un détail qui ne gâchait rien, loin de là. J'étais amoureux pour la première fois de ma vie et c'était terrifiant. Entre deux cours, je la repérais et la suivais aussi discrètement que possible dans les couloirs du lycée. Au réfectoire, assis à plusieurs tables d'elle, je lui adressais des regards langoureux, mais je ne crois pas qu'elle les ait jamais remarqués. Un jour que je me promenais à côté d'un cinéma en plein air très populaire, je l'ai vue appuyée contre la Chevrolet décapotable et flambant neuve d'un riche gamin, qu'elle embrassait. Il avait les mains sur les fesses de Leila. J'ai pleuré. En avril de la même année, elle est brusquement rentrée chez elle pour toujours, à cause d'une maladie dans sa famille. Alors, j'ai en quelque sorte pris le deuil. Mon père inquiet a fini par remarquer mon état et je lui ai marmonné la vérité. Je dois reconnaître qu'il a pris au sérieux mon désespoir, même s'il n'avait aucune solution concrète à me proposer.

Tout en slalomant entre les camions au volant de ma sémillante voiture de location, je fredonnais *Les Nuits dans le jardin d'Espagne* de Manuel de Falla. Bien sûr, Leila était originaire du Portugal et sur la carte le Portugal jouxtait l'Espagne, un peu comme le Canada et les États-Unis, avais-je pensé à l'époque. En cours d'anglais nous avions lu les poèmes d'amour de Robert et Élizabeth Barrett Browning, mais ils semblaient bien alambiqués et pathétiques en comparaison de l'amour monstrueux pour la brune Leila qui irriguait mon cœur, sans parler de mon zizi. Un magasin de disques de Bloomington réussit à me trouver un album de chansons d'amour portugaises, et ces mélodies déchirantes ont bien failli rendre cinglés les membres de ma famille, jusqu'à ce que ma mère m'achète un tourne-disque bon marché, que j'ai installé dans ma chambre.

Mes parents ne constituaient pas un exemple frappant d'amour romantique. Plus tard, quand j'ai vu Élizabeth Taylor et Richard Burton dans *Qui a peur de Virginia Woolf ?*, je me suis senti mal à l'aise. Lors de leurs disputes, mes parents échangeaient de petites épithètes étiolées, des pétards verbaux alambiqués, si bien qu'un adolescent bosseur ou normal n'aurait pas pu deviner la raison de leur querelle. Mais les enfants d'universitaires ne sont pas censés être normaux. C'est un microcosme où l'on s'attend à ce que tout le monde soit exceptionnel, ou au moins très au-dessus de la moyenne. Il est étrange que la plupart des parents universitaires ne comprennent pas que leurs piques verbales provoquent des dégâts permanents, du moins parlerait-on de « dégâts » dans un monde plus parfait. Ce serait d'ailleurs un exercice profitable dans le monde réel, car rien n'y est clairement compréhensible. Don, par exemple, est capable d'adopter une douzaine d'inflexions différentes quand il prononce le mot « le ». Don en est à son quatrième mariage et quelques crétins pensent qu'il ne sait plus choisir une épouse correctement, mais j'ai remarqué chez ses femmes la permanence de l'immobilier, le goût des belles demeures. Par exemple, l'épouse numéro trois possédait un immeuble en pierre de taille, agréable mais discret, vers la Soixantième rue Est, mais la numéro quatre a une maison dans une de ces allées privées de Greenwich, dans le Connecticut. J'y ai passé un dimanche après-midi pour une séance de travail sur un manuscrit, mais on ne m'a pas invité à dîner. Ce qui me convenait très bien, car je crois que la division des tâches est bénéfique à long terme. Plus tôt dans ma carrière, j'avais pour agent une jeune femme insupportable, mais la nature calibrée de mes *Biocompactes* rend tout agent superflu, surtout après que Don a eu une brève et déplaisante liaison avec elle. Elle était tout simplement trop brillante pour son boulot et elle a ensuite occupé un poste très élevé dans cette bureaucratie qui permet aux Nations unies de fonctionner. Avant de mourir d'un cancer du sein il y a quelques années, elle m'a écrit pour me suggérer d'acheter un pistolet et de tuer Don d'une balle dans le cœur, puis de m'enfuir en Espagne pour passer enfin aux choses sérieuses. Lors de notre première rencontre, j'avais partagé avec elle quelques-unes de mes ambitions plus glorieuses.

Juste avant Indianapolis j'ai bifurqué vers l'aire de repos de Lebanon parce que mon cœur battait la chamade. Mon monologue intérieur s'était mis à bafouiller tout seul. Je respirais beaucoup trop vite et n'avais sous la main aucun sac en papier dans lequel inhaler et expirer, le remède le plus efficace pour régler ce problème. À pied, j'ai décrit des cercles oblongs autour de l'aire de repos, puis j'ai longé la clôture qui me séparait d'un champ labouré. J'ai alors remarqué avec horreur que ce matin j'avais oublié de prendre mon Dynacirc, mon médicament contre l'hypertension, alors que je le prenais avec ponctualité depuis vingt ans, quand on avait diagnostiqué chez moi cette déficience. C'était sans doute un signe de santé mentale, que d'oublier enfin de prendre ce cachet, mais je suis retourné à la voiture et j'en ai avalé un avec une gorgée d'eau tiède, soi-disant en provenance directe d'une source alpine. J'ai ressenti une jalousie subite pour un petit groupe de camionneurs imposants qui fumaient leur cigarette devant leurs énormes engins. Maintenant couvert d'une sueur rance, j'ai marché jusqu'à l'extrémité opposée de l'aire de repos et, d'une voix ferme, j'ai annoncé à un pommier en fleur :

« Je laisse tomber. »

De retour dans ma voiture, je me suis autorisé un unique sanglot qui a jailli du fond de mon cœur.

La circulation à cette heure de pointe autour d'Indianapolis était grotesque, mais elle m'a amusé. Comme les autres conducteurs, je rentrais moi aussi à la maison après le boulot, sauf que je n'avais plus l'intention de travailler. J'ai alors pensé que la vigueur énorme jusqu'ici consacrée à mon travail pouvait désormais s'appliquer à ne rien faire, ou à faire autre chose. Je ne dirai pas que j'étais prêt à chanter *L'Hymne à la joie*, mais je me sentais très content de rouler au pas dans les embouteillages gigantesques, de jeter un coup d'œil aux autres voitures, de surprendre des visages déformés par la colère et l'impatience, ou simplement rongés d'ennui. Le spectacle des dysfonctionnements urbains rend Harlem ou Brooklyn merveilleusement séduisants.

Je suis arrivé chez ma sœur à sept heures du soir. Il y a des années, Martha a tenu à nous racheter, à Thad et à moi, nos parts de la maison ancestrale (deux générations), qui lui appartient maintenant en propre. Je n'y avais pas mis les pieds depuis plus de vingt ans ; en effet, quand je me rendais à Bloomington pour effectuer des recherches et passer quelques journées difficiles pendant que Martha me soumettait toutes les possibilités de la *Biocompacte* en cours, je descendais soit dans un motel soit chez mon courtier et conseiller en investissements, un ami depuis le lycée, nommé Matthew, qui m'a confié une indiscrétion : Martha a beaucoup plus d'argent que moi, parce qu'elle est plus futée. Pardon, s'est-il empressé d'ajouter, il comparait seulement nos modes d'investissements, car elle avait acheté massivement dans les nouvelles technologies avant même le début de cette décennie de hausses boursières, tandis que je restais aussi conservateur qu'un instituteur du Kansas.

Je me suis senti ému en traversant un vieux quartier de Bloomington, surtout parce que les professeurs d'université ne sont pas d'une vénalité aussi hystérique que les autres citoyens américains. Ce sont des gens grincheux qui ne regardent pas la télévision et qui se tiennent à distance de la culture populaire. Lors des visites que je leur rends parfois, je suis charmé par leur indifférence laconique envers la plupart des affaires courantes, qui relèvent le plus souvent du ragot alambiqué.

Mais la vraie raison pour laquelle je ne loge pas chez ma sœur, c'est qu'elle se prend pour une doyenne des arts et que sa maison est quasiment devenue un salon de peinture. J'ai déjà dit qu'elle s'éloigne rarement de chez elle, mais elle reçoit la visite de peintres, de sculpteurs, de musiciens, de poètes et de jeunes romanciers qui apprécient sa langue vipérine, sa table et ses vins. Elle a deux grandes pancartes, l'une verte et l'autre rouge, accrochées sur sa porte d'entrée et qu'elle exhibe selon que les visiteurs sont les bienvenus ou pas. À Chicago, j'avais été ravi d'apprendre par Thad qu'elle avait récemment pris l'habitude de marcher pendant quelques heures après la tombée de la nuit en compagnie d'un groupe de ses protégés, mais elle ne supportait toujours pas la lumière crue du grand jour. Il était arrivé un grand malheur à Martha lors de sa première année d'études à Wellesley, alors qu'elle venait de passer trois mois à Londres. Personne en dehors de Martha ne sait rien, sauf bien sûr les éventuels autres acteurs du drame. Elle est rentrée à la maison alors que j'étais parti à l'université pour y faire ma maîtrise, et voilà tout.

Franchement, je ne me sentais pas très à l'aise avec les visiteurs de ma sœur. Il n'y a rien de plus hautain qu'un artiste raté et, le soir, ils se pressent souvent en masse dans le salon de Martha. Les rares fois où je suis là, j'ai l'impression d'être le crapaud dans la soupière. Tout le monde est bien sûr poli, selon la quantité de vin déjà absorbée, mais les attaques, plutôt que personnelles, visent les « *establishments* » artistiques et littéraires de Chicago et de New York ainsi que la vulgarité des sommes colossales empochées par des artistes et des écrivains complètement nuls. Bizarrement, les gens d'ici connaissent toujours les derniers ragots des galeries et des cercles littéraires de New York et de Chicago, beaucoup mieux que moi qui y vis pourtant. Je n'ai pas les moyens de vérifier la vérité de ces rumeurs, mais tous les gens qui ont au moins un petit succès atterrissent dans le ragout commun, dont les ingrédients manquent d'équité.

Par bonheur, la pancarte rouge était accrochée sur la véranda, au milieu des buissons, et aucune voiture ne stationnait devant la maison. Martha n'avait pas conduit depuis la fin de son adolescence, quand elle se mit à qualifier les voitures d'« engins de malheur ». Sa spécialité est la race humaine et elle accueille auprès d'elle n'importe quel type d'esprit, pourvu qu'il soit intéressant ; ainsi, elle tolère les pires crétins qui infiltrent bien sûr toute communauté artistique. Sa seule bête noire a toujours été les « minimalistes » de tout poil, sans doute parce qu'elle est grosse – elle pèse environ quatre-vingt-cinq kilos.

Pourtant, elle avait maigri. En l'embrassant sur la véranda, j'ai estimé son poids à soixante-dix kilos seulement.

« Je manque le sens de la justice avec lequel tu manges », dit-elle en citant l'anglais approximatif de Sandrine, dont je lui avais rapporté cette phrase.

Par-dessus l'épaule de Martha, traversant la porte grillagée, j'ai humé le fumet d'un pot-au-feu, le plat qu'elle prépare avec un grand savoir-faire chaque fois que j'arrive chez elle. À ma demande, elle en a préparé un pour mon ami Rico lors de son dernier passage en ville, et Rico a aussitôt proposé à Martha de l'épouser. Lorsqu'il a essayé de la séduire, elle a été prise de fou rire pendant plusieurs minutes avant de prier Rico de retourner à son motel. L'an dernier, alors que nous avions bu beaucoup de vin, j'ai demandé à Martha de me raconter ce qui lui était arrivé en Angleterre plus de trente ans auparavant ; elle m'a répondu de ne pas m'inquiéter, ajoutant qu'elle s'en remettrait définitivement sur son lit de mort.

« Prends tes bagages. Je veux que tu habites chez moi, dit-elle cette fois d'une voix ferme.

— Non merci. »

J'ai senti la sueur gicler de ces endroits secrets d'où elle gicle d'habitude.

« Alors va-t'en, espèce de trouillard à la con. J'ai parlé à ton ex-femme-enfant, elle m'a dit que tu étais au plus mal. C'est elle qui le dit, pas moi. »

Martha m'a aidé à trouver le mystérieux trou de serrure du coffre, après avoir observé mes vaines tentatives à partir de la véranda. Il faisait encore quasiment jour et elle a scruté la rue dans les deux directions avant de franchir le portillon de la clôture que, dans notre jeunesse, nous avions repeint ensemble, mais certes pas avec l'innocence énergique de Tom Sawyer. Je n'ai jamais compris pourquoi elle trouve les jeux de la nuit moins inquiétants. Elle dit souvent que midi est la pire heure du jour et de la nuit.

« J'ai envisagé de louer un bateau pour descendre le Mississippi », dis-je dans l'espoir de retarder toute discussion assommante de mon état psychique.

« Elles sont magnifiques », rétorqua-t-elle en montrant mes bottes de combat pour Marines.

Au cours de notre délicieux dîner, je lui ai fait un compte rendu comique de ma soirée avec Donna, tout en étalant de la moelle de bœuf sur une tranche de pain français, avant de saupoudrer le tout avec du gros sel de mer. J'aurais dû me douter qu'elle n'aborderait pas un sujet aussi trivial que la santé mentale. Néanmoins, elle est un peu susceptible sur le sujet du suicide, car elle a ainsi perdu un certain nombre d'amis au fil des ans. J'ai donc passé le test assez vite et Donna, ma théologienne, l'a ravie.

« Où comptes-tu aller et que comptes-tu faire ? » m'a-t-elle demandé tandis que nous mangions notre crème caramel, l'un de ces rares desserts que ma mère préparait correctement.

J'ai regardé autour de moi le salon-salle-à-manger. Sans les tableaux, dont certains d'une laideur insigne, nous aurions très bien pu être en 1958. Les seuls ajouts, inconnus de notre enfance, étaient un tête-à-tête et des tablettes en chêne surmontées de plaques de marbre provenant de la maison d'Ida. Le fauteuil préféré de mon père arborait toujours ses napperons sur les accoudoirs. La seule note discordante était une légère lumière verte qui filtrait de la porte du bureau de Martha. Cette femme me torturait, quoique subtilement, au sujet de mon intégrité depuis la publication de mon unique petit roman, trente ans plus tôt. Elle avait certes gardé le cap, comme le « grand » Reagan disait toujours, ne s'autorisant jamais le moindre commentaire positif sur aucune de mes trente-six *Biocompactes*. Elle niait farouchement tout concept de compromis. Pour Martha, certaines choses valaient le coup. D'autres pas.

« Je sais seulement ce que je ne vais pas faire, finis-je par dire.

— Ne joue pas au crétin avec moi, fit Martha. C'est une inclination naturelle pour quelqu'un comme toi. On s'initie à la photographie ou à la fabrication des cache-pots, mais dans ton cas le résultat serait le même. Tu as vieilli prématurément, tu ne trouveras pas une activité ordinaire, d'autant que tu n'apprends pas très vite. Tu te souviens quand tu imitais papa et qu'il a fallu que je t'apprenne à danser pour que tu puisses emmener au bal cette crétine aux gros seins qui habitait dans la rue ? Comment s'appelait-elle déjà ?

— Sylvia. »

Son parfum m'avait rappelé la pastèque trop mûre.

« Tu pourrais peut-être te lancer dans une entreprise raisonnable : apprendre une langue étrangère par exemple. » Mon manque de goût pour les langues avait toujours irrité Martha. « Et puis, pourquoi claquer autant de fric avec des minettes qui te traitent comme une sous-merde ? Matthew m'a parlé de ce voyage en France de l'année dernière. Le comptable a appelé Matthew et il m'a téléphoné pour savoir si tu avais pété les plombs. »

Merci pour l'aide discrète... Il est difficile de ne pas en vouloir aux gens dès qu'ils se font du souci pour vous. Voici ce qui s'était passé un an plus tôt : j'étais à Paris et je traversais une période raisonnablement désagréable avec Sandrine quand elle a reçu un coup de fil de sa mère en fin de soirée, lui annonçant que son père souffrait d'une pneumonie. Sandrine est devenue tellement hystérique que j'ai pris peur. J'ai aussitôt loué un de ces petits avions d'affaires français, un Falcon, pour nous emmener à l'aube jusqu'à Montpellier, près de la Méditerranée, pas très loin de la frontière espagnole, du moins selon les critères américains. En fait, quand son frère nous a accueillis à l'aéroport, j'ai vu sur la route des panneaux indiquant Perpignan et Barcelone ! Jamais, de ma vie, je ne m'étais approché aussi près de l'Espagne. Ce vol privé était bien sûr incroyablement cher, et le frère de Sandrine nous a fait remarquer avec humour qu'un vol normal arrivait de Paris une heure seulement après nous. Et puis Sandrine avait été tellement fascinée par l'aspect luxueux de notre bref voyage qu'elle en avait oublié son père malade... Le sur-lendemain, le géniteur, un proviseur de lycée, était sur pied, buvait du vin et me traitait avec un aimable cynisme. Je logeais dans un hôtel situé au bord de la mer et, la nuit, j'apercevais une forte densité de lumières le long de la plage, en direction du sud-ouest. Quand j'ai demandé à un garçon d'étage s'il s'agissait de l'Espagne, il m'a répondu « Narbonne » avec un haussement d'épaules, avant de s'éloigner. Je ne connaissais pas le sens de ce mot, ayant fait trois ans de français au lycée, puis deux ans à l'université, sans compter deux douzaines de séjours en France. J'ai plus tard appris que Narbonne était une ville située un peu plus bas sur la côte. Durant notre voyage de retour, Sandrine semblait légèrement vexée que nous ayons pris un vol normal.

« Les gens intelligents deviennent stupides à l'étranger », conclut Martha pour me taquiner en remarquant mon air rêveur.

Puis elle m'a demandé avec une certaine excitation ce que nous allions préparer pour le dîner du lendemain. Martha attribue notre engouement partagé pour la gastronomie au fait que c'est la seule expression de la sensualité autorisée dans le Midwest. Désapprouvée mais autorisée. Combien de fois n'entend-on pas :

« Il faut manger pour vivre, et non pas vivre pour manger. »

On vous serinera plus souvent cette ânerie dans le Midwest que nulle part ailleurs. Lorsque je lui rends visite, Martha est assez aimable pour préparer des plats qu'on propose rarement au restaurant. Ce soir-là, il fallait donc choisir entre une poule au pot ou un *bollito misto*, une recette toscane assez sophistiquée impliquant plusieurs viandes ; la première idée allait sans doute l'emporter, d'autant plus qu'il était stupide de préparer un *bollito misto* pour deux et que je n'avais certainement pas envie d'une autre compagnie.

« Tu devrais renoncer *illico presto* à considérer ta situation comme exceptionnelle. Je parie que la moitié des habitants de ce putain de pays se livrent pieds et poings liés à un métier qu'ils savent ne pas leur convenir. Le problème, c'est qu'il n'y a ni bonnes ni mauvaises choses à faire. J'ai simplement moins bien rempli ma vie que toi. Quant à toi, tu as tout bonnement manqué de force de caractère pour t'obstiner dans ce que tu rêvais de faire. Je suis entourée de gens qui ont suivi leur idée première, alors qu'ils n'auraient sans doute pas dû le faire. Il n'y a rien de nouveau sous le soleil, n'est-ce pas ? »

Le petit discours rassurant de Martha a été interrompu par un coup de sonnette. C'était l'heure de sa promenade nocturne et l'un de ses compagnons était un sculpteur de métal, homme massif et taciturne, que j'avais déjà rencontré et qui méprisait les mots comme un métal de nature inférieure, pour privilégier les grommellements. L'autre, selon une étrange coïncidence juste après le discours de Martha, était une vieille connaissance et presque un ami de l'Iowa, qui avait écrit une demi-douzaine de romans ayant pour héros un balourd du Missouri nommé Hokey Pokey. Son premier roman fut bien accueilli mais il se vendit moyennement, mieux néanmoins que mon propre livre publié la même année. Il réussit à se maintenir à un niveau honorable pendant plusieurs années et avec différents éditeurs, mais les deux derniers romans de la série Hokey Pokey avaient été publiés par de petits éditeurs régionaux. Il avait souffert d'un problème d'alcool qui le rendait incapable de continuer d'écrire pour perpétuer les aventures de son personnage préféré. Au cours de la dernière décennie, il avait vécu en rédigeant des reportages pour des magazines de voyages qui vous donnent deux mille dollars plus des billets d'avion et des séjours gratuits à l'hôtel. J'ai toujours pensé que nous aurions pu devenir amis, sans l'argent que je lui ai « prêté » et qui le turlupine même si je lui assure qu'il s'agit d'une brouille sans importance. Ce soir-là, son élocution était légère-

ment pâteuse et il semblait particulièrement susceptible.
J'ai ressenti une énième douleur derrière le sternum en
leur disant au revoir, après quoi ils sont sortis faire leur
promenade nocturne et augmenter leur taux d'endor-
phines.

J'ai envisagé de boire un dernier verre, mais je me suis
dit que ce serait déplacé. J'ai suivi le long couloir obscur
de la vaste maison, qui avait été une ferme avant la Première Guerre mondiale, mais qui était maintenant totalement intégrée à un quartier de la banlieue. Mes parents
aimaient les fissures du plâtre et l'allure bancale du bâtiment tout entier. J'ai jeté un coup d'œil dans la chambre
de Thad : couvertes de poussière, les maquettes d'avions
pendaient toujours du plafond. Il faisait du mauvais boulot. Un jour, j'en ai lancé une du haut d'un bâtiment
élevé du campus, pour qu'il la voie s'écraser au sol. Un
autre jour, il fit basculer notre tondeuse à gazon, puis
l'abaissa sur une maquette d'avion pour imiter « un
typhon de l'espace », du moins selon ses dires. Parce que
la fabrication de modèles réduits ne constituait pas le
genre de passe-temps approuvé par mes parents, il persé-
véra.

En éteignant la lumière dans la chambre de Thad, j'ai
soudain pensé que le fait de partager l'argent gagné avec
mes *Biocompactes* n'avait peut-être pas fait beaucoup de
bien à ma sœur ni à mon frère. C'était là une considération vague mais désagréable. Elle m'a rappelé une question de ma sœur :

« Pourrais-tu décrire quelqu'un de ta connaissance ? »

Peut-être, mais c'est là une tâche rudement difficile.
D'une certaine manière, pour écrire mes *Biocompactes*, il
fallait que je ne connaisse pas vraiment bien le sujet en
question, et je soupçonne que dans le journalisme, sauf
chez les véritables maîtres du genre, une connaissance

réelle de l'individu concerné constitue un inconvénient. Tout ce que j'ai jamais lu sur des gens que je connaissais bien s'est révélé d'une inexactitude insensée, vaguement stupide ; seul un lecteur ignorant la dimension affective de l'individu concerné aurait peut-être pu s'intéresser à ces articles. Et quand vous ajoutez la présence physique de la personne, comme aux informations télévisées, vous voilà dans de beaux draps !

Seigneur, je m'enfonce dans un marécage comme, si récemment, dans ce banc de boue du Mississippi, mais cette fois-ci j'y suis entièrement englouti. Cédant à une impulsion subite, je suis retourné au salon, j'ai trouvé l'un des innombrables « Post-It » de Martha et j'y ai écrit : « J'apprendrai DEUX langues étrangères si tu achètes un autre chiot. » Puis je l'ai collé sur une urne de cendres posée sur le manteau de la cheminée, tout ce qu'il restait de sa petite bâtarde Sash, morte l'an passé. Martha répétait à qui voulait l'entendre qu'elle se sentait émotionnellement trop timide pour avoir un autre chien. Par ce petit mot, je voulais seulement la remercier de l'intérêt amical qu'elle venait de porter à mon état.

Avant d'aller dans ma chambre, un pèlerinage que je retardais de mon mieux, j'ai ouvert la porte de celle de mes parents, allumant la lumière pendant une bonne seconde. Désormais c'était soi-disant une chambre d'amis, mais je doutais que Martha ait jamais laissé quiconque y dormir. Ce sont apparemment les décès brutaux qui créent les fantômes. Mon père possédait-il donc un esprit capable d'émerger de ce bateau coulé ? Restait-il quelque chose de ma mère après qu'elle se fut suicidée ? Telle était, semblait-il, la question.

Je ne sais pas très bien ce que j'attendais de ma propre chambre, où je n'avais pas dormi depuis d'âge de trente-cinq ans, lorsque j'étais si arrogant que, pour parodier Henry James, j'étais quelqu'un pour qui tout est perdu. Un homme d'une trentaine d'années, obsédé par le succès, est aussi égocentrique que le pancréas, lequel est condamné à ne jamais se connaître en tant que pancréas. Ma chambre était bourrée jusqu'au plafond par la comédie des grandes espérances juvéniles ; aux antipodes de la science-fiction, l'authentique machine à remonter le temps fonctionne seulement lorsque nous revisitons les hauts lieux de notre passé lointain qui résonnent encore si profondément que nous sommes happés hors de nos chaussures vers le contenu émotionnel dont ces endroits sont toujours imprégnés.

Collée de l'autre côté de la porte, j'ai reconnu la seule pointe de flèche que j'aie jamais trouvée. La rivière qui coulait près de la ferme de mes grands-parents, où Cindy avait découvert son fameux serpent, débouchait dans un marais d'une quarantaine d'arpents. À l'endroit où cette rivière se jetait dans le marais, se dressait un petit tertre qui avait sans doute servi de lieu de campement aux Indiens. Je savais autrefois de quelle tribu il s'agissait, mais tant D.H. Lawrence que William Carlos Williams ont souligné que c'est bien la première chose que les Américains ont tendance à oublier.

Bref, un jour mon père nous a emmenés à la ferme pour offrir quelques jours de tranquillité à ma mère, puis mon père nous a laissés herboriser sur la frontière méridionale de l'Indiana. J'avais quinze ans, je devais surveiller Martha et Thad, respectivement âgés de douze et neuf ans, et capables de frasques cauchemardesques, d'autant que mes grands-parents étaient trop infirmes pour s'occuper d'eux. Assis sur le tertre, j'essayais de me sentir poète comme Vachel Lindsey. Quand Martha a trouvé une pointe de flèche, nous nous sommes tous mis à creuser autour. Martha a fini par en trouver sept, et Thad quatre. Je n'en ai trouvé qu'une, ce qui m'a mis en rogne, car ce mauvais score écornait sérieusement ma prétendue supériorité. Bon, des millions de gens ont trouvé des pointes de flèche, mais sur le moment celle-ci m'a permis d'entrevoir pour la première fois l'histoire vécue et j'en suis resté bouche bée. Tous les écrivains que j'avais lus étaient aussi morts que les fabricants de ces pointes de flèche.

M'éloignant de la porte pour regarder l'étagère, j'ai reconnu les livres que j'adorais à vingt ans, surtout la poésie espagnole et française des dix-neuvième et vingtième siècle, des romanciers comme Faulkner, Melville, Dostoïevski, Tourgueniev, Joyce, Sherwood Anderson, et puis un livre bien particulier, à moi offert par un professeur de français, la *Poétique de l'espace* de Bachelard. J'ai pris mon exemplaire, passablement abîmé, de *Un poète à New York*, de Lorca, en me souvenant très bien de la photo absurde qu'il contenait. En classe de seconde, j'avais apporté à l'école mon appareil photo Brownie et, à l'heure du déjeuner, réussi à convaincre un ami vaniteux de se camper à proximité d'un groupe de filles, où figurait Leila, notre étudiante portugaise. C'était pour moi la seule manière de la photographier, même si sur cette image elle est un peu floue et légèrement de profil. Les livres de Rœthke et le recueil *Racines et branches* de Robert Duncan contenaient également quelques photos d'amies du lycée et de l'université, y compris un Polaroïd saisissant de Cindy entièrement nue ; mais aucune, et pas même Cindy, ne possédait le pouvoir ineffable de Leila, campée près du perron du lycée, les traits brouillés et la main levée comme pour montrer le ciel par une journée froide mais ensoleillée du milieu de l'hiver.

Quel putain d'indécrottable romantique tu fais, ai-je pensé en m'asseyant sur mon lit étroit. Comment pouvais-je être crétin au point d'accorder une telle importance à un insubstantiel béguin de jeunesse ? Mais c'était pourtant bel et bien le cas.

Et peut-être que ces livres autrefois bien-aimés étaient seulement les précieux fétiches d'un jeune homme immature, pointes de flèches jadis magiques ou patte de lapin dépenaillée chérie par un rustre et si souvent portée qu'elle se réduisait désormais à un assemblage miteux d'os et de tendons. La chambre brillait légèrement comme dans un de ces ridicules films d'horreur à la télévision, ces films grotesques qui me fascinent parfois. Un volume de Hemingway, *En notre temps,* contenait une brève lettre de la vieille Ida sur le personnage biblique de Lazare, que j'avais autrefois trouvée très drôle. Au tout début de mon adolescence, j'avais en effet annoncé à Ida que je ne croyais pas à l'histoire de Jésus ramenant Lazare d'entre les morts. Elle a été si scandalisée qu'elle n'a d'abord rien dit, puis elle m'a écrit une lettre quelques jours plus tard : « Jeune homme, si la Bible le dit, c'est que c'est vrai. Signé, Ida Price Shotsworth. » Sur le moment, cette controverse ne m'a pas semblé très drôle. Ida « voyait » Lazare, moi pas. Elle avait un regard différent. En classe de terminale, j'étais devenu trop exigeant pour continuer de lire Hemingway. Peu de temps auparavant, j'étais allé dans les bois avec deux amis et nous avions abattu onze écureuils avec nos carabines de calibre .22. Nous comptions nous offrir un festin d'écureuils grillés, au lieu de quoi nous les avons abandonnés dans un panier derrière un garage, jusqu'à ce qu'ils puent.

Quand la chambre s'est mise à vaciller, j'ai éteint la lumière. Sur le mur situé face à mon lit, se trouvait une grande carte d'Espagne, à peine visible dans la lueur de la rue filtrée par les arbres et les buissons qui oscillaient dans la brise nocturne. Séville, Cordoba et Grenade papillonnaient au rythme des feuilles. J'ai pensé fermer les stores, mais la lumière de la rue était en fait celle de la lune, parfaitement visible en l'absence des gratte-ciel de New York ou de Chicago. La vie est-elle à ma portée? Ou bien demeure-t-elle inaccessible? Puis-je seulement écrire mes pensées parfaitement logiques, quitte à laisser de côté les sept huitièmes restants, sinon davantage, le vide parfois juteux qui tourbillonne autour de nous, ou cette obscurité éclaboussée de couleurs qui s'approche, ce grand midi qui suffoque Martha? Elle déteste la sincérité dépourvue d'art. Elle déteste la sincérité tout court. Elle adore l'art, elle a deux pièces à l'étage remplies de livres d'art. Quand je lui ai dit que le plafond du salon risquait de s'effondrer, elle m'a répondu :

« Tant mieux, mes livres nous blesseront en dégringolant. »

Les parents devraient peut-être protéger leurs enfants, non pas contre la pornographie, mais contre la poésie. Quels idéaux désastreux j'ai pu entretenir... « Votre enfance, a dit Guillen, une fable pour urinoirs. » Je crois bien qu'il a dit ça. Le jour où Martha a surpris Thad avec ces bandes dessinées salaces de huit pages, elle a poussé des cris de paonne, puis notre mère les a vues et elle les a montrées à notre père. Thad a menti et dit qu'il les avait trouvées dans ma chambre, mais ils ne l'ont pas cru. J'étais assis dehors sur l'herbe, absorbé par mon rapport à la lune et aux étoiles. Installés sur la véranda, mes parents encadraient ce pauvre Thad. Ma mère a dit :

« Ces mauvaises lectures indiquent quelque chose, mais je ne sais pas quoi au juste.

— Je suis d'accord », a opiné mon père.

Tous deux mouraient d'envie de boire l'unique appéritif qu'ils s'autorisaient le soir.

« Thad, a repris mon père, nous allons les brûler dans la cheminée.

— D'accord, a fait Thad, je voyais pas de mal à ça.

— Je NE voyais AUCUN mal à CELA, a rectifié ma mère.

— Je ne voyais aucun mal à cela », a répété Thad.

Ils auraient mieux fait de brûler mes recueils de poésie. Car mes livres appartenaient à une culture qui n'était désormais plus la nôtre. Les idéaux de la jeunesse vous tuent parfois, mais ils méritent de le faire. Les idéaux de la jeunesse sont façonnés à grand-peine par les maîtres des siècles passés, de Gongora à Cela, de Villon à Char, d'Emily Dickinson jusqu'à nous autres, pauvres Bartleby. Je crois que le *Times* a annoncé qu'il y avait trente-neuf mille écrivains dans le New Jersey. Travaillez donc d'arrache-pied et enrichissez-vous pour admirer le cul dissymétrique de cette fille chez *Cajou*. J'ai pleuré aujourd'hui sur l'aire de repos et maintenant que la lune éclaire mon ventre nu pour la première fois mes parents ont disparu dans le néant. Un homme a fondu en larmes dans un restaurant, juste après le passage d'un camion de pompiers. Il n'a pas pu retenir ses larmes et le maître d'hôtel l'a prié de partir. Assis à ma table, je me suis demandé pourquoi il pleurait et j'ai bien failli le rejoindre pour lui poser la question. Une telle réaction révèle peut-être un caractère bien trempé.

Il était minuit passé quand j'ai entendu les pas de Martha s'arrêter devant ma porte. Puis ils se sont lentement éloignés. Je doutais qu'une langue nouvelle, ou même deux, puisse modifier l'alphabet de ma vie, mais plus jamais je n'aurais besoin d'égrener mes supercheries, ces cousines lointaines du mensonge. « Bob Célébrité jouait avec son jaune d'œuf au petit déjeuner, en se servant de l'extrémité d'une tranche de bacon et de ce jaune d'œuf pour peindre le sort des nations sur son assiette Wedgwood. Il aurait pu devenir Salvador Dali, pensait-il, mais il était Bob, et il baissa les yeux vers ces mains qui décidaient du destin de centaines de millions d'individus, ces mains qu'il lavait chaque matin dans du lait de brebis, une habitude acquise grâce à sa mère dans une vallée des Alpes suisses, parce qu'ils habitaient trop haut dans les montagnes pour aller chercher de l'eau. »

La lune est montée au-dessus de ma fenêtre. J'entendais Donna dormir à New York. J'entendais Cindy écouter le fleuve dans le Wisconsin. Je m'entendais moi-même inspirer et expirer, inspirer et expirer. J'ai levé la main au-dessus du lit et du clair de lune, vers l'obscurité ; son ombre m'a salué sur la carte d'Espagne. Je me suis convaincu que j'étais davantage que la somme de mes écrits. J'ai eu beaucoup de mal à y croire et j'ai seulement réussi vers deux heures du matin, quand je me suis endormi.

Un plan indistinct semblait se mettre en place. Je me suis réveillé vers cinq heures du matin, j'ai laissé un mot modérément affectueux à Martha, allégé ma mallette de cinq kilos de notes eisnériennes et d'un kilo et demi de *Botanique humaniste*, les remplaçant par quelques volumes d'anthologies bilingues de poésie avec leurs précieux (sérieusement) colophons de Penguin. Puis je me suis glissé en silence hors de la maison, comme un gros cambrioleur, bien habillé et confiant sans raison particulière, persuadé qu'il existait sans doute une manière de protéger ma vie.

J'ai atteint Indianapolis juste à temps pour embarquer dans un avion à destination de Chicago et j'ai eu la chance de réserver une bonne place pour New York à l'*Admiral's Club* d'*American Airlines*, un nom qui m'a toujours plu, car je ne me suis jamais imaginé dans la peau d'un amiral. Je me sentais toujours malheureux et rassasié, non par les excellents plats de Martha, mais je souffrais d'une indigestion du monde et d'une voracité monstrueuse pour les ordures du monde. J'ai failli céder au besoin urgent de griffonner quelques notes sur la meilleure façon de vomir ces trente années d'ordures, mais en même temps je ne voulais rien écrire avant de pouvoir exprimer clairement ce besoin, ce qui risquait de prendre Dieu sait combien de temps. J'ai un jour entendu un type brillant décrire à la radio comment on peut bavarder avec Dieu, mais les photos prises dans l'espace par Hubell m'ont séché sur place. Si la vie après la mort est tellement merveilleuse, alors pourquoi Jésus a-t-il pris la peine de ramener Lazare d'entre les morts ? Pour nous montrer que les morts sont vraiment morts, ou que les morts ne sont pas vraiment morts ? Comment le savoir ? Cette question me donnait sans aucun doute une bonne raison d'appeler Donna, en plus de la perspective de serrer de nouveau entre mes bras sa croupe aussi gracieuse que somptueuse, nimbée d'une splendeur improbable par la lumière nocturne. Une croupe et Lazare, pas de quoi fouetter un chat.

L'aéroport O'Hare constitue notre version triviale, sans imagination, de l'enfer. Dans la Bible on trouve une kyrielle d'histoires sur un homme riche qui possède trois vaches, deux chameaux et un grenier rempli de grain. Merde alors, que signifie aujourd'hui être riche ? Et puis, quel mois sommes-nous ? Début mai ? Mi-mai ? Dans la salle d'attente, un homme salue mes bottes de Marine tout en avançant à grandes enjambées vers son avion.

Dans le taxi que j'ai pris à l'aéroport de LaGuardia, j'ai tendu la main vers ma mallette pour en sortir un

calepin, mais j'ai aussitôt saisi cette main en une pantomime digne de Frankenstein. La dernière connerie que
j'avais besoin de faire à ce stade de mon existence, c'était
de me mettre à écrire. Alors que nous traversions le pont
de Queensboro vers la Cinquante-neuvième Rue pour
entrer dans un Manhattan qui ne m'avait jamais paru
aussi beau, j'ai envisagé de partir pour une destination
vraiment lointaine et exotique, avant de décider que cet
exotisme-là me préparerait mal au restant de mon existence. Quand j'ai demandé au chauffeur du taxi pourquoi il y avait aussi peu de circulation, il m'a répondu :

« Parce que c'est dimanche, monsieur », avec un
accent antillais chantant et en me souriant dans le rétro-
viseur, comme s'il avait l'habitude de trimballer une
ribambelle de ploucs à travers la ville.

Une fois chez moi, j'ai contemplé les taches de vin
avec toute l'affection qu'un jeune homme éprouve
devant son premier poème. J'ai appelé Donna, qui n'était
pas chez elle. J'ai appelé Rico, qui n'était pas non plus
chez lui, mais pourquoi quiconque resterait-il chez soi
par ce bel après-midi dominical ? Et puis d'abord, pourquoi quiconque serait-il chez soi quand on lui téléphone ? J'ai appelé « Magic Don », comme le
surnomment les filles du bureau, mais à Greenwich sa
femme m'a appris qu'il jouait au golf pour la journée en
Caroline du Nord. Lorsque je lui ai annoncé ma démis-
sion, elle m'a répondu :

« Nous sommes dimanche, mais je lui transmettrai le
message ce soir. »

Quelle réponse mystérieuse...

J'ai jeté à la poubelle les denrées périssables de mon
réfrigérateur, avant de porter le sac plein d'ordures
jusqu'au perron. J'ai failli ouvrir ma boîte à lettres, mais
j'ai aussitôt renoncé à cette idée. J'ai appelé Air France et

réussi à échanger quelques-uns de mes cinq cent mille kilomètres contre une place sur un vol de nuit. Ensuite, j'ai rempli un gros bagage avant de dormir pendant deux heures, assis sur le canapé, la tête ballante, en bavant sur ma chemise et en rêvant que des chiens pas plus gros que mon poing se cachaient dans l'appartement et tentaient de me confier un secret d'une importance vitale. À mon réveil, ce rêve ne m'a pas paru trop absurde pour que je lui accorde quelque considération, mais comment allais-je comprendre le langage des chiens?

À Kennedy, j'ai acheté une demi-douzaine de cartes de l'Espagne et de la France pour offrir à ma mallette presque vide un contenu crucial. Je ne traversais apparemment aucune crise grave; simplement, je m'étais trompé de métier et je devais maintenant en créer un nouveau. Je ne pouvais tout de même pas rester assis sur mon cul et me barrer en couille comme le premier « boulevardier » venu qui circule de bistro en bistro selon un horaire calqué sur les promotions programmées par ces établissements. J'avais besoin de me débarrasser du baratineur timide lové autour de ma colonne vertébrale comme le très redouté mamba vert. À bord de l'avion, je me suis souvenu d'une décision audacieuse mais entachée d'imposture que j'avais prise un mois avant de rendre mon douteux mémoire de maîtrise. Comme mon laïus n'était pas assez long, j'ai ajouté dix poèmes d'une poétesse espagnole, que je me vantais d'avoir rencontrée à Bilbao et que je traduisais en anglais pour la première fois. Je n'avais bien sûr jamais mis les pieds à Bilbao et cette poétesse n'existait pas, mais j'avais écrit ces poèmes plus vite et plus facilement qu'une oie ne chie. L'un d'eux donnait même la recette des gâteaux à la morue accompagnés d'une sauce blanche à l'ail et à la crème. Le professeur responsable de mon mémoire a beaucoup apprécié ces fausses traductions, ajoutant qu'il les trouvait bien meilleures que mes travaux littéraires plus sérieux. Au début des années cinquante, cet homme passait pour un écrivain formaliste « très excitant », mais le fait d'enseigner à « de pauvres cloches » comme nous l'avait frappé de mutisme. Malheureusement, il a demandé à voir les originaux : un voyage de deux jours à la maison et les talents linguistiques de Martha ont fait l'affaire. Ma sœur délirait un peu à cette époque, elle croyait dur comme fer que je pouvais être « plusieurs personnes », comme Joanne Woodward dans certain film.

À une altitude très élevée au-dessus de l'Atlantique, je me suis dit que je pourrais faire une modeste carrière de poète, et peut-être de romancier, en incarnant plusieurs écrivains différents. Après avoir mangé un filet de sole infiniment plus fade que le poisson-chat du Wisconsin, sans parler des deux bouteilles de vin que j'ai englouties, ces projets d'écriture pour une vie nouvelle m'ont paru tout à fait admirables. Pourquoi se réduire à une seule personne quand on peut en être plusieurs ? Je ne me suis pas laissé arrêter par cette évidence que tout romancier pratique déjà pareil exercice, car ma propre version de cette expérience était manifestement inédite et originale. Mes noms futurs iraient d'Alberto Dorado à Monique Sénégal.

À l'aéroport Charles-de-Gaulle, j'ai eu un petit problème pour récupérer mes bagages, qui a provoqué une légère dépressurisation de ma cabine mentale. J'avais voyagé avec un seul passager en première classe, un lugubre banquier new-yorkais aux traits flasques. Malgré les autocollants « priorité », nos bagages furent les derniers à émerger du trou noir aménagé dans le sol, sans doute une mauvaise blague de bagagistes gauchistes, une tendance politique à laquelle je me suis toujours identifié plus ou moins sérieusement. J'ai profité de cette heure d'attente pour téléphoner à Sandrine et c'est Oliver qui m'a répondu, l'un de ses amis que j'avais rencontré plusieurs fois, un jeune homme si mince qu'il semblait construit en mécano. Oliver, qui avait passé deux années à Oxford, parlait un excellent anglais, mais il avait l'habitude agaçante de m'appeler « vieille branche ». J'ai ainsi appris qu'Oliver sous-louait l'appartement à Sandrine, laquelle était à Prague depuis quatre mois. Elle m'avait appelé plusieurs fois et la connexion était régulièrement très balkanique, mais elle ne m'avait jamais dit où elle se trouvait. Sandrine avait « oublié » de transmettre au propriétaire l'argent qu'Oliver lui envoyait pour son loyer. Elle dépensait donc deux fois plus que d'habitude, le loyer d'Oliver et l'argent que ma banque lui virait chaque mois. Bah... En tout cas, m'apprit Oliver, il était viré et j'étais tenu de payer.

« Pourquoi donc ? » demandai-je naïvement.

Oliver avait vu ma signature sur le bail. Comme je n'avais jamais signé le moindre bail, j'en ai conclu qu'on avait imité ma signature.

Ce n'était pas exactement ce que j'avais prévu pour entamer ma nouvelle vie. Tout ça ressemblait plutôt au coup de pied au cul si justement décrit par mon père. L'une des bonnes raisons pour gagner de l'argent, c'est d'échapper à toutes ces conneries qui vous gâchent l'existence. Avant que j'aie raccroché, Oliver a suggéré qu'une façon de s'en tirer consistait à payer les six derniers mois de location du bail et de lui sous-louer directement l'appartement ; telle était du moins la proposition du proprio, qui refusait désormais de traiter avec Sandrine. Les jambes toutes flageolantes, j'ai dit à Oliver que je le rappellerais bientôt.

Par bonheur, j'ai avisé une hôtesse d'Air France dans les parages. Mon bagage à la main, je lui ai demandé s'il n'y avait pas bientôt un vol pour Barcelone et elle m'a répondu que oui en me guidant vers un autre terminal. Une fois en sécurité à bord de cet avion, mon moral est remonté en flèche, surtout quand j'ai senti que nous décollions pour nous éloigner à mille lieues des problèmes de Sandrine. On m'a même servi un déjeuner de beignets de morue, assez similaires à ceux de mon poème écrit il y avait si longtemps. Mes sympathies susmentionnées pour les gauchistes m'ont occasionné une pensée troublante : si je ne m'étais pas concentré autant sur ce travail grassement payé, j'aurais sûrement eu la présence d'esprit de ne pas m'acoquiner avec cette maudite salope de Sandrine.

Mais une autre embrouille calamiteuse m'attendait avant que je ne puisse entamer pour de bon ma nouvelle existence. J'ai apprécié le Rioja rouge et léger qu'on m'a servi, plutôt généreusement, pendant le vol. J'avoue que ce vin a provoqué chez moi une légère ébriété et, au moment de débarquer, je me suis laissé entraîner par le flot des autres passagers, qui tous étaient européens. Je me suis soudain retrouvé devant une rangée de palmiers, sous le soleil brûlant de l'après-midi, sans avoir franchi la moindre douane, une obligation pour les Américains et d'autres voyageurs, mais pas pour les passagers européens. « N'accorde aucune pensée au lendemain, a dit Jésus, car le lendemain s'occupera tout seul de lui-même. » Je suis donc resté là jusqu'à ce que je trouve le chauffeur qui devait m'emmener à mon hôtel, suite aux dispositions prises par téléphone à Charles-de-Gaulle.

Malheureusement, ma négligence s'est mise à me tarauder dès que je me suis écroulé sur le lit de ma splendide chambre d'hôtel, après avoir fait un tour sur le balcon pour regarder la foule compacte des Ramblas. J'étais certain que mon oubli de la douane allait me causer des ennuis, sans aller, espérais-je, jusqu'à une irruption de la très redoutée *Guardia Civil* me chassant de mon lit à coups de matraque. Un citoyen américain intelligent et lucide aurait simplement joint le consulat pour demander conseil. Au lieu de quoi j'ai fait une sieste. Entre l'aéroport et la ville, je n'avais remarqué aucun poète paysan menant son âne, mais j'étais malgré tout très heureux d'être ici. Alors que je m'endormais, mon esprit m'a joué quelques-unes parmi mes mélodies préférées de Carlos Montoya.

Mon premier voyage en Espagne a seulement duré quarante-neuf heures, ce qui est au moins le résultat de sept fois sept, et sept a toujours été mon chiffre porte-bonheur. Je suis fier de ne pas avoir chié dans mon froc ni perdu mon portefeuille. Lors de cette première soirée, j'ai marché pendant plusieurs heures jusqu'à ce que mes rougeurs me rapatrient dare-dare vers ma chambre et mon onguent à la sève de pin. J'ai vu d'innombrables femmes brunes et ravissantes, j'ai passé une bonne heure dans un marché à admirer les éventaires. J'ai même remarqué que la plupart des autochtones parlaient catalan plutôt que l'espagnol orthodoxe. Bref, j'avais la situation bien en main, mais je savais pourtant que ma pitoyable ascendance du Midwest me contraindrait à ressasser, encore et encore, ma bévue à l'aéroport. D'ailleurs, j'ai souvent remarqué que les Américains originaires des côtes Est et Ouest ont moins tendance à envisager un monde parfait, moyennant quoi ils se pardonnent plus volontiers leurs propres erreurs. Chaque

fois que je revivais mentalement ma sortie hors de l'aéroport, je me rappelais maintenant jusqu'aux pancartes par
moi négligées.

Avant de quitter l'hôtel pour un dîner tardif, j'ai pris
une douche et aussitôt pénétré dans un très vaste placard
au lieu de retourner dans ma chambre, comme prévu. Ce
placard était démesuré et j'y avais déjà fait plusieurs pas
avant de m'apercevoir de mon erreur. Ce n'était franchement pas drôle, mais cette expérience m'a aussitôt aidé à
comprendre que, malgré ma présence physique en
Espagne, je n'étais toujours pas arrivé dans ce pays. Oui,
être en Espagne allait me prendre des jours et des jours,
sinon plusieurs semaines. Et pour l'immédiat, je me
trouvais comme n'importe quel touriste au beau milieu
d'un accordéon effondré, en proie aux caprices d'un
temps cinématique qui offre des scènes indigestes au
spectateur hagard.

Les secours sont venus sous la forme d'un barman
irlandais dans un pub situé à quelques rues de mon
hôtel. Lorsque j'étais entré dans le restaurant où j'avais
retenu une table, le patron m'a dit qu'à cause de la foule
et malgré ma réservation je ferais mieux de revenir dans
une heure. Je me suis donc réfugié dans un pub tranquille, indubitablement dublinois. Après un seul verre,
j'ai confié mon problème au barman, lequel y a réfléchi
avec le plus grand sérieux. Puis il m'a dit que, si j'étais
simplement un touriste américain en baguenaude pour
quelques jours ici, il n'y avait pas de problème; mais
que, si je voulais louer un appartement ou une maison et
m'y installer un moment, alors je ferais mieux de prendre
un car vers la France, disons jusqu'à Narbonne, d'y
déjeuner et de revenir en Espagne avec un passeport tam-
ponné en bonne et due forme. À Barcelone les fonctionnaires étaient compréhensifs, mais ailleurs je risquais de
tomber sur un bureaucrate plus vétilleux.

Pendant mon dîner simplement composé d'un ragoût de morue à la tomate et à l'ail, suivi d'une portion de cochon de lait rôti, le conseil du barman, même si ce dernier était peut-être mal renseigné, m'a détendu. J'avais eu plus que mon lot de mauvaises informations, mais je me sentais rassuré. Et puis, par la plus grande des coïncidences, j'avais déjà aperçu les lumières de Narbonne de mon balcon à Montpellier, une expérience très agréable à condition d'exclure Sandrine de ce voyage.

Le lendemain matin, je me suis horriblement perdu pendant une heure, m'aventurant dans des ruelles inconnues et tournant ma carte de la ville dans tous les sens possibles pour essayer de reconnaître la perspective présente du paysage urbain. Ma seule consolation consistait à regarder les trottoirs balayés par la foule, ces millions de têtes penchées en direction de leur lieu de travail. Vers dix heures du matin, quand j'ai enfin retrouvé mon hôtel, j'étais trempé de sueur. J'ai pris une douche rapide et j'ai loué une voiture avec chauffeur pour la journée. De nouveau, étais-je vraiment là tandis que je faisais ma visite guidée de la ville en huit heures, dans une Mercedes équipée de l'air conditionné ? Un petit peu, mais pas beaucoup. Une fois résolu le problème de la douane grâce à ce bref aller et retour en France, l'appartement de Sandrine m'est revenu en mémoire comme la merde de chien solidement collée à votre chaussure. Le chauffeur, qui s'appelait Pedro, était excellent à tous égards, mais les seuls spectacles qui ont réussi à me faire oublier mes soucis ont été les œuvres de Gaudi. Même le pouvoir démentiel de mes diverses névroses n'a pas pu résister au génie de cet homme.

Gaudi a fait disparaître l'appartement de Sandrine dans la brume de chaleur et la pollution de Barcelone. Gaudi était sans commune mesure avec cette visite guidée, car il incarnait les aspects les plus séduisants de notre imagination.

C'est triste à dire, mais cette ville a tenté de me séduire et de me faire oublier mon passé, sans vraiment y réussir ; mais c'est ma faute et non celle de Barcelone. Je devais tout bonnement retourner en arrière pour faire un peu de ménage, aussi bourgeois que cela puisse paraître. Lorsque je l'ai compris, je me goinfrais comme un cochon dans un bar basque à tapas. Je ressemblais tout à fait à ces oies que j'avais vues dans la cour de la grande cathédrale. J'étais une oie dans un décor somptueux, mais une oie malgré tout. Et puis je me suis senti vaguement gêné quand le patron du bar à tapas m'a serré la main pour me remercier d'apprécier autant sa cuisine. J'avais en effet mangé vingt et un tapas, encore un multiple de sept, mais qui ne m'aidait guère à comprendre mes bientôt huit fois sept, cinquante-six ans.

En milieu de matinée, j'étais de retour à Charles-de-Gaulle et je suis allé directement à l'appartement de Sandrine où j'ai réveillé Oliver, avant de me rendre chez le superbe traiteur appartenant au propriétaire de Sandrine, lequel y braisait quelques poireaux en vue d'une vinaigrette. Surpris, je me suis trouvé désarmé. Remarquant que j'examinais un plateau de harengs Bismarck, il en a vivement mis un sur une assiette avec des oignons et un morceau de pain. Dans son bureau minuscule, Oliver a été obligé de se lever, évoquant tout du long l'insecte mascotte du Midwest américain, le phasme, également surnommé « canne de marche ». Tous ensemble, nous avons bu un café, puis un verre de vin blanc pour la digestion. Ce petit coup de blanc m'a remis d'aplomb et j'ai aussitôt imaginé de faire la navette entre Paris et Barcelone, une semaine dans une ville puis une semaine dans l'autre, et d'en profiter pour apprendre le français et l'espagnol. Pourquoi pas ?

Le propriétaire m'a montré le bail. Ma signature était certes imitée, mais c'était une excellente imitation. Pendant une ou deux minutes je me suis senti au fond du trou, là où il ne fait vraiment pas bon vivre. Le point de vue du propriétaire était le suivant : il ne voulait plus entendre parler de Sandrine, mais j'étais toujours responsable de la location, à moins que je ne veuille appeler les flics et aller au tribunal. Comme Oliver était en proie à une brusque crise d'angoisse, je lui ai donné ma chaise. Il s'est assis et pris le visage entre les mains. Il m'a soudain semblé que toute cette scène avait été répétée à l'avance. Je savais qu'Oliver faisait des études de médecine, mais je doutais qu'il eût l'intention d'imiter Albert Schweitzer. La banalité de toute cette comédie menaçait de m'étouffer. J'ai sorti mon carnet de chèques et j'ai payé l'année entière, jusqu'à la fin du bail, une somme équivalente à cinq pages de ma *Biocompacte* sur William Paley qui, souffrant d'une maladie incurable, a déclaré vers la fin de sa vie :

« Pourquoi dois-je mourir ? »

Comme s'il pouvait en être exempté... Alors que nous quittions le magasin, Oliver m'a dit :

« Je vous enverrai un chèque mensuel, vieille branche. »

Je lui ai rétorqué, en bon argot du Midwest :

« Je ne garderai pas la main collée au cul. »

Ce soir-là, j'ai dîné au *Récamier* avec la tutrice française que j'avais trouvée pour l'occasion. Elle avait mon âge ainsi que ma corpulence, et je comptais prendre seulement un café avec elle à la réception de mon hôtel situé rue Vaneau, l'*Hôtel de Suède*. C'était une Auvergnate qui avait été brièvement mariée à un Américain, alors qu'elle était étudiante en licence à l'Université de Chicago. Je l'ai invitée à dîner parce qu'elle semblait mieux connaître l'histoire de la littérature américaine qu'aucune autre personne de ma connaissance. Sans prendre de pincettes, elle m'a rétorqué que mon intention d'étudier intensivement et en même temps le français et l'espagnol était « parfaitement stupide ». Certains aspects de son caractère en faisaient une version plus âgée de Donna. Après le dîner, je l'ai mise dans un taxi. Nous sommes tombés d'accord pour nous revoir huit jours plus tard, après ma première semaine entière en Espagne. L'absurdité de tous ces projets rendait nos phrases légèrement haletantes et je lui ai courtoisement accordé un baise-main avant qu'elle ne monte dans son taxi.

J'ai marché jusqu'à la rue Saint-Jacques et un club de jazz où je vais souvent boire un dernier verre quand je suis à Paris. Je me sentais insouciant et ravi de ne pas être avec Sandrine, une corvée qui depuis plusieurs années occupait toutes mes soirées parisiennes. Le jazz moderne est solitaire et strident, idéal pour un Blanc d'âge mûr qui vient de couper les entraves dans lesquelles il s'était lui-même empêtré. C'est un son métallique et mélancolique, mais c'est néanmoins de la musique. Je ne pouvais pas m'attendre, après tout, à devenir l'un de ces acrobates capables d'entrer dans un bar, de lancer son chapeau et d'atteindre la patère à tous les coups. D'abord, plus personne ne porte de chapeau et il n'y a plus de patère dans les bars. Vous vous demandez peut-être quel rapport il y a entre le fait d'écouter des morceaux de Miles Davis à minuit dans un club de jazz parisien et le restant de mon récit, mais cette question vient de nos efforts stériles pour trouver une cohérence artificielle à nos existences. J'espérais bien me diriger ailleurs.

Table

10/18, une marque d'Univers Poche,
est un éditeur qui s'engage pour
la préservation de son environnement
et qui utilise du papier fabriqué à partir
de bois provenant de forêts gérées
de manière responsable.

Cet ouvrage a été imprimé en France par

BUSSIÈRE

à Saint-Amand-Montrond (Cher)
en avril 2014

Dépôt légal : mai 2001.
N° d'impression : 2009139.
Nouveau tirage : avril 2014.
X03174/07